UDC

中华人民共和国国家标准

P GB/T 51015－2014

海堤工程设计规范

Code for design of sea dike project

2014－07－13 发布 2015－05－01 实施

中华人民共和国住房和城乡建设部
中华人民共和国国家质量监督检验检疫总局 联合发布

中华人民共和国国家标准

海堤工程设计规范

Code for design of sea dike project

GB/T 51015-2014

主编部门：中 华 人 民 共 和 国 水 利 部
批准部门：中华人民共和国住房和城乡建设部
施行日期：2 0 1 5 年 5 月 1 日

中国计划出版社

2014 北 京

中华人民共和国国家标准
海堤工程设计规范
GB/T 51015 - 2014
☆
中国计划出版社出版发行
网址：www.jhpress.com
地址：北京市西城区木樨地北里甲11号国宏大厦C座3层
邮政编码：100038　电话：(010) 63906433 (发行部)
北京市科星印刷有限责任公司印刷

850mm×1168mm　1/32　8.75 印张　222 千字
2015 年 6 月第 1 版　2019 年 11 月第 2 次印刷
☆
统一书号：1580242・565
定价：49.00 元

中华人民共和国住房和城乡建设部公告

第 493 号

住房城乡建设部关于发布国家标准《海堤工程设计规范》的公告

现批准《海堤工程设计规范》为国家标准，编号为 GB/T 51015—2014，自 2015 年 5 月 1 日起实施。

本规范由我部标准定额研究所组织中国计划出版社出版发行。

中华人民共和国住房和城乡建设部

2014 年 7 月 13 日

前　　言

本规范是根据原建设部《关于印发〈2007年工程建设标准规范制订、修订计划(第一批)〉的通知》(建标〔2007〕125号)的要求，由水利部水利水电规划设计总院、广东省水利水电科学研究院、浙江省水利水电勘测设计院会同有关单位共同编制完成的。

本规范在编制过程中，编制组进行了广泛的现场调查和研究，认真总结我国沿海各地区以及相关行业海堤工程设计的经验，吸收了国内外海堤工程设计的先进成果，并对其中关键技术开展了专题研究，经广泛征求意见，反复讨论、修改完善，最终经审查定稿。

本规范共分14章和15个附录，主要技术内容包括：总则、术语、防潮(洪)标准与级别、基本资料、设计潮(水)位的确定、波浪计算、堤线布置与堤型选择、堤身设计、堤基处理、稳定与沉降计算、其他建(构)筑物与海堤的交叉和连接、安全监测、施工设计及工程管理设计等。

本规范由住房城乡建设部负责管理，水利部国际合作与科技司负责日常管理，水利部水利水电规划设计总院负责具体技术内容的解释。

本规范在执行过程中，请各单位注意总结经验，积累资料，将有关意见和建议反馈给水利部水利水电规划设计总院(地址：北京市西城区六铺炕北小街2-1号，邮政编码：100120，E-mail：jsbz@giwp.org.cn)，以供今后修订时参考。

本规范主编单位、参编单位、主要起草人和主要审查人：

主 编 单 位：水利部水利水电规划设计总院

广东省水利水电科学研究院

浙江省水利水电勘测设计院

参 编 单 位: 广东省水利电力勘测设计研究院
浙江省水利河口研究院
中交第一航务工程勘察设计院有限公司
国家海洋环境预报中心
广东省气候中心
辽宁省水利水电勘测设计研究院
广东水利电力职业技术学院

主要起草人: 刘 宁 刘志明 陈明忠 李维涛 江 洧
李 铁 唐巨山 张从联 袁文喜 黄锦林
李粤安 曾 甄 邵守良 程永东 王府义
赵吉国 郑雄伟 赖翼峰 朱 峰 谢善文
王 盛 刘咏峰 李德吉 杜秀忠 邓莉影
李本霞 黄世昌 崔忠波 李健民 宋丽莉
王成山 李明传 严振瑞 胡能永 廖建强
孙伯永 刘 斌 幺振东 林叔忠 陈秀良

主要审查人: 汪 洪 杨光煦 陈厚群 钟登华 高安泽
曹右安 孙 龙 丁留谦 刘汉龙 王庆升
富曾慈 陈志恺 王 浩 朱尔明 王喜年
梅锦山 胡训润 窦希萍

目　　次

Contents

1 总 则

1.0.1 为适应海堤工程建设的需要，规范海堤工程设计标准和技术要求，做到安全可靠、经济合理、技术先进、管理规范，使海堤工程有效地防御风暴潮（洪）水和波浪等危害，特制定本规范。

1.0.2 本规范适用于各类新建、加固、改建和扩建海堤工程的设计。

1.0.3 海堤工程设计应以所在区域海洋功能区划、海岸带及相关河流的综合规划或防潮（洪）专业规划为依据。为滩海开发而设计的海堤工程应以相关规划为依据。位于城镇的海堤工程设计还应以城镇总体规划为依据。位于河口区的海堤工程还应符合河道治导线要求。

1.0.4 海堤工程设计应具备可靠的水系水域、气象水文、地形地质和社会经济等基本资料。海堤工程加固或改、扩建设计还应具备海堤工程现状及运用情况等资料。海堤工程设计应统一基面。

1.0.5 海堤工程设计，在一定的防潮（洪）标准下，应满足稳定、渗流、变形和抗冲刷等方面要求，还应考虑海堤周边生态、环境、景观及用海要求。

1.0.6 海堤工程设计应贯彻因地制宜、就地取材的原则，积极、慎重地采用新技术、新工艺、新材料。

1.0.7 位于地震基本烈度 7 度及以上地区的 1 级海堤工程或特别重要堤段，应在综合分析的基础上确定采用抗震设计。

1.0.8 海堤工程设计除应符合本规范规定外，还应符合国家现行有关标准的规定。

2 术　　语

2.0.1　海堤（海塘，海挡，防潮堤）　sea dike

为防御风暴潮（洪）水和波浪对防护区的危害而修筑的堤防工程。

2.0.2　设计高潮（水）位　design high water level

设计重现期相对应的高潮（水）位值。

2.0.3　设计波浪　design wave

规划设计所采用的符合设计重现期要求的波浪，以各波浪要素值反映。

2.0.4　波浪要素　wave fact

波高、波长、周期及波向统称为波浪要素。波高 H 是指波峰与波谷垂直距离，波长 L 是指相邻两波峰或波谷间水平距离，周期 T 是指相邻两波峰或波谷传播至参考点的时间间隔，波向是指波浪的传播方向。

2.0.5　有效波（或 1/3 大波）　significant wave

波列或全部观测记录中，按波高大小顺序，就相应于总数的 1/3 的大波进行平均而得到的波浪，称为有效波，并以 $H/3$ 或 Hs 表示。

2.0.6　累积频率波高　accumulated frequency of a wave height

不规则波列中，波高按由大到小次序排列，位于某一累积频率的波高。

2.0.7　设计波浪标准　design wave criteria

设计波浪标准包括设计波浪的重现期和设计波浪的波列累积频率。

2.0.8 波浪折射 wave refraction

波浪自深水向岸边传播进入浅水后，由于水下地形或水流作用的影响，等深线往往与波峰线不平行，在平面上波浪传播方向发生偏转并引起波浪要素的变化，这种近岸波浪传播变形现象称为波浪折射。

2.0.9 波浪绕射 wave diffraction

波浪传播过程中遇到岛屿、岬角或人工建筑物等障碍物时，部分波浪将绕过障碍物继续传播，并在障碍物后受掩护的水域上也出现波动，这种现象称为波浪绕射。

2.0.10 波浪浅水变形 transformation of waves entering shallow water

波浪从深水传入浅水过程中，由于受到水深变浅、地形复杂、海底摩擦、水流作用以及障碍物的影响，其波高、波长、波向均发生变化，这种变化称为波浪浅水变形。

2.0.11 破碎水深 breaking wave depth

波浪向近岸传递过程中濒于发生破碎处的水深。

2.0.12 破碎波高 breaking wave height

波浪向近岸传递过程中发生破碎时的波高。

2.0.13 开敞式海岸 open coast

面向大海，以受外海涌浪或混合浪影响为主的海岸。

2.0.14 越浪量 overtopping wave discharge

波浪越过堤顶的单宽流量。

2.0.15 允许越浪量 permissive overtopping wave discharge

在设计条件下，允许越过堤顶的单宽流量。

2.0.16 促淤 promoting sedimentation

为加速滩涂面淤积而采取的治理措施。

2.0.17 消浪措施 wave absorbing structures

利用工程或植物消减波浪能量的措施。

2.0.18 波浪爬高 wave run-up

从静水位算起的波浪沿海堤等建筑物爬升的垂直高度。

2.0.19 台汛期 typhoon seasons

台风暴潮可能发生的时期。

2.0.20 二线海堤 backset sea wall

既有海堤工程一定距离外，又修建相同或更高设计标准的海堤工程时，原有海堤工程即为二线海堤。

2.0.21 反压平台 berm

在海堤侧面延伸填筑的利用其重量产生的抵抗力矩增加海堤稳定性的、有一定宽度和高度的土、石台体。

3 防潮(洪)标准与级别

3.1 海堤工程的防潮(洪)标准

3.1.1 海堤工程的防潮(洪)标准应根据现行国家标准《防洪标准》GB 50201 中各类防护对象的规模和重要性选定。保护特殊防护区的海堤工程防潮(洪)标准应按表 3.1.1 选定，当表 3.1.1 规定的内容不满足实际需要时，应经技术经济论证。

表 3.1.1 特殊防护区海堤工程防潮(洪)标准

<table>
<tr><td colspan="2" rowspan="2">海堤工程防潮(洪)标准
[重现期(年)]</td><td rowspan="2">≥100</td><td rowspan="2">100～50</td><td>50～30</td><td>30～20</td><td rowspan="2">20～10</td></tr>
<tr><td colspan="2">50～20</td></tr>
<tr><td rowspan="4">特殊防护区</td><td>高新农业(万亩)</td><td>≥100</td><td>100～50</td><td>50～10</td><td>10～5</td><td>≤5</td></tr>
<tr><td>经济作物(万亩)</td><td>≥50</td><td>50～30</td><td>30～5</td><td>5～1</td><td>≤1</td></tr>
<tr><td>水产养殖业(万亩)</td><td>≥10</td><td>10～5</td><td>5～1</td><td>1～0.2</td><td>≤0.2</td></tr>
<tr><td>高新技术开发区
(重要性)</td><td>特别重要</td><td>重要</td><td colspan="2">较重要</td><td>一般</td></tr>
</table>

3.1.2 采用高于或低于规定防潮(洪)标准进行海堤工程设计时，其使用标准应经论证。

3.1.3 海堤工程上的闸、涵、泵站等建筑物和其他构筑物的设计防潮(洪)标准，不应低于海堤工程的防潮(洪)标准，并应留有适当的安全裕度。

3.1.4 各类防护对象可以分别防护时，宜采取分别防护措施。各段海堤工程的防潮(洪)标准由防护对象的防潮(洪)标准分别确定。同一封闭区的海堤工程防潮(洪)标准应一致。当不能采取分别防护措施时，海堤工程的防潮(洪)标准应取各防护对象中较高的防潮(洪)标准。

3.2 海堤工程的级别

3.2.1 海堤工程的级别应根据其防潮(洪)标准按表3.2.1选定。

表3.2.1 海堤工程的级别

防潮(洪)标准[重现期(年)]	≥100	100～50	50～30	30～20	≤20
海堤工程的级别	1	2	3	4	5

3.2.2 采用高于或低于规定级别的海堤工程应论证。

4 基本资料

4.1 社会经济

4.1.1 海堤工程设计应具备海堤防护区及海堤工程区的社会经济资料。

4.1.2 海堤工程防护区的社会经济资料应包括下列内容：

1 面积、人口、耕地、城镇分布等社会概况。

2 农林、水产养殖、工矿企业、交通、能源、通信等行业的规模、资产、产量、产值等国民经济概况。

3 生态环境状况。

4 历史潮、洪灾害情况。

4.1.3 海堤工程区的社会经济资料应包括下列内容：

1 土地面积、耕地面积、人口、房屋、固定资产。

2 农林、水产养殖、工矿企业、交通通信等设施。

3 文物古迹、旅游设施。

4.2 气象与水文

4.2.1 海堤工程设计应具备气温、风况、降水、水位、流量、流速、泥沙、潮汐、波浪和冰情等气象、水文资料。

4.2.2 海堤工程设计应具备与工程有关河口或海岸地区的水系、水域分布、河口或岸滩演变和冲淤变化等资料。

4.3 工程地形

4.3.1 1级～3级海堤工程各设计阶段的地形测图要求应符合表4.3.1的规定，4级、5级海堤的地形测量资料可按本条规定执行。

表 4.3.1 海堤工程各设计阶段的测图要求

图别	建筑物类别	设计阶段	比例尺	图幅范围及断面间距	备注
地形图	海堤	规划	1∶10000～1∶50000	横向自堤中心线向两侧带状展开100m～300m，纵向应闭合至自然高地或已建海堤、路、渠堤	砂基及双层地基背海侧应适当加宽，以涵盖压、盖重范围。如临海侧为侵蚀性滩岸，应扩至深泓或侵蚀线外
		可行性研究、初步设计	1∶1000～1∶10000		
	穿(跨)堤建筑物		1∶200～1∶500	包括建筑物进出口及两侧连接范围	初步设计宜取大比例尺
纵断面图	海堤		竖向 1∶100～1∶200	—	初步设计宜取大比例尺。堤线长度超过100km时，横向比例尺可采用1∶10000～1∶50000
			横向 1∶1000～1∶10000	—	
横断面图	海堤		竖向 1∶100	新建海堤每100m～200m测一断面，测宽200m～600m。加固海堤每50m～100m测一断面，测宽200m～600m	初步设计断面间隔宜取下限。曲线段断面间距宜缩小。横断面宽度超过500m时，横向比例尺可采用1∶2000。老堤加固横向比例尺亦可采用1∶200
			横向 1∶500～1∶1000		

4.3.2 加固、改建和扩建海堤工程还应提供堤顶中心线的纵断面图。

4.4 工 程 地 质

4.4.1 海堤工程设计的工程地质及筑堤材料资料应符合现行行业标准《堤防工程地质勘察规程》SL 188 的有关规定，并应满足设计对地质勘察的要求。

4.4.2 海堤工程设计应充分利用已有的海堤工程及堤线上其他工程的地质勘察资料，并应收集险工地段的历史和现状险情资料，查清历史溃口堤段的范围、地层和堵口材料等情况。

4.4.3 新建海堤及无地质资料的旧堤加固、改建和扩建工程应进行工程地质勘察。对于已有地质资料但不能满足现行行业标准《堤防工程地质勘察规程》SL 188 要求的旧堤加固、改建和扩建工程，还应对其进行补充勘察。勘察时应查明工程区域水下流泥、浮泥的范围和厚度。

4.4.4 软土堤基上的旧堤加固工程应查明旧堤的填筑材料和填筑时间等情况。

4.4.5 勘察报告应评定场地水或土对建筑材料的腐蚀性。

5 设计潮(水)位的确定

5.1 设计潮(水)位的统计计算方法

5.1.1 设计潮(水)位应采用频率分析的方法确定。潮(水)位资料系列不宜少于20年,并应调查历史上曾经出现的最高、最低潮(水)位值。

5.1.2 设计潮(水)位频率分析的线型,在受径流影响的潮汐河口地区宜采用皮尔逊-Ⅲ型分布曲线,在海岸地区可采用极值Ⅰ型或皮尔逊-Ⅲ型分布曲线。皮尔逊-Ⅲ型和极值Ⅰ型频率分析计算可按本规范附录A进行。采用其他线型进行潮(水)位频率分析计算时,应进行分析论证。

5.1.3 当缺乏长期连续潮(水)位资料,但有不少于连续5年的年最高潮(水)位资料时,设计高潮(水)位可采用极值同步差比法与附近有不少于连续20年资料的长期潮(水)位站资料进行同步相关分析,所需的设计高潮(水)位应按下式计算:

$$h_{PY}=A_{NY}+\frac{R_Y}{R_X}(h_{PX}-A_{NX}) \tag{5.1.3}$$

式中:h_{PY},h_{PX}——待求站与长期站的设计高潮(水)位(m);

A_{NY},A_{NX}——待求站与长期站的平均海平面高程(m);

R_Y,R_X——待求站与长期站的同期各年年最高潮(水)位的平均值与平均海平面的差值(m)。

5.1.4 在采用极值同步差比法计算时,待求站与长期站之间应符合下列条件:

1 潮汐性质相似。

2 地理位置邻近。

3 受河流径流(包括汛期)的影响相似。

4　受增减水的影响相似。

5.1.5　具有连续3个月以上，包含有增水的短期潮（水）位观测资料，当不宜采用极值同步差比法计算，且待求站与邻近长期站的潮（水）位性质相似时，经过分析论证，可采用相关分析的方法确定待求站的设计潮（水）位。

5.1.6　对于1级和2级海堤工程，当缺乏实测潮（水）位观测资料时，应设立临时潮（水）位观测站，观测周期不应少于1年。

5.2　设计潮（水）位的确定

5.2.1　1级～3级海堤工程的设计潮（水）位应按本规范第5.1节的方法统计计算，有下列情形之一的，还应对设计潮（水）位作专题研究。

1　人类活动影响大或河床冲淤变化大的地区。

2　洪潮作用复杂、潮（水）位受地形影响大的地区。

3　风暴潮危害严重的地区。

5.2.2　4级和5级海堤工程的设计潮（水）位，可根据海堤所在位置，由临近潮（水）位测站设计潮（水）位结果内插确定。

5.2.3　位于河口区的海堤工程，应将潮（水）位频率分析计算结果与设计洪（潮）水面线分析计算结果进行比较，选取较高值作为设计潮（水）位值。

6 波浪计算

6.1 波浪和风速的设计标准

6.1.1 设计波浪和设计风速的重现期宜采用与设计高潮(水)位相同的重现期。当采用其他设计标准时,应经分析论证。

6.1.2 对于直立式、斜坡式海堤护面的强度和稳定性计算,设计波高(H_F)的波列累积频率标准应按表6.1.2确定。当推算出的波高大于浅水极限波高时,设计波高(H_F)应采用极限波高。极限波高应按本规范第6.4节的规定确定。

表6.1.2 设计波高的波列累积频率标准

海堤型式	部位	计算内容	波高累积频率F(%)
直立式	防浪墙,墙身,闸门,闸墙	强度和稳定性	1
	基础垫层,护底块石	稳定性	5
斜坡式	混凝土板护坡、防浪墙,闸门,闸墙	强度和稳定性	1
	浆砌石护坡,干砌块石、块体护坡	稳定性	13※
	护底块石、块体	稳定性	13
海堤前的潜堤	护面块石、护面块体	稳定性	13

注:※表示当平均波高与水深的比值$\overline{H}/d_{前}<0.3$时,F宜采用5%。

6.1.3 不规则波的不同累积频率波高H_F与平均波高$\overline{H}$之比值$H_F/\overline{H}$可按表6.1.3确定。

表 6.1.3 不同累积频率波高换算

$\overline{H}/d$	F(%)	0.1	1	2	3	4	5	10	13	20	50
0	$\frac{H_F}{\overline{H}}$	2.97	2.42	2.23	2.11	2.02	1.95	1.71	1.61	1.43	0.94
0.1		2.70	2.26	2.09	2.00	1.92	1.86	1.65	1.56	1.41	0.96
0.2		2.46	2.09	1.96	1.88	1.81	1.76	1.59	1.51	1.37	0.98
0.3		2.23	1.93	1.82	1.76	1.70	1.66	1.52	1.45	1.34	1.00
0.4		2.01	1.78	1.69	1.64	1.60	1.56	1.44	1.39	1.30	1.01
0.5		1.80	1.63	1.56	1.52	1.49	1.46	1.37	1.33	1.25	1.01

注：d 为计算点水深(m)。

6.1.4 当 $\overline{H}/d$ 的值介于表 6.1.3 中的数值之间时，可内插换算。不同累积频率的波高也可按下式进行计算：

$$H_F=\overline{H}\left[-\frac{4}{\pi}\left(1+\frac{1}{\sqrt{2\pi}}H^*\right)\ln F\right]^{\frac{1-H^*}{2}} \tag{6.1.4}$$

式中：H_F——累积频率为 F 的波高(m)；

$\overline{H}$——平均波高(m)；

H^*——考虑水深因子的系数，其值为 $\overline{H}/d$；

F——累积频率。

6.1.5 不规则波的波周期可采用平均波周期 $\overline{T}$ 表示，平均波周期对应的波长 L 可按本规范附录 B 确定，也可按本规范式(C.0.1-1)进行计算。

6.2 风的统计和计算方法

6.2.1 风速统计应采用标准风速值，标准风速指地面以上 10m 高度处、逐时观测的风速时距为 10min 的平均值。采用的基础风速资料与标准风速要求不一致时，应采用适当的方法将其换算为标准风速值。

6.2.2 风向应以度数表示，基本方位划分应以 16 个风向方位示意图(图 6.2.2)为基础，合并为 8 个方位组进行统计分析。计算不同重现期的设计风速时，应计算设计主风向及其左右 22.5°、45° 方位角的设计风速。

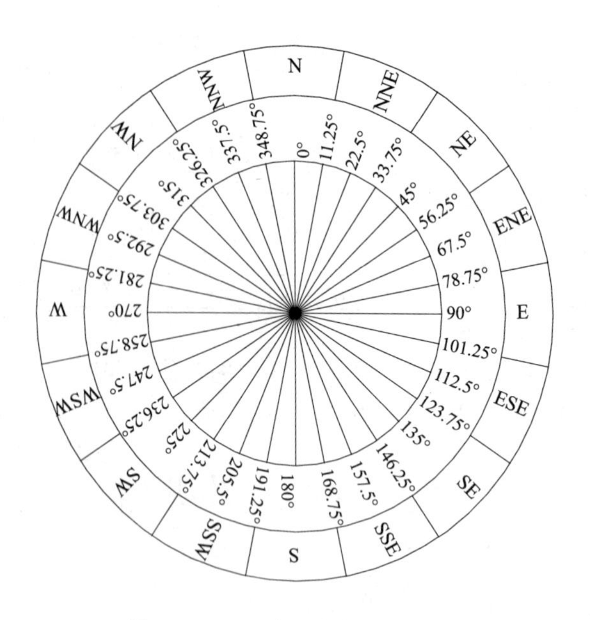

图 6.2.2 16 个风向方位示意图

6.2.3 计算不同重现期的设计风速时，若工程点附近有长期风速观测资料，可采用该资料进行统计分析，资料系列长度不宜少于30年。

6.2.4 利用内陆长期风速观测资料推算沿海海岸带设计风速时，应结合该风速观测点高程、测风环境、距海岸的距离和下垫面特征等因素，进行设计风速订正。

6.2.5 计算不同重现期的设计风速时，若工程点附近无长期风速观测资料或附近有长期风速观测但代表性较差，可设置临时观测站进行短期风速观测，通过相关比值法，将短期观测资料序列延长订正到规定年限，再进行统计分析。利用临时观测站短期测风资料推求设计风速时，其观测时间应在1年以上，并应包含大风天气的影响。

6.2.6 设计重现期风速频率分析宜采用极值Ⅰ型分布曲线，经过分析论证，也可采用其他适合的线型。

6.3 波浪的统计和计算方法

6.3.1 当工程所在位置或其附近有较长期的波浪实测资料时，可采用分方向的某一累积频率波高的年最大值系列进行频率分析，确定不同重现期的设计波高。

6.3.2 在进行设计波高或周期的频率分析时，连续的资料年数不宜少于20年，且应采用已包含大风影响在内的波浪资料作为统计资料。

6.3.3 波高的频率曲线，可采用皮尔逊-Ⅲ型或极值Ⅰ型分布曲线。经分析论证，也可选配其他理论频率曲线确定不同重现期的设计波浪。

6.3.4 当工程所在位置或其附近有完整一年或几年的短期波浪实测资料，且具有实测大波资料时，设计波浪可用全部观测次数不分方向的某一累积频率的波高按本规范第C.0.2条计算，并应与其他方法计算的结果相互比较分析后确定。

6.3.5 当工程所在位置及其附近均无测波资料时，对于海湾和河口区域，设计波浪要素宜采用风速推算波浪的方法按本规范第C.0.3条和第C.0.4条确定；对于开敞式海岸，宜采用外海波浪资料通过浅水变形计算确定，外海波浪要素可按现行行业标准《海港水文规范》JTS 145—2的相关方法计算。

6.4 波浪浅水变形计算

6.4.1 在确定海堤设计波浪要素时，应进行波浪浅水变形计算。波浪浅水变形计算包括浅水校正、波浪折射及波浪绕射。

6.4.2 近岸波浪浅水变形计算应符合下列规定：

1 波浪向近岸浅水区传播时，可假定平均波周期不变，任意水深处的波长应按本规范第C.0.1条计算，浅水的波高、波速、波长与相对水深的关系可按本规范附录D选用。

2 浅水区任意水深处的波高应按浅水变形计算确定。当水底坡度平缓、波浪传播距离较长时，浅水变形宜计入底摩阻的影响。

6.4.3 变形计算的起始水深，在海湾和河口区可取风区平均水深处的水深；对开敞式海区，结合波浪测站或推算波浪要素的位置，可取相应等深线附近的水深。

6.4.4 近岸浅水区波浪变形计算，对1级～3级海堤工程，宜采用数值计算方法进行波浪折射、绕射计算；对4级、5级海堤工程，可按现行行业标准《海港水文规范》JTS 145—2的相关方法计算。

6.4.5 波浪浅水变形计算应算至海堤堤脚处。堤前水深可按下式进行计算：

$$d_{前}=h_P-h_{滩} \tag{6.4.5}$$

式中：$d_{前}$——堤前水深，指海堤堤脚前约1/2波长处的水深(m)；

h_P——设计年频率 P 的高潮位值(m)；

$h_{滩}$——距堤脚约1/2波长处海床高程(m)。

6.4.6 破碎波高应按下列规定确定：

1 规则波在浅水中发生破碎时，破碎波高 H_b 与破碎水深 d_b 的比值可按图6.4.6确定。在图上求得不同水深 d 处的破碎波高 H_b，即为该水深的极限波高。

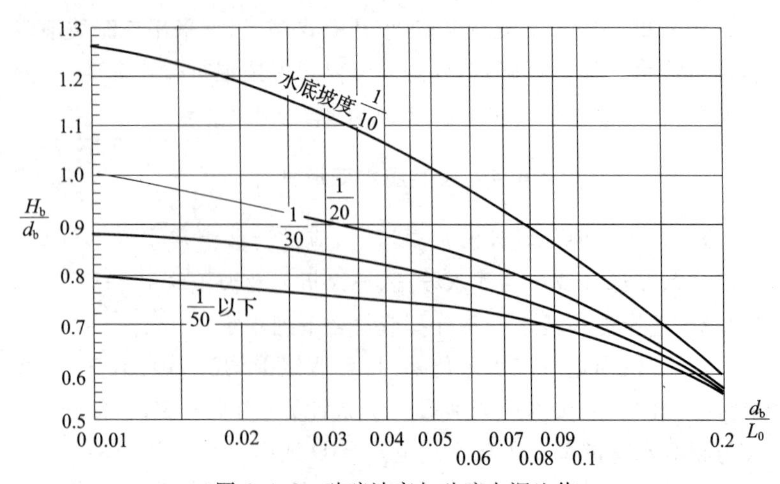

图6.4.6 破碎波高与破碎水深比值

2 不规则波列中大于或等于有效波的波浪，其破碎波高与破碎水深的比值可按图6.4.6所得的破碎波高与破碎水深之比值再乘以0.88的系数，深水波长L_0应按下式计算：

$$L_0 = 1.17\overline{T}^2 \tag{6.4.6}$$

3 当海底坡度$i \leqslant 1/200$时，波浪的破碎波高与破碎水深的最大比值可按表6.4.6确定。

表 6.4.6 缓坡上破碎波高与破碎水深的最大比值

i	1/1000	1/500	1/400	1/300	1/200
H_b/d_b	0.60	0.60	0.61	0.63	0.69

6.4.7 在确定堤前波高时，对按本规范第6.4.4条计算得到的堤前平均波高，可按本规范表6.1.3换算或按本规范式(6.1.4)计算出不同累积率波高H_F，且与破碎波波高H_b进行比较，若H_F不大于H_b，则堤前波高应取H_F；若H_F大于H_b，波浪在离岸较远处已破碎，堤前波高应取H_b。

6.4.8 波浪折射、波浪绕射应按现行行业标准《海港水文规范》JTS 145—2的有关规定进行计算。

6.5 波浪爬高计算

6.5.1 海堤工程的波浪爬高计算应采用不规则波要素作为计算条件，计算应取堤脚前约1/2波长处的波浪要素，当堤脚前滩涂坡度较陡时，应取靠近海堤堤脚处的波浪要素。堤前波浪要素应按本规范第6.1节～第6.4节的规定计算确定。

6.5.2 波浪爬高应根据海堤实际断面特征，经合理分析或概化，按本规范附录E相应的计算公式确定。

6.5.3 对1级～3级或断面几何外形复杂的重要海堤，波浪爬高值宜结合模型试验确定。

6.5.4 对堤前滩地植有防浪林的海堤，应先确定防浪林消波后的堤脚前波高，再计算波浪爬高值。防浪林的消波系数可按本规范第E.0.11条确定。

6.5.5 对插砌条石斜坡堤，平面加糙率宜采用25%，波浪爬高可按本规范第E.0.12条确定。

6.6 越浪量计算

6.6.1 海堤的允许越浪量应根据海堤表面防护情况按表6.6.1取值。

表6.6.1 海堤的允许越浪量

海堤表面防护	允许越浪量[$m^3/(s \cdot m)$]
堤顶及背海侧为30cm厚干砌块石	≤0.01
堤顶为混凝土护面，背海侧为生长良好的草地	≤0.01
堤顶为混凝土护面，背海侧为30cm厚干砌块石	≤0.02
海堤三面(堤顶、临海侧和背海侧)均有保护，堤顶及背海侧均为混凝土保护	≤0.05

6.6.2 海堤越浪量应根据海堤的实际情况选择计算公式，单坡型式海堤可按本规范附录F的有关公式计算，其他断面型式海堤宜通过模型试验确定。

6.6.3 对于1级～3级或有重要防护对象的允许越浪海堤，除按本规范表6.6.1取值外，还应通过模型试验验证其允许越浪量以及堤顶和背水坡护面的防冲稳定性。

6.7 波浪作用力计算

6.7.1 海堤工程的波浪作用力计算应采用不规则波要素作为计算条件，计算应取堤脚前约1/2波长处的波浪要素，当堤脚前滩涂坡度较陡时，应取靠近海堤堤脚处的波浪要素。

6.7.2 直立式护面和斜坡式护面的波浪作用力按本规范第G.1节和第G.2节计算确定，单一坡度陡墙式海堤的波浪作用力可按相关直立式海堤的公式估算。其他结构形式的波浪作用力可按现行行业标准《海港水文规范》JTS 145—2进行计算。

6.7.3 1级～3级或有重要防护对象的海堤，以及按允许部分越浪设计的海堤，波浪作用力宜结合模型试验确定。

7 堤线布置与堤型选择

7.1 堤 线 布 置

7.1.1 堤线布置应依据防潮(洪)规划和流域、区域综合规划或相关的专业规划,结合地形、地质条件及河口海岸和滩涂演变规律,并应考虑拟建建筑物位置、已有工程现状、施工条件、防汛抢险、堤岸维修管理、征地拆迁、文物保护和生态环境等因素,经技术经济比较后综合分析确定。

7.1.2 堤线布置应遵循下列主要原则:

1 堤线布置应符合治导线或规划岸线的要求。

2 堤线走向宜选取对防浪有利的方向,避开强风和波浪的正面袭击。

3 堤线布置宜利用已有旧堤线和有利地形,选择工程地质条件较好、滩面冲淤稳定的地基,宜避开古河道、古冲沟和尚未稳定的潮流沟等地层复杂的地段。

4 堤线布置应与入海河道的摆动范围及备用流路统一规划布局,避免影响入海河道、入海流路的管理使用。

5 堤线宜平滑顺直,避免曲折转点过多,转折段连接应平顺。

6 堤线布置与城区景观、道路等结合时,应统一规划布置,相互协调。应结合与海堤交叉连接的建(构)筑物统一规划布置,合理安排,综合选线。

7 堤线布置应结合耕地保护,有利于节约集约利用土地。

7.1.3 对地形、地质和潮流等条件复杂的堤段,堤线布置应对岸滩的冲淤变化进行预测,对堤线布置影响较大时应进行专题研究。

7.2 堤 型 选 择

7.2.1 堤型选择应根据堤段所处位置的重要程度、地形地质条件、筑堤材料、水流及波浪特性、施工条件，结合合理利用土地、工程管理、生态环境、景观及工程投资等要求，综合比较确定。

7.2.2 海堤断面型式可选择斜坡式、陡墙式和混合式等型式。

7.2.3 当地质、水文条件变化较大时，宜分段设计，各段可采用不同的断面型式，结合部位应做好渐变衔接处理。

7.2.4 加固、改建、扩建海堤的堤型应与现有或相邻堤段堤身断面相协调。

8 堤身设计

8.1 一般规定

8.1.1 堤身设计应根据地形、地质、潮汐、风浪、筑堤材料和管理要求分段进行堤身设计，并应妥善处理各堤段结合部位的衔接。

8.1.2 改建堤段应按新建海堤设计，并应与相邻堤段的结构型式相协调。

8.1.3 在满足工程安全和管理要求的前提下，海堤可与码头、滨海大道等工程相结合并统筹安排。

8.1.4 堤身断面应构造简单、造型美观、少占用耕地。

8.1.5 堤身设计应包括筑堤材料及填筑标准、堤顶高程、堤身断面、护面结构、消浪措施、岸滩防护等设计内容，并应充分体现生态、景观方面的要求。

8.1.6 有抗震要求的海堤，堤身结构应按现行行业标准《水工建筑物抗震设计规范》SL 203 的有关规定执行。

8.2 筑堤材料及填筑标准

8.2.1 堤身填料应根据堤基地质条件、材料来源、施工条件等综合分析选定。

8.2.2 采用淤泥、淤泥质土作为筑堤材料时，应提出加大排水固结速率等措施。

8.2.3 粉细砂及石渣作为筑堤材料时，应采取渗流控制措施。

8.2.4 碾压式均质土堤宜选用黏粒含量为 10%～35%、塑性指数为 7～20 的黏性土，且不得含植物根茎、砖瓦垃圾等杂质；填筑土料含水率与最优含水率的允许偏差应为±3%；铺盖、心墙、斜墙等防渗体宜选用防渗性能好的土;堤后盖重宜选用砂性土。

8.2.5 石渣料作为堤身填料时,其孔隙率宜控制在23%～28%。

8.2.6 采用充砂管袋、砂肋软体排及吹填砂填筑时,管袋材料应满足反滤和强度要求,充填料含泥量不宜大于10%。

8.2.7 结构砌筑石料饱和抗压强度:对挡墙砌筑料和护底块石料不应低于30MPa,对护面块石料不应低于50 MPa。

8.2.8 海砂不宜作为钢筋混凝土骨料;用于素混凝土时,应进行专题论证。

8.2.9 素混凝土强度等级不应低于C20;钢筋混凝土强度等级不应低于C25;位于潮汐区和浪溅区的钢筋混凝土和1级、2级海堤的素混凝土应提高混凝土强度等级,并应采取防腐蚀措施。

8.2.10 黏性土碾压填筑标准应按压实度确定,黏性土压实度应符合表8.2.10的规定。

表 8.2.10 黏性土压实度

海堤级别及堤高	压实度
1级海堤	≥0.95
2级海堤和高度大于或等于6m的3级海堤	≥0.93
3级以下海堤及高度低于6m的3级海堤	≥0.91

8.2.11 砂性土的填筑标准应按相对密度确定,砂性土相对密度应符合表8.2.11的规定。有抗震要求时,应进行专门的抗震试验研究和分析。

表 8.2.11 砂性土相对密度 *Dr*

海堤级别及堤高	相对密度
1级、2级和高度大于或等于6m的3级海堤	≥0.65
高度低于6m的3级及3级以下海堤	≥0.60

8.2.12 溃口复堵、港汊堵口、软弱地基上的土堤及冻土填筑的土堤,设计填筑要求应根据采用的施工方法、土料性质等条件,结合已建成的类似海堤工程的填筑标准分析确定。

8.2.13 水中填筑和无法碾压的海堤应结合实际情况，设计填筑要求应以变形控制为目标，提出相应的填筑要求。

8.3 堤顶高程

8.3.1 堤顶高程应根据设计高潮（水）位、波浪爬高及安全加高值，并应按下式计算：

$$Z_P = h_P + R_F + A \quad (8.3.1)$$

式中：Z_P——设计频率的堤顶高程（m）；

h_P——设计频率的高潮（水）位（可按本规范第5章的规定确定）（m）；

R_F——按设计波浪计算的累积频率为 F 的波浪爬高值（海堤按不允许越浪设计时取 $F=2\%$，按允许部分越浪设计时取 $F=13\%$。可按本规范第6章的规定确定）（m）；

A——安全加高值（m），按表8.3.1的规定选取。

表 8.3.1 堤顶安全加高值

海堤工程级别	1	2	3	4	5
不允许越浪 A(m)	1.0	0.8	0.7	0.6	0.5
允许越浪 A(m)	0.5	0.4	0.4	0.3	0.3

8.3.2 海堤按允许部分越浪设计时，堤顶高程应按本规范公式(8.3.1)计算后，还应按本规范附录F计算越浪量。计算采用的越浪量不得大于本规范表6.6.1所规定的允许越浪量。

8.3.3 当堤顶临海侧设有稳定坚固的防浪墙时，堤顶高程可算至防浪墙顶面。但不计防浪墙的堤顶高程仍应高出设计高潮（水）位以上二分之一波列累计频率为1%的设计波高，且不应小于0.5m。

8.3.4 城市有特殊景观要求的堤段，堤顶高程经充分论证后可根据具体情况确定。

8.3.5 堤、路结合的海堤，按允许部分越浪设计时，在保证海堤自身安全及对堤后越浪水量排泄畅通的前提下，堤顶高程计算采用的允许越浪量可不受本规范第 6.6.1 条规定的限制，但不计防浪墙的堤顶高程仍应高出设计高潮(水)位 0.5m。

8.3.6 海堤设计应预留工后沉降量。预留沉降量可根据堤基地质、堤身土质及填筑密度等因素分析确定，非软土地基可取堤高的 3%～5%，加高的海堤可取小值。当土堤高度大于 10m 或堤基为软弱地基时，预留沉降量应按本规范第 10.3 节的规定计算确定。

8.4 堤身断面

8.4.1 堤身断面应根据堤基地质、筑堤材料、结构型式、波浪、施工、生态、景观、现有堤身结构等条件，经稳定计算和技术经济比较后确定。堤身断面设计应遵循下列原则：

1 斜坡式断面堤身高度大于 6m 时，背海侧坡面宜设置平台，宽度宜大于 1.5m。对波浪作用强烈的堤段，宜采用复合斜坡式断面，在临海侧设置消浪平台，高程宜位于设计高潮(水)位附近或略低于设计高潮(水)位。平台宽度应根据当地的波浪综合分析确定。

2 陡墙式断面临海侧宜采用重力式或箱式挡墙，背海侧回填土料，底部临海侧基础应采用抛石等防护措施。

3 混合式断面堤身高度大于 5m 时，临海侧平台可按本条第 1 款规定的消浪平台宽度要求确定。

8.4.2 不包括防浪墙的堤顶宽度应根据堤身整体稳定、防汛、管理、施工的需要按表 8.4.2 确定。

表 8.4.2 堤顶宽度

海堤级别	1	2	3～5
堤顶宽度(m)	≥5	≥4	≥3

8.4.3 堤顶结构应包括防浪墙、堤顶路面、错车道、上堤路、人行道口等，应符合下列规定：

1 防浪墙宜设置在临海侧，堤顶以上净高不宜超过 1.2m，埋置深度应大于 0.5m。风浪大的防浪墙临海侧，可做成反弧曲面。宜每隔 8m～12m 设置一条沉降缝。

2 堤顶路面结构应根据用途和管理的要求，结合堤身土质条件进行选择。堤顶与交通道路相结合时，其路面结构应按现行行业标准《公路水泥混凝土路面设计规范》JTG D40 或《公路沥青路面设计规范》JTG D50 的有关规定设计。各类型路面的单坡路拱平均横坡度应按表 8.4.3 采用。

表 8.4.3 各类型路面的单坡路拱平均横坡度

路 面 类 型	单坡路拱平均横坡度(%)
沥青混凝土、水泥混凝土	1～2
整齐石块	1.5～2.5
半整齐石块，不整齐石块	2～3
碎石、砾石等粒料	2.5～3.5
炉渣土、砾石土、砂砾土等	3～4

3 错车道应根据防汛和管理需要设置。堤顶宽度不大于 4.5m 时，宜在堤顶背海侧选择有利位置设置错车道。错车道处的路面宽度不应小于 6.5m，有效长度不应小于 20m。

4 生产、生活有需要时，在保证工程安全的前提下，可在堤顶防浪墙上开口，但应采取相应的防潮、防浪措施。

8.4.4 因防汛抢险需要在海堤背海侧设置交通道时，其高程宜高于背海侧最高水位 0.5m～1.5m，宽度应为 4m～8m。在软基上的海堤背海侧交通道宜与反压平台结合考虑。

8.4.5 堤前滩地宽阔呈淤涨趋势或稳定且有防浪植物护滩的堤段，经论证，临海侧可选用适宜的植物护坡。

8.4.6 海堤不同填料与土体之间应满足反滤过渡要求。用作反滤的土工织物设计计算可按本规范附录 H 确定。

8.4.7 为防止堤前底流冲刷堤脚，临海侧坡脚应设置护脚。护脚块石和预制混凝土异形块体的稳定重量应按本规范附录 J 计算。对于滩涂冲刷严重的堤段，可增设保护措施。

8.4.8 海堤两侧边坡坡比应根据堤身材料、护面型式，经稳定分析确定。初步拟定海堤两侧边坡坡比时可按表 8.4.8 选取。边坡稳定计算可按本规范附录 K 执行。

表 8.4.8 海堤两侧边坡坡比初步拟定表

海堤堤型	临海侧坡比	背海侧坡比
斜坡式	1∶1.5～1∶3.5	水上：1∶1.5～1∶3.0 水下：海泥掺砂 1∶5～1∶10 粉土及砂质粉土 1∶5～1∶7
陡墙式	1∶0.1～1∶0.5	
混合式	分别按斜坡式或陡墙式拟定	

8.4.9 海堤堤身应设置排水设施，并应符合下列要求：

1 对不透水护坡，应设置有可靠反滤措施的堤身填料排水孔，孔径为 50mm～100mm，孔距 2m～3m，可按梅花形布置。

2 高于 6m 且背海侧堤坡无抗冲护面的土质海堤宜在堤顶、堤脚以及堤坡与山坡或者其他建(构)筑物结合部设置堤表面排水设施。4m～6m 的堤坡宜根据堤段特性在曲段设置表面排水设施。

3 按允许部分越浪设计的海堤宜设置坡面纵、横向排水系统，汇水的排水沟断面尺寸根据越浪量大小及边坡坡度计算确定。平行堤轴线的排水沟可设在背海侧平台或坡脚处，应按本规范附录 L 计算确定。

8.4.10 堤身防渗体顶高程应高于设计高潮(水)位 0.5m，土质防渗体顶宽不应小于 1m。

8.5 护面结构

8.5.1 海堤护面应根据沿堤的具体情况选用不同的护面型式。对允许部分越浪的海堤，堤顶面及背海侧坡面应根据允许越浪量大小按本规范表 6.6.1 采用相应的防护措施。

8.5.2 对于受海流、波浪影响较大的凸、凹岸堤段，应加强护面结构强度。

8.5.3 浆砌块石、混凝土、钢筋混凝土护坡及挡墙应设置沉降缝、伸缩缝。

8.5.4 斜坡式海堤临海侧护面可采用现浇混凝土、现浇钢筋混凝土、浆砌块石、混凝土灌砌石、干砌块石、预制混凝土异型块体、混凝土砌块和混凝土栅栏板等结构型式，应符合下列要求：

1 波浪小的堤段可采用干砌块石或条石护面。干砌块石、条石厚度应按本规范附录J计算，其最小厚度不应小于30cm。护坡砌石的始末处及建筑物的交接处应采取封边措施。

2 可采用混凝土或浆砌石框格固定干砌石来加强干砌石护坡的整体性，并应设置沉降缝。

3 混凝土、浆砌石或混凝土灌砌块石护坡厚度或强度应按本规范附录J计算，且不应小于30cm。

4 对海堤闭合区内不直接临海堤段，护坡设计宜沿堤线采取生态恢复措施。

5 护面采用栅栏板时，其结构布置、厚度可按本规范第J.0.5条设计。

6 护面采用预制混凝土异形块体时，其重量、结构和布置可按本规范第J.0.6条设计。

7 反滤层可采用土工织物或采用级配碎石料，级配碎石料厚度宜为20cm～40cm。

8.5.5 陡墙式海堤临海侧挡墙应符合下列要求：

1 挡墙基底宜设置垫层。挡墙基础应根据海流冲刷情况及护脚措施等因素，满足稳定和抗冻要求，保证一定的埋置深度，最小埋置深度不应小于0.5 m。

2 挡墙应设置排水孔，孔径可为50mm～100mm，孔距可为2m～3m，宜呈梅花形布置。

8.5.6 混合式海堤临海侧护面应符合斜坡式和陡墙式海堤设计的有关规定。坡面转折处宜根据风浪条件，采取加强保护措施。

8.5.7 堤顶护面应符合下列要求：

1 不适应沉降变形的堤顶护面，宜在堤身沉降基本稳定后实施，期间采用过渡性工程措施保护。

2 不允许越浪的海堤，堤顶可采用混凝土、沥青混凝土、碎石、泥结石等作为护面材料。

3 允许部分越浪的海堤，堤顶应采用抗冲护面结构，不应采用碎石、泥结石作为护面材料，不宜采用沥青混凝土作为护面材料。

4 路堤结合并有通车要求的堤顶，应满足公路路面、路基设计要求。

8.5.8 背海侧护面应符合下列要求：

1 按不允许越浪设计的海堤，背海侧堤坡应具备一定的抗冲能力，可采用植物措施、工程措施或两者相结合的措施。

2 按允许部分越浪设计的海堤，根据越浪量的大小应按本规范表 6.6.1 选择合适的护面型式。

3 海堤背海侧直接临水时，堤脚应设置护脚措施。

8.5.9 旧海堤护面加固应符合下列要求：

1 旧海堤护面的加固措施应根据海堤等级、波浪状况和原有护面的损害程度等综合确定。其新、旧护面应结合牢固，连接平顺。

2 对于 1 级、2 级海堤或波浪较大的堤段，当原海堤的临海侧干砌块石护面、浆砌块石护面基本完好且反滤层有效，或整修工作量不大时，可采用栅栏板、四脚空心块、螺母块等预制混凝土异型块体护面。对于沉降已基本稳定，干砌块石、浆砌块石基本完好的斜坡式堤段，当反滤层良好或经修复后，可在其上增设混凝土板式护面。板厚应按本规范附录 J 计算，且不宜小于 8cm。

8.6 消浪措施

8.6.1 根据波浪大小、地形和断面型式，在临海侧可采用工程措施、植物措施等消浪。

8.6.2 工程消浪措施可采用消浪平台、反弧形结构、消力齿(墩)、灌砌外凸块石或阶梯差动护坡、预制混凝土异型块体等。常见预制混凝土异型块体设计宜按本规范附录J进行。

8.6.3 堤前可采用潜堤或植物消浪。消浪计算宜按本规范附录E进行。

8.7 岸滩防护

8.7.1 对于受波浪、水流、潮汐作用可能发生冲刷破坏的侵蚀性岸滩，可采用工程措施、植物措施或两者相结合的防护措施。其防护范围应满足海堤稳定安全要求。必要时，还应通过模型试验论证。

8.7.2 受冲刷影响的岸滩可采用混凝土铰链联锁板、砂肋软体排和抛石等防护措施。金属连接件应做防腐处理。

8.7.3 岸滩促淤可采用丁坝群以及丁坝群与潜堤(离岸堤)相结合的措施。当波浪的传播方向与堤线交角较大或近乎正交时，宜采用丁坝与潜堤(离岸堤)组成坝田相结合的方式。

8.7.4 感潮河段的护岸丁坝头及潜堤(离岸堤)前沿的冲刷应按《河道整治设计规范》GB 50707－2011 中第 B.2 节的规定计算。海岸护岸丁坝头前沿的冲刷宜通过模型试验论证。

8.7.5 对于近岸底流速大于抛石丁坝抗冲流速的海岸，丁坝可采用预制桩、抛石网笼、土工织物软体排等结构。

8.7.6 在临海侧的保护范围内，可根据气候、地理条件采用防浪林等植物措施防护岸滩。

9 堤基处理

9.1 一般规定

9.1.1 堤基处理应根据海堤工程级别、堤高、地质条件、施工条件、工程使用和渗流控制等要求，选择经济合理的方案。

9.1.2 堤基处理应满足渗流控制、稳定和变形的要求，并应符合下列规定：

1 渗流控制应保证堤基及堤脚外土层的渗透稳定。

2 堤基稳定应进行静力稳定计算。按抗震要求设防的海堤，其堤基应进行动力稳定计算，对可液化地基还应进行抗液化分析。

3 堤基和堤身的工后沉降量和不均匀沉降量不应影响海堤的安全运用。

9.1.3 对堤基中的暗沟、古河道、塌陷区、动物巢穴、墓坑、坑塘、井窑、房基、杂填土等隐患，应探明并采取处理措施。

9.1.4 除软土堤基外，其他堤基处理应按现行国家标准《堤防工程设计规范》GB 50286有关规定执行。

9.2 软土堤基处理

9.2.1 浅埋的薄层软土宜挖除；当软土厚度较大难以挖除或挖除不经济时，可采用控制填筑速率法、放缓边坡或反压法、排水垫层法、土工织物铺垫法、排水井法、抛石挤淤法、爆炸置换法、桩基复合地基法等进行处理，也可采用多种方法结合进行处理。排水井法、土工织物铺垫法、水泥土搅拌桩法软基处理及计算应按本规范附录N进行。

9.2.2 当填筑海堤的荷载达到或超过堤基容许承载力时，可在堤脚处设置反压平台。反压平台的高度和宽度应通过稳定计算确定。

9.2.3 当采用排水垫层法加速软土排水固结时，垫层透水材料可采用砂、砂砾、碎石，并可采用土工织物作为隔离、加筋材料。但在防渗体部位，应避免造成渗流通道。

9.2.4 在深厚软土中新建海堤，采用排水井法时，竖向排水设施应与水平排水层相结合形成完整的排水系统。

9.2.5 采用爆炸置换法时，应做好施工安全和环境保护措施。

9.2.6 采用控制填筑速率填筑时，填土速率和间歇时间应通过计算、试验或结合类似工程分析确定。

10 稳定与沉降计算

10.1 渗流及渗透稳定计算

10.1.1 海堤应根据实际情况进行渗流及渗透稳定计算，求得渗流场内的水头、压力、坡降和渗流量等水力要素，并应进行渗透稳定分析。

10.1.2 设计中应以地形地质条件、断面型式、堤高以及波浪条件基本相同为原则，将全线海堤划分为若干段，每个区段选择1个～2个有代表性的断面进行渗流计算。土堤渗流计算方法应按国家标准《堤防工程设计规范》GB 50286—2013中附录E的有关规定执行，并应包括下列计算内容：

1 应核算在设计高潮（水）位持续时间内浸润线的位置，当在背海侧堤坡逸出时，应计算出逸点的位置、出逸段与背海侧堤基表面的出逸坡降。

2 当堤身或堤基土渗透系数 k 不小于 1×10^{-3}cm/s时，应计算渗透量。

3 应计算潮（水）位降落时临海侧堤身内的浸润线。

10.1.3 受洪水影响较大的海堤渗流计算应计算下列水位的组合：

1 临海侧为设计洪水位，背海侧为相应不利水位。

2 洪水降落时对临海侧堤坡稳定最不利的情况。

10.1.4 受潮水影响较大的海堤渗流计算应计算下列水位的组合：

1 临海侧为设计潮（水）位或台风期大潮平均高潮位，背海侧为相应不利水位；潮位降落时对临海侧堤坡稳定最不利的情况。

2 以大潮平均高潮位计算渗流浸润线。

3　以平均潮位计算渗流量。

10.1.5　复杂地基可按下列规定进行简化计算：

1　对于渗透系数相差5倍以内的相邻薄土层可视为一层，采用加权平均的渗透系数作为计算依据。

2　双层结构地基，当下卧土层的渗透系数比上层土层的渗透系数小100倍及以上时，可将下卧土层视为不透水层；表层为弱透水层时，可按双层地基计算。

3　当直接与堤底连接的地基土层的渗透系数比堤身的渗透系数大100倍及以上时，可认为堤身不透水，仅对堤基按有压流进行渗透计算，堤身浸润线的位置可根据地基中的压力水头确定。

10.1.6　渗透稳定应进行下列判断和计算：

1　土的渗透变形类型。

2　堤身和堤基土体的渗透稳定性。

3　海堤背海侧渗流出逸段的渗透稳定性。

10.1.7　土的渗透变形类型的判定应按现行国家标准《水利水电工程地质勘察规范》GB 50487的有关规定执行。

10.1.8　背海侧堤坡及地基表面出逸段的渗流坡降应小于允许坡降。当出逸坡降大于允许坡降时，应设置反滤层、压重等保护措施。

10.1.9　砂性土防止渗透变形的允许坡降应以土的临界坡降除以安全系数确定，安全系数宜取1.5～2.0。无试验资料时，砂性土的逸出段允许坡降可按表10.1.9选用，有反滤层时可适当提高。特别重要的堤段，其允许坡降应根据试验的临界坡降确定。

表10.1.9　砂性土逸出段允许坡降

渗透变形型式	流土型			过渡型	管涌型	
	$C_u<3$	$3\leqslant C_u\leqslant 5$	$C_u>5$		级配连续	级配不连续
允许坡降	0.25～0.35	0.35～0.50	0.50～0.80	0.25～0.40	0.15～0.25	0.10～0.15

注：1　C_u为土的不均匀系数；

2　表中的数值适用于渗流出口无反滤层的情况。

10.1.10 黏性土流土型临界水力坡降宜按式(10.1.10)计算。其允许坡降应以土的临界坡降除以安全系数确定,安全系数不宜小于2.0。

$$J_{cr}=(G_s-1)(1-n) \qquad (10.1.10)$$

式中:J_{cr}——土的临界水力坡降;

G_s——土的颗粒密度与水的密度之比;

n——土的孔隙率(%)。

10.2 抗滑和抗倾稳定计算

10.2.1 海堤抗滑、抗倾稳定计算应包括下列内容:

1 海堤整体抗滑稳定计算。

2 挡墙和防浪墙的抗滑、抗倾覆稳定计算及挡墙的地基承载力计算。

10.2.2 海堤整体抗滑稳定计算可分为正常运用情况和非常运用情况。海堤整体抗滑稳定计算工况及其临海侧、背海侧水位组合可按表10.2.2采用。计算时应根据工程实际情况确定计算工况和相应的水位组合。

表10.2.2 海堤整体抗滑稳定计算工况及其临海侧、背海侧水位组合

<table>
<tr><th>运用情况</th><th>计算工况</th><th>计算边坡</th><th>临海侧潮(水)位</th><th>背海侧水位</th></tr>
<tr><td rowspan="3">正常运用情况</td><td>设计高潮(水)位</td><td>背海坡</td><td>设计高潮(水)位</td><td>常水位</td></tr>
<tr><td>设计低潮(水)位</td><td>临海坡</td><td>设计低潮(水)位或滩涂面高程</td><td>最高水位</td></tr>
<tr><td>水位降落</td><td>临海坡</td><td>设计高潮(水)位降落至滩涂面高程或齐反压平台顶</td><td>最高水位</td></tr>
<tr><td rowspan="2">非常运用情况Ⅰ</td><td rowspan="2">施工期</td><td>背海坡</td><td>施工期设计高潮(水)位或设计高潮(水)位</td><td>施工期最低水位或无水</td></tr>
<tr><td>临海坡</td><td>施工期设计低潮(水)位或设计低潮(水)位或滩涂面高程或齐反压平台顶高程</td><td>施工期最高水位</td></tr>
<tr><td rowspan="2">非常运用情况Ⅱ</td><td rowspan="2">地震</td><td>背海坡</td><td>平均潮(水)位</td><td>常水位</td></tr>
<tr><td>临海坡</td><td>平均潮(水)位</td><td>常水位</td></tr>
</table>

10.2.3 海堤整体抗滑稳定计算应符合本规范附录M的规定，计算的海堤整体抗滑稳定安全系数不应小于表10.2.3规定的控制值。采用其他稳定分析方法得到的安全系数应另作论证。对于深厚软土地基上的海堤，计算的海堤整体抗滑稳定安全系数难以达到表10.2.3的要求时，经论证后，安全系数控制值可适当降低。

表10.2.3 海堤整体抗滑稳定安全系数

计算方法	海堤工程的级别		1	2	3	4	5
瑞典圆弧法	安全系数	正常运用条件	1.30	1.25	1.20	1.15	1.10
		非常运用条件Ⅰ	1.20	1.15	1.10	1.05	1.05
		非常运用条件Ⅱ	1.10	1.05	1.05	1.00	1.00
简化毕肖普法	安全系数	正常运用条件	1.50	1.35	1.30	1.25	1.20
		非常运用条件Ⅰ	1.30	1.25	1.20	1.15	1.10
		非常运用条件Ⅱ	1.20	1.15	1.15	1.10	1.05

注：地震计算方法应按现行行业标准《水工建筑物抗震设计规范》SL 203的有关规定执行。

10.2.4 海堤抗滑稳定计算代表性断面的选取原则与渗流计算代表性断面的选取原则相同。

10.2.5 土的抗剪强度指标可用直剪仪或三轴仪或十字板仪测定，各计算工况下土的抗剪强度指标选取方法应符合本规范附录M的规定。

10.2.6 作用在挡墙上的荷载应分为基本荷载和特殊荷载两类。

1 基本荷载：应包括自重，设计潮位时的静水压力、扬压力及波浪压力，土压力，其他出现机会较多的荷载。

2 特殊荷载：应包括地震荷载以及其他出现机会较少的荷载。

10.2.7 作用在防浪墙上的荷载应分为基本荷载和特殊荷载两类。

1 基本荷载：应包括自重，设计潮位时的波浪压力，土压力，其他出现机会较多的荷载。

2 特殊荷载:应包括地震荷载以及其他出现机会较少的荷载。

10.2.8 海堤挡墙、防浪墙稳定计算可分为正常运用情况和非常运用情况。各种情况下的计算工况及其临海侧、背海侧水位组合应符合表10.2.8-1和表10.2.8-2的规定。计算时应根据实际情况确定计算工况和相应的水位组合。

表10.2.8-1 海堤挡墙稳定计算工况及其临海侧、背海侧水位组合

<table>
<tr><th>运用情况</th><th>计算工况</th><th>滑动、倾覆方向</th><th>临海侧潮位</th><th>背海侧水位</th></tr>
<tr><td>正常运用情况</td><td>设计低潮(水)位</td><td>向临海侧</td><td>设计低潮(水)位或滩涂面高程</td><td>最高水位</td></tr>
<tr><td rowspan="2">非常运用情况Ⅰ</td><td rowspan="2">施工期</td><td>向背海侧</td><td>施工期高潮(水)位或设计高潮(水)位</td><td>最低水位或无水</td></tr>
<tr><td>向临海侧</td><td>施工期低潮(水)位或设计低潮(水)位或滩涂面高程</td><td>最高水位</td></tr>
<tr><td>非常运用情况Ⅱ</td><td>地震</td><td>向临海侧</td><td>平均潮(水)位</td><td>平均水位</td></tr>
</table>

表10.2.8-2 海堤防浪墙稳定计算工况及其临海侧水位

<table>
<tr><th>运用情况</th><th>计算工况</th><th>倾覆方向</th><th>临海侧潮(水)位</th></tr>
<tr><td>正常运用情况</td><td>设计高潮(水)位</td><td>向背海侧</td><td>设计高潮(水)位</td></tr>
<tr><td rowspan="2">非常运用情况Ⅱ</td><td rowspan="2">地震</td><td>向背海侧</td><td>平均潮(水)位</td></tr>
<tr><td>向临海侧</td><td>平均潮(水)位</td></tr>
</table>

10.2.9 海堤挡墙、防浪墙的抗滑和抗倾稳定安全系数计算应符合本规范附录M的规定,作用在挡墙、防浪墙上的波浪压力应按本规范第6章的有关规定进行计算。挡墙抗滑稳定安全系数不应小于表10.2.9-1的规定。挡墙、防浪墙抗倾稳定安全系数不应小于表10.2.9-2的规定。

表 10.2.9-1 挡墙抗滑稳定安全系数

地基性质		岩基					土基				
海堤工程的级别		1	2	3	4	5	1	2	3	4	5
安全系数	正常运用条件	1.15	1.10	1.05	1.05	1.05	1.35	1.30	1.25	1.20	1.20
	非常运用条件Ⅰ	1.05	1.05	1.00	1.00	1.00	1.20	1.15	1.10	1.05	1.05
	非常运用条件Ⅱ	1.03	1.03	1.00	1.00	1.00	1.10	1.05	1.05	1.00	1.00

表 10.2.9-2 挡墙、防浪墙抗倾稳定安全系数

海堤工程的级别		1	2	3	4	5
安全系数	正常运用条件	1.60	1.50	1.50	1.40	1.40
	非常运用条件Ⅰ	1.50	1.40	1.40	1.30	1.30
	非常运用条件Ⅱ	1.40	1.30	1.30	1.20	1.20

10.2.10 对于坐落在软基上的海堤，从海堤完工至地基土完全固结前的海堤抗滑稳定计算可按非常运用情况Ⅰ考虑。

10.3 沉降计算

10.3.1 位于软土地基的海堤和其他1级～3级海堤应进行沉降计算。新建海堤应计算整个堤身荷载引起的沉降，旧堤加固的沉降计算应结合旧堤地基固结程度与新增荷载一并考虑。

10.3.2 沉降计算应包括堤顶中心线处堤身和堤基的最终沉降量和工后沉降量，并应对计算结果按地区经验加以修正。对地质、荷载变化较大或不同地基处理形式的交界面等沉降敏感区尚应计算交界面的沉降量及沉降差。

10.3.3 根据堤基的地质条件、土层的压缩性、堤身的断面尺寸、地基处理方法及荷载情况等，可将海堤分为若干段，每段选取代表性断面进行沉降计算。荷载计算条件可采用平均低潮(水)位时的

工况。

10.3.4 堤身和堤基的最终沉降量可按式(10.3.4)计算。当填筑速度较快，堤身荷载接近堤基极限承载力时，地基产生较大的侧向变形和非线性沉降，其最终沉降计算应考虑变形参数的非线性进行专题研究。

$$S = m\sum_{i=1}^{n} \frac{e_{1i} - e_{2i}}{1 + e_{1i}} h_i \tag{10.3.4}$$

式中：S——最终沉降量(mm)；

n——压缩层范围的土层数；

e_{1i}——第 i 土层在平均自重和平均附加固结应力作用下的孔隙比；

e_{2i}——第 i 土层在平均自重和平均附加应力共同作用下的孔隙比；

h_i——第 i 土层的厚度(mm)；

m——修正系数，一般堤基取 $m=1.0$，对软土堤基可采用 $m=1.3\sim1.6$，堤基土较软弱时取较大值，否则取较小值。

10.3.5 堤基压缩层的计算厚度可按式(10.3.5)计算。实际压缩层的厚度小于式(10.3.5)的计算值时，应按实际压缩层的厚度计算其沉降量。

$$\frac{\sigma_z}{\sigma_B} \leqslant 0.1 \tag{10.3.5}$$

式中：σ_B——堤基计算层面处土的自重应力(kPa)；

σ_z——堤基计算层面处土的附加应力(kPa)。

10.3.6 软土地基工后沉降量应结合固结计算、原位观测和类似工程经验及堤上建(构)筑物要求等综合分析确定。

11 其他建(构)筑物与海堤的交叉和连接

11.1 一 般 规 定

11.1.1 与海堤交叉和连接的桥、涵、港口、码头、闸、泵站、明渠、管、线等建(构)筑物应合理布置,统筹规划。

11.1.2 与海堤交叉、连接的各类建(构)筑物应根据自身的结构特点、运用要求,合理选择结构型式。

11.1.3 与海堤交叉、连接的各类建(构)筑物不应影响海堤的防潮、防渗和管理运用,不应削弱堤身断面、降低堤顶高程和造成堤基失稳。

11.1.4 与海堤交叉和连接的各类建(构)筑物的设计应计算和分析冲淤变化及施工对海堤工程的影响。

11.1.5 压力管道、热力管道及输送易燃、易爆流体的各类管道宜跨堤布设,并应采取相应安全防护措施。当确需穿堤布设时,应进行专题论证。

11.2 海堤与穿堤、临堤建(构)筑物的连接

11.2.1 穿堤建(构)筑物与海堤的交叉部位应达到海堤设防标准对稳定的要求。当桥、涵、码头、闸、泵站等基础的沉降量与海堤沉降量差异较大时,应有与海堤衔接的过渡措施。涵洞、管道等穿堤建筑物基础的沉降量应与同部位海堤基础的沉降量相协调。

11.2.2 对港口、码头部分需要与海堤平面交叉的建(构)筑物,其布置应满足海堤防潮(洪)体系的总体要求及安全标准。

11.2.3 不设旱闸的交通道口底部高程应高出设计高潮位 0.5m,并应有临时封堵措施。

11.2.4 穿堤建(构)筑物与海堤的连接部位应满足渗透稳定要

求，在建(构)筑物外轮廓周边应设置截流环或刺墙等，渗流出口应设置反滤排水。

11.2.5 未设围堰的穿堤建(构)筑物施工时，应采取临时封堵措施，防止海水倒灌。

11.3 海堤与跨堤建(构)筑物的交叉

11.3.1 跨堤建筑物、构筑物与堤顶之间的净空高度应满足防汛抢险、管理维修等方面的要求，新建或改建工程的净空高度不宜小于4.5m。

11.3.2 跨堤建(构)筑物的支墩不应布置在堤身临海侧设计断面以内。当需要布置在堤身背海侧时，应满足堤身抗滑和渗透稳定的要求。

11.3.3 连接港口、码头附属建筑物的交通宜采用跨堤式布置。

11.3.4 布置于临海侧岸滩的跨堤建(构)筑物支墩应采取防冲刷措施。

11.3.5 跨堤铁路、公路桥桥面雨水不得直接排至海堤结构布置范围内。

12 安全监测

12.0.1 监测项目及监测设施应根据海堤工程的级别、水文气象条件、地形地质条件、堤型、穿堤建筑物特点及工程运用要求设置。

12.0.2 海堤工程安全监测设计内容应包括设置监测项目、布置监测设施、拟定监测方法及监测周期,以及提出整理分析监测资料的技术要求。监测设施的设置应符合有效、可靠、牢固、方便及经济合理的原则。

12.0.3 安全监测项目及监测设施设计应符合下列要求:

1 监测项目和监测点布设应能反映工程施工期和工程运行的主要工作状况。

2 监测的断面和部位应选择有代表性的堤段。

3 在特殊堤段或地形地质条件复杂的堤段,可适当增加监测项目和监测断面。

4 监测点应具有较好的交通、照明等条件,且应有安全保护措施。

5 应选择技术先进、实用方便、抗腐蚀性的监测仪器、设备。

12.0.4 1级～3级海堤应根据工程建设需要设置下列一般性监测项目,4级、5级海堤可作适当简化。

1 堤身(基)垂直、水平位移;

2 水位或潮位;

3 堤身浸润线;

4 渗透压力、渗透流量及水质、软土地基堤基孔隙水压力和十字板强度;

5 巡视检查项目主要包括裂缝、滑坡、坍陷、隆起、渗透变形及表面侵蚀破坏等。

12.0.5 1级～3级海堤可根据管理运行需要，设置专门性监测项目。专门性监测项目的设置应突出重点，有针对性，对于监测设施和埋设方法应进行充分论证。可选择下列专门性监测项目：

1 近岸河床或海滩的冲淤变化；

2 生物及工程防浪、消浪设施的效果；

3 波浪及爬高。

12.0.6 海堤工程设计应重视施工期安全监测，根据海堤地质条件、施工条件等具体情况，设置相应的施工期安全监测设施。临时监测设施应与永久监测设施相结合。

13 施工设计

13.1 一般规定

13.1.1 海堤工程应按工程级别、规模和结构特点，并结合施工具体条件及水文气象等因素进行施工设计。

13.1.2 海堤工程施工设计的主要内容应包括施工总布置、施工进度计划、内外交通、建筑材料来源、施工度汛、施工导流、龙口及堵口设计、主体工程施工方案等。

13.1.3 海堤工程施工总布置应以切合实际、注重环保、有利施工、易于管理、方便生活、少占耕地和遭遇风暴潮时便于转移为原则。

13.1.4 海堤工程施工进度计划编制应根据海堤工程的实际情况，处理好安全、进度和质量的关系。

13.1.5 海堤工程施工内外交通设计应充分利用现场地形、道路、码头和其他现有设施，减少平面交叉，并应根据施工的不同阶段要求，适时调整。

13.1.6 海堤工程应做好料场的规划设计，并应满足环境保护、耕地保护和水土保持要求。

13.1.7 海堤工程施工方案应根据施工总体计划、龙口位置、施工方法、施工强度和水文气象及地形地质条件等因素综合确定。

13.1.8 施工机具应根据海堤堤基的特点、施工工艺技术要求、施工进度和施工强度合理选择。

13.1.9 跨汛期施工的海堤工程应制订科学合理的度汛方案。

13.2 天然建筑材料

13.2.1 海堤工程使用的天然建筑材料，其物理、化学性质及力学性能应满足设计要求。

13.2.2 采用淤泥及淤泥质土和粉细砂等作为筑堤材料时，应制订专门的施工工艺。

13.2.3 在详查阶段，料场土石料的可开采储量应大于填筑需要量的1.5倍。

13.2.4 混凝土和水泥砂浆的拌合用水不宜用海水，其水质应符合现行行业标准《水工混凝土施工规范》SL 677的有关规定。

13.2.5 就近取土时，应满足海堤稳定要求。背海侧取土坑距坡脚的距离不应小于50m，临海侧取土坑距坡脚的距离不应小于100m，取土深度不大于3m，且取土坑之间不得连通，以免形成串沟。

13.2.6 海堤工程料场设计，应按少占地、施工方便、环保、节省投资、综合平衡等原则进行，并应按不同施工阶段、地段、填筑部位、运输距离等安排料场的使用顺序。

13.3 施工度汛

13.3.1 海堤工程施工期度汛，应按施工度汛防潮(洪)标准做好堤身和围堰护面的防护；临时防护措施宜与永久工程相结合。

13.3.2 海堤工程施工度汛防潮(洪)标准应根据度汛建筑物类别和海堤工程级别，按表13.3.2采用。龙口的度汛标准应与其所处的海堤或围堰的度汛防潮(洪)标准一致。

表13.3.2 海堤工程施工度汛防潮(洪)标准

海堤工程级别		1、2	3～5
潮(洪)水位重现期(年)	海堤	20～10	10～5
	围堰	10～5	5～3

13.3.3 海堤堵口的设计标准应结合水文特点、施工工期及施工时段，根据工程重要性、失事后果等因素在施工时段20年～5年重现期范围内选定。

13.3.4 堤身或围堰顶部高程应按度汛防潮(洪)标准的潮(水)位

加安全超高确定。施工度汛安全超高值应按表 13.3.4 采用。堤身或围堰顶高程达不到表 13.3.4 规定的值时，海堤堤身应采取保护措施。

表 13.3.4 施工度汛安全超高值

海堤工程级别		1	2	3	4	5
安全超高（m）	海堤	1.0	0.8	0.7	0.6	0.5
	围堰	0.7		0.5		

13.3.5 在已有海堤上破口施工，应采取措施保证不降低原海堤的防潮（洪）标准。

13.3.6 对于有二线堤的海堤工程，其施工度汛标准经论证后可适当降低。

13.3.7 施工设计应提出度汛期遭遇超标准潮（洪）水时应急处理预案的原则。

13.3.8 围堰堰身可采用模袋灌（泥）砂、吹填海砂、土石混合料等填筑。堰身应满足防渗及稳定要求。基坑抽水时应控制抽水速率、监测堰身及基坑变形。

13.4 主体工程施工设计

13.4.1 直接在地基上修筑海堤工程，应清理堤身范围内表层地基土，除去杂草树根及腐殖土。

13.4.2 开挖基坑，应避免扰动坑底土层，并应做好基坑排水，维护基坑边坡稳定。

13.4.3 海堤地基处理采用的施工工艺、施工材料应符合相关规范要求。

13.4.4 海堤抛石填筑可采用水上船舶平抛与陆上自卸车立抛相结合的方法分段实施，闭气土方施工宜紧跟抛石填筑进行。

13.4.5 海堤土方应分层填筑，均衡上升；分层厚度取决于材料、施工方法和地基稳定情况，水上填筑可采用 0.2m～0.5m，水下平抛可采用 0.5m～1.0m。

13.4.6 在软土地基上筑堤，应根据地基和堤身的沉降、水平位移及孔隙水压力等参数来控制施工加荷速率，施工加荷控制标准可按表13.4.6选取，或根据现场实测资料经论证后确定。

表13.4.6 施工加荷控制标准

项目	类别	
	地基有排水通道	地基无排水通道
孔隙水压力系数	<0.6	<0.6
地表垂直沉降(mm/d)	<30	<10
地表水平位移(mm/d)	<10	<5

13.4.7 刚性结构施工宜在堤身填筑完成后，且沉降变形达到基本稳定后实施。堤身变形期间，可采用临时防护措施。临时防护措施宜与永久工程相结合。

13.5 堵口与闭气

13.5.1 海堤龙口位置应综合地形、地质、堵口材料运输和水闸位置等因素确定。龙口离排水设施应有一定的距离。

13.5.2 龙口水力要素、堵口顺序及龙口保护措施与范围应根据水力计算或模型试验确定。龙口控制最大流速应与龙口保护措施、地基土性等条件相适应。

13.5.3 龙口水力计算可采用水量平衡法或数值计算方法，水量平衡法应按本规范附录P的规定执行。对4级、5级海堤工程，可采用转化口门线法简化水力计算，计算方法应按本规范附录Q的规定执行。

13.5.4 堵口施工应选择在潮位低、潮差小、风浪小的时段进行。具体时间选择应满足下列要求：

1 非龙口堤段达到安全度汛的挡潮标准。

2 龙口段水下部分截流堤断面、反压层、护底达到设计要求。

3 排水设施及其上下游引渠工程已完工，堵口材料准备就绪。

13.5.5 堵口顺序应符合下列要求：

1 软土地基龙口宜采用平堵为主、平立堵相结合的堵口方式。

2 对于多个龙口的工程，应先堵地基条件差的龙口，留下1个～3个地基条件较好的龙口同时堵截。

13.5.6 截流堤设计应满足有足够的水力稳定性，软土地基有足够的抗滑稳定性；应防止出现接触面冲刷。断面设计应与海堤断面结构、施工方法和堵口顺序相适应。

13.5.7 截流堤断面可采用复式断面，下部断面宜采用平堵法施工，结合压载和护底统筹考虑。上部断面应满足堵口期挡潮和施工交通等要求，其顶高程应超过施工期设计潮位0.5m～1.0m，可用平、立堵结合或立堵法施工。

13.5.8 截流材料可用块石。当块石不能维持稳定时，可选用竹笼、混凝土块体、钢筋笼或其他截流结构。

截流堤上个体块石应满足水力稳定性要求，其稳定临界流速V_c应按下式计算：

$$V_c = K_e\sqrt{2g\frac{\gamma_s-\gamma_0}{\gamma_0}}\sqrt{D\cos\alpha} \quad （当\ \alpha<\varphi\ 时） \tag{13.5.8}$$

式中　K_e——稳定系数，垫层块石直径小于抛投其上块石直径时取0.7～1.0；垫层块石直径大于或等于抛投块石直径时取1.0～1.2；钢筋笼等条形体取1.0；

g——重力加速度，$g=9.8\text{m/s}^2$；

γ_s——抛投体容重（kN/m^3），对花岗岩块石，取$\gamma_s=26.0\text{kN/m}^3$；

γ_0——海水容重（kN/m^3），取$\gamma_0=10.3\text{kN/m}^3$；

D——块石当量直径（m）；

α——抛投体垫层倾角（°）；

φ——堆石体休止角（°）。

13.5.9 龙口两侧海堤宜采用坡度较缓的堤头边坡。不进占时，应对龙口两侧堤头采用块石或石笼等材料予以保护。非岩基上龙口应进行护底,护底长度随口门压缩情况分阶段采用不同尺寸,护底构造应满足龙口范围内抗冲要求。

13.5.10 堵口闭气设计应遵守下列规定:

1 闭气材料应采用具有一定防渗性和抗流失性能的土料。

2 内闭气土体断面可分两类,一是直接在截流堤内侧抛填土料,按自然坡形成闭气土体;二是在截流堤内侧一定距离抛筑一道副堤,在其与截流堤之间抛填闭气土体。

3 闭气土体设计应满足渗透稳定和抗滑稳定的要求。

4 闭气过程中,宜充分利用排水设施等条件控制围区水位。

13.6 加固与扩建工程施工设计

13.6.1 现有海堤加高培厚前应清除结合部位的各种杂物和疏松土层,并应将堤坡挖成缓坡或台阶状,再分层填筑。

13.6.2 当加固规模、范围较大时,可分段实施,相邻段接合坡面不应陡于1∶3。

13.6.3 现有海堤原干砌块石、浆砌块石等护面采用新浇混凝土面板加固时,应清除表面浮石、风化石、松动的勾缝、砌体面层的泥垢及垃圾杂物,用高压水冲洗干净后浇筑面板混凝土。混凝土面板应设基脚,原堤脚为抛石或设置反压层的,混凝土面板应伸入抛石体(或反压层)0.50m以上。

13.6.4 现有海堤加固及扩建施工过程中,应监测堤基和堤身的沉降变形。

14 工程管理设计

14.1 一般规定

14.1.1 海堤工程管理设计应为海堤工程正常运用、工程安全创造条件，促进海堤工程管理规范化，提高管理水平。海堤工程管理内容应包括海堤工程、附属工程以及全部管理设施。

14.1.2 海堤工程管理设计是海堤工程设计的重要组成部分，管理设施建设应与海堤主体工程建设同步进行，工程管理设施的建设投资应纳入工程总概算。

14.1.3 海堤工程管理设计应包括海堤工程运行期的下列内容：

1 管理体制、岗位设置和人员编制；

2 工程管理范围和保护范围；

3 交通和通信设施；

4 其他管理设施；

5 生产与生活设施；

6 工程运行管理。

14.1.4 新建、加固、改(扩)建的1级～3级海堤工程，其管理设计应执行本规范。4级、5级海堤工程管理设计可适当简化。

14.1.5 海堤管理设计应以安全可靠、经济合理、技术先进、管理方便为原则。

14.1.6 对重要的二线海堤工程应进行维护和管理。

14.2 管理机构设置

14.2.1 海堤工程管理机构设置应以加强管理、提高效率、精简机构、健全责任制为原则，根据工程等级、规模、功能和管理任务，结合行政区域划分设置管理机构。

14.2.2 管理单位岗位设置和人员编制方案应根据海堤功能和管理任务的要求按照相关规定提出。

14.2.3 除特别重要的建(构)筑物需单独设置管理机构外,沿海堤的建(构)筑物宜实行统一管理。

14.3 工程管理范围和保护范围

14.3.1 为保护海堤工程安全和正常运行,应根据海堤工程级别确定海堤工程的管理范围和保护范围。

14.3.2 工程管理范围应包括下列工程和设施的建筑物场地及管理用地。管理用地应纳入工程征地范围。

1 海堤堤身,堤内外平台以及护堤地。

2 与海堤交叉、连接的水闸、泵站、管道等建(构)筑物的覆盖范围。

3 界碑、里程碑、观测站点等其他附属工程及设施的用地。

4 抢险物资仓库、物料堆放场、管理单位的办公及生活用房及其他附属设施用地。

14.3.3 对于保护城镇、乡村、工矿企业、高新农业、水产养殖等海堤护堤地的取值应遵循下列原则确定:

1 护堤地宽度应根据海堤工程级别并结合当地的自然条件和土地资源等情况分析确定,并可按表14.3.3确定。

表14.3.3 护堤地宽度

工程级别	1	2、3	4、5
护堤地宽度(m)	20～15	15～10	10～5

2 护堤地范围应从海堤的坡脚线开始计算;对设有护脚防护工程的,应从护脚工程的边界线起开始计算。

3 经过城区和重点险工险段的海堤护堤地范围,在保证海堤安全的前提下,可根据具体情况作适当调整。

4 海堤工程上的小型建(构)筑物的管理用地(护堤地)宽度应与所在堤段一致。

14.3.4 海堤工程上的大、中型建(构)筑物的管理用地可按表14.3.4确定。

表 14.3.4 海堤工程上的大、中型建(构)筑物的管理用地

建筑物级别	1	2、3	4、5
建(构)筑物的上下游宽度(m)	400～300	300～200	100～50
建(构)筑物的左右两侧宽度(m)	100	80～50	50～30

14.3.5 在工程管理用地边界线以外,应划定一定区域作为工程保护范围。

1 海堤工程保护范围可按表14.3.5确定。

表 14.3.5 海堤工程保护范围

工程级别	1	2、3	4、5
保护范围宽度(m)	300～200	200～100	≥50

2 大中型建(构)筑物的保护范围可根据工程规模分析确定。

14.3.6 在海堤及其建(构)筑物的保护范围内禁止从事危害海堤工程安全的活动。

14.3.7 海堤管理设计应提出海堤和建(构)筑物管理范围和保护范围的要求。

14.3.8 对于有特殊要求建立的专用海堤,在保证海堤工程安全不受威胁的前提下,应按有关行业的规定,确定工程的管理范围和保护范围。

14.4 交通和通信设施

14.4.1 海堤工程应为管理单位配备交通和通信设施。

14.4.2 海堤工程的交通设施应符合下列要求:

1 应充分利用现有的交通道路。

2 交通运输能力应满足正常管理和防洪抢险的物资运输和人员交通的需要。

3 应满足各管理区、段与生产管理、生活区之间的正常联系。

4　对内交通与对外交通应合理衔接。

5　当有水运条件时，应充分利用水运和水陆联运。海堤工程管理的专用码头、渡口、船只应根据经常性管理及防汛抢险需要设置。

14.4.3　上堤防汛专用道路宜沿堤线每10km～15km布置一条，并应与公路干线相连接。

14.4.4　堤顶防汛道路的宽度，1级海堤工程宜满足双车道行车要求，其他海堤工程应满足单车道行驶的最小宽度。当堤顶宽度小于6m时，应按一定距离设置坡道或错车段。

14.4.5　管理单位应配置通信设施。通信设施应满足管理单位与防汛指挥部门之间信息传输迅速、准确、可靠的要求。通信系统建设应以利用当地公共通信设施为主。

14.5　其他管理设施

14.5.1　为满足海堤工程运行管理的需要，应设置管理维护设施：

1　沿海堤全程应埋设永久性千米里程碑并根据需要埋设百米断面桩。

2　海堤上的交通路口应设置交通管理标志牌和拦车卡。

3　不同行政区管辖的相邻堤段处、管理范围的分界线应统一设置界碑和界标。

14.5.2　1级和2级海堤工程管理单位可根据工程规模和实际需要配置检测设备。

14.5.3　1级和2级海堤工程的重要堤段及险工段，应设置抢险需要的固定或便携式照明设施，应设置抢险需要的物料堆放场及存放一定数量抢险备用物资。

14.6　生产与生活设施

14.6.1　工程管理设计应包括为海堤工程管理单位配置办公设施、生产设施、生活设施以及办公和生活区环境绿化设施等内容，其办公、生产、生活等各项用房的建筑面积，可按现行行业标准《堤防工程管理设计规范》SL 171 的有关规定执行。

14.6.2 对于地处生活环境恶劣的管理单位，可选择附近的城镇区建立后方生活基地。

14.7 工程运行管理

14.7.1 工程管理设计应根据工程任务提出调度运用原则、各项设施管理要求以及海堤工程管理制度建设要求。

14.7.2 设计单位应测算工程运行管理费用，提出运行管理费的来源渠道，为有关部门筹集维护管理经费和制定相关的财务补贴政策提供依据。

14.7.3 年运行费应按国家现行有关规定编制，并应符合现行的财会制度。

附录A 潮(水)位频率分析计算方法

A.0.1 按皮尔逊-Ⅲ型分布律进行频率分析,应符合下列规定:

1 对 n 年连续的年最高或最低潮(水)位序列 h_i,其统计参数及年频率为 p 的潮(水)位可按下列公式计算:

$$\bar{h} = \frac{1}{n}\sum_{i=1}^{n} h_i \quad \text{(A.0.1-1)}$$

$$C_v = \sqrt{\frac{1}{n-1}\sum_{i=1}^{n}\left(\frac{h_i}{\bar{h}} - 1\right)^2} \quad \text{(A.0.1-2)}$$

$$h_p = \bar{h} K_p \quad \text{(A.0.1-3)}$$

式中:$\bar{h}$——潮(水)位序列的均值;

h_i——第 i 年的年最高或最低潮(水)位值;

C_v——潮(水)位序列的变差系数;

h_p——年频率为 p 的年最高或最低潮(水)位值;

K_p——皮尔逊-Ⅲ型频率曲线的模比系数,应按表A.0.1采用。

2 对在 n 年连续的年最高或最低潮(水)位序列 h_i 外,根据调查在考证期 N 年中有 a 个特高或特低潮(水)位值 h_j,其年最高或最低潮(水)位均值 $\bar{h}$ 及变差系数 C_v 可按下列公式计算:

$$\bar{h} = \frac{1}{N}\left(\sum_{j=1}^{a} h_j + \frac{N-a}{n}\sum_{i=1}^{n} h_i\right) \quad \text{(A.0.1-4)}$$

$$C_v = \sqrt{\frac{1}{N-1}\left[\sum_{j=1}^{a}\left(\frac{h_j}{\bar{h}} - 1\right)^2 + \frac{N-a}{n}\sum_{i=1}^{n}\left(\frac{h_i}{\bar{h}} - 1\right)^2\right]}$$

(A.0.1-5)

式中:h_j——特高或特低潮(水)位值($j=1,\cdots,\alpha$);

h_i——连续序列中第 i 年的年最高或最低潮(水)位值($i=1,\cdots,n$)。

表 A.0.1 皮尔逊-Ⅲ型累积频率曲线的模比系数 K_p 值表

C_v \ P(%)	0.01	0.1	0.2	0.33	0.5	1	2	3.33	5	10	20	50	75	90	95	99
(一)$C_s=C_v$																
0.05	1.19	1.16	1.15	1.14	1.13	1.12	1.11	1.09	1.00	1.07	1.04	1.00	0.97	0.94	0.92	0.89
0.10	1.39	1.39	1.30	1.28	1.27	1.24	1.21	1.19	1.17	1.13	1.08	1.00	0.93	0.87	0.84	0.78
0.15	1.61	1.61	1.46	1.43	1.41	1.37	1.32	1.28	1.26	1.20	1.13	1.00	0.90	0.81	0.77	0.67
0.20	1.83	1.68	1.62	1.58	1.55	1.49	1.43	1.38	1.34	1.26	1.17	0.99	0.86	0.76	0.68	0.56
0.25	2.07	1.86	1.80	1.74	1.70	1.63	1.55	1.48	1.43	1.33	1.21	0.99	0.83	0.69	0.61	0.47
0.30	2.31	2.06	1.97	1.91	1.86	1.76	1.66	1.58	1.52	1.39	1.25	0.98	0.79	0.63	0.54	0.37
0.35	2.57	2.26	2.16	2.08	2.02	1.91	1.78	1.69	1.61	1.46	1.29	0.98	0.76	0.57	0.47	0.28
0.40	2.84	2.47	2.34	2.26	2.18	2.05	1.90	1.79	1.70	1.53	1.33	0.97	0.72	0.51	0.39	0.19
0.45	3.13	2.69	2.54	2.44	2.35	2.19	2.03	1.90	1.79	1.60	1.37	0.97	0.69	0.45	0.33	0.10
0.50	3.42	2.91	2.74	2.63	2.52	2.36	2.16	2.01	1.89	1.66	1.40	0.96	0.65	0.39	0.26	0.02
0.55	3.72	3.14	2.95	2.82	2.70	2.49	2.29	2.12	1.98	1.73	1.44	0.95	0.61	0.03	0.20	−0.06
0.60	4.03	3.38	3.16	3.01	2.88	2.65	2.40	2.23	2.08	1.80	1.48	0.94	0.57	0.28	0.13	−0.13
0.65	4.36	3.62	3.38	3.21	3.07	2.81	2.55	2.34	2.18	1.87	1.52	0.93	0.53	0.23	0.07	−0.20
0.70	4.70	3.87	3.60	3.42	3.25	2.97	2.68	2.46	2.27	1.93	1.55	0.92	0.50	0.17	0.01	−0.27
0.75	5.05	4.13	3.84	3.63	3.45	3.14	2.82	2.58	2.37	2.00	1.59	0.91	0.46	0.12	−0.05	−0.33

续表 A. 0. 1

C_v \ P(%)	0.01	0.1	0.2	0.33	0.5	1	2	3.33	5	10	20	50	75	90	95	99
(一)$C_s=C_v$																
0.80	5.40	4.39	4.08	3.84	3.65	3.31	2.96	2.69	2.47	2.07	1.62	0.90	0.42	0.06	−0.10	−0.39
0.85	5.78	4.67	4.33	4.07	3.86	3.49	3.11	2.81	2.57	2.14	1.66	0.88	0.37	0.01	−0.16	−0.44
0.90	6.16	4.95	4.57	4.29	4.06	3.66	3.25	2.93	2.67	2.21	1.69	0.86	0.34	−0.04	−0.22	−0.49
0.95	6.56	5.24	4.83	4.53	4.28	3.84	3.40	3.05	2.78	2.28	1.73	0.85	0.31	−0.09	−0.27	−0.55
1.00	6.96	5.53	5.09	4.76	4.49	4.02	3.54	3.18	2.86	2.34	1.76	0.84	0.27	−0.13	−0.32	−0.59
1.05	7.38	5.83	5.35	5.01	4.72	4.21	3.69	3.30	2.98	2.41	1.78	0.82	0.22	−0.17	−0.37	−0.63
1.10	7.80	6.14	5.62	5.25	4.94	4.40	3.84	3.42	2.08	2.47	1.81	0.80	0.19	−0.21	−0.41	−0.67
1.15	8.24	6.45	5.90	5.50	5.17	4.59	3.99	3.55	3.19	2.54	1.85	0.79	0.14	−0.26	−0.45	−0.71
1.20	8.69	6.77	6.18	5.74	5.39	4.78	4.14	3.68	3.29	2.61	1.88	0.77	0.11	−0.30	−0.49	−0.74
1.25	9.16	7.10	6.48	6.01	5.63	4.98	4.31	3.81	3.40	2.68	1.91	0.05	0.07	−0.34	−0.53	−0.77
1.30	9.63	7.44	6.77	6.27	5.86	5.17	4.47	3.93	3.50	2.74	1.94	0.73	0.04	−0.38	−0.56	−0.79
1.35	10.12	7.78	7.08	6.54	6.11	5.38	4.63	4.06	3.61	2.81	1.97	0.71	0.01	−0.42	−0.60	−0.82
1.40	10.62	8.13	7.38	6.81	6.36	5.58	4.79	4.19	3.72	2.88	1.99	0.69	−0.02	−0.46	−0.65	−0.85
1.45	11.12	8.48	7.70	7.09	6.62	5.79	4.95	4.32	3.82	2.94	2.02	0.66	−0.06	−0.50	−0.67	−0.87
1.50	11.64	8.85	8.02	7.36	6.87	6.00	5.11	4.46	3.92	3.00	2.04	0.64	−0.10	−0.53	−0.70	−0.89

(二)$C_s=1.5C_v$															
0.05	1.19	1.16	1.15	1.14	1.13	1.12	1.10	1.09	1.08	1.06	1.04	1.00	0.97	0.94	0.92	0.89
0.10	1.40	1.33	1.31	1.29	1.27	1.24	1.21	1.19	1.17	1.13	1.08	1.00	0.93	0.87	0.84	0.78
0.15	1.63	1.51	1.47	1.44	1.42	1.37	1.32	1.29	1.26	1.19	1.12	1.00	0.90	0.81	0.77	0.68
0.20	1.88	1.70	1.65	1.60	1.57	1.51	1.44	1.39	1.35	1.26	1.16	1.00	0.86	0.75	0.69	0.58
0.25	2.14	1.91	1.83	1.78	1.73	1.65	1.56	1.49	1.44	1.33	1.20	0.99	0.83	0.69	0.62	0.49
0.30	2.42	2.12	2.03	1.96	1.90	1.80	1.68	1.60	1.53	1.40	1.25	0.98	0.79	0.63	0.55	0.40
0.35	2.71	2.35	2.23	2.15	2.07	1.95	1.81	1.71	1.62	1.46	1.28	0.96	0.75	0.58	0.49	0.33
0.40	3.02	2.58	2.44	2.34	2.25	2.10	1.94	1.82	1.72	1.53	1.32	0.95	0.71	0.52	0.42	0.25
0.45	3.35	2.83	2.66	2.54	2.44	2.26	2.07	1.93	1.82	1.60	1.35	0.94	0.68	0.47	0.36	0.18
0.50	3.70	3.08	2.89	2.75	2.64	2.43	2.21	2.05	1.92	1.67	1.39	0.93	0.64	0.41	0.30	0.11
0.55	4.06	3.35	3.13	2.97	2.84	2.60	2.35	2.17	2.02	1.73	1.42	0.92	0.60	0.36	0.25	0.06
0.60	4.44	3.63	3.38	31.9	3.04	2.78	2.50	2.29	2.12	1.80	1.46	0.91	0.56	0.31	0.19	0.00
0.65	4.84	3.92	3.64	3.42	3.25	2.95	2.64	2.41	2.22	1.87	1.49	0.90	0.52	0.27	0.14	−0.04
0.70	5.25	4.22	3.90	3.67	3.48	3.12	2.79	2.53	2.32	1.94	1.52	0.88	0.48	0.22	0.09	−0.08

续表 A.0.1

C_v \ P(%)	0.01	0.1	0.2	0.33	0.5	1	2	3.33	5	10	20	50	75	90	95	99
(二)$C_s=1.5C_v$																
0.75	5.68	4.53	4.17	3.91	3.70	3.32	2.87	2.66	2.42	2.00	1.55	0.87	0.45	0.18	0.05	−0.12
0.80	6.13	4.85	4.46	4.16	3.93	3.52	2.96	2.78	2.53	2.07	1.58	0.85	0.41	0.14	0.01	−0.16
0.85	6.60	5.18	4.75	4.42	4.16	3.72	3.19	2.91	2.63	2.19	1.61	0.83	0.37	0.10	−0.02	−0.19
0.90	7.09	5.52	5.05	4.69	4.40	3.92	3.42	3.04	2.74	2.21	1.65	0.80	0.33	0.06	−0.06	−0.22
0.95	7.58	5.87	5.37	4.96	4.50	4.12	3.58	3.17	2.84	2.27	1.67	0.78	0.30	0.02	−0.09	−0.24
1.00	8.09	6.23	5.68	5.24	4.91	4.33	3.74	3.30	2.95	2.33	1.69	0.76	0.27	−0.02	−0.12	−0.26
1.05	8.62	6.60	6.01	5.53	5.17	4.54	3.91	3.44	3.05	2.39	1.71	0.74	0.24	−0.05	−0.16	−0.27
1.10	9.16	6.98	6.34	5.82	5.43	4.76	4.08	3.57	3.16	2.45	1.74	0.71	0.21	−0.08	−0.19	−0.29
1.15	9.73	7.37	6.68	6.12	5.70	4.97	4.25	3.70	3.27	2.51	1.75	0.69	0.18	−0.10	−0.20	−0.30
1.20	10.31	7.77	7.01	6.42	5.98	5.20	4.42	3.84	3.38	2.58	1.77	0.66	0.14	−0.13	−0.22	−0.32
1.25	10.91	8.17	7.37	6.82	6.26	5.32	4.59	3.97	3.48	2.64	1.79	0.63	0.10	−0.15	−0.23	−0.31
1.30	11.52	8.59	7.72	7.05	6.54	5.65	4.76	4.11	3.59	2.70	1.81	0.61	0.07	−0.17	−0.25	−0.32
1.35	12.16	9.02	8.09	7.38	6.83	5.88	4.93	4.25	3.69	2.75	1.82	0.59	0.04	−0.19	−0.26	−0.32
1.40	12.80	9.46	8.46	7.70	7.12	6.12	5.10	4.38	3.80	2.81	1.83	0.55	0.01	−0.22	−0.28	−0.32

1.45	13.46	9.90	8.84	8.04	7.42	6.36	5.28	4.52	3.90	2.85	1.83	0.52	0.00	−0.23	−0.29	−0.33
1.50	14.14	10.36	9.22	8.39	7.72	6.60	5.47	4.66	4.00	2.90	1.84	0.49	−0.05	−0.25	−0.30	−0.33
(三)$C_s=2C_v$																
0.05	1.20	1.16	1.15	1.14	1.13	1.12	1.11	1.09	1.08	1.06	1.04	1.00	0.97	0.94	0.92	0.89
0.10	1.42	1.34	1.31	1.29	1.27	1.25	1.21	1.19	1.17	1.13	1.08	1.00	0.93	0.87	0.84	0.78
0.15	1.67	1.54	1.48	1.46	1.43	1.38	1.33	1.29	1.26	1.20	1.12	0.99	0.90	0.81	0.77	0.69
0.20	1.92	1.73	1.67	1.63	1.59	1.52	1.45	1.40	1.35	1.26	1.16	0.99	0.86	0.75	0.70	0.59
0.25	2.22	1.96	1.87	1.81	1.77	1.67	1.58	1.50	1.45	1.33	1.20	0.98	0.82	0.70	0.63	0.52
0.30	2.52	2.19	2.08	2.01	1.94	1.83	1.71	1.62	1.54	1.40	1.24	0.97	0.78	0.64	0.56	0.44
0.35	2.86	2.44	2.31	2.22	2.13	2.00	1.84	1.73	1.64	1.47	1.28	0.96	0.75	0.59	0.51	0.37
0.40	3.20	2.70	2.54	2.42	2.32	2.16	1.98	1.85	1.74	1.54	1.31	0.95	0.71	0.53	0.45	0.30
0.45	3.59	2.98	2.80	2.65	2.53	2.33	2.13	1.97	1.84	1.60	1.35	0.93	0.67	0.48	0.40	0.26
0.50	3.98	3.27	3.05	2.88	2.74	2.51	2.27	2.09	1.94	1.67	1.38	0.92	0.64	0.44	0.34	0.21
0.55	4.42	3.58	3.32	3.12	2.97	2.70	2.42	2.21	2.04	1.75	1.41	0.90	0.59	0.40	0.30	0.16
0.60	4.85	3.89	3.59	3.37	3.20	2.89	2.57	2.34	2.15	1.80	1.44	0.89	0.56	0.35	0.26	0.13

续表 A. 0. 1

$P(\%)$ / C_v	0.01	0.1	0.2	0.33	0.5	1	2	3.33	5	10	20	50	75	90	95	99
(三)$C_s=2C_v$																
0.65	5.33	4.22	3.89	3.64	3.44	3.09	2.74	2.47	2.25	1.87	1.47	0.87	0.52	0.31	0.22	0.10
0.70	5.81	4.56	4.19	3.91	3.68	3.29	2.90	2.60	2.36	1.94	1.50	0.85	0.49	0.27	0.18	0.08
0.75	6.33	4.93	4.52	4.19	3.93	3.50	3.06	2.73	2.46	2.00	1.52	0.82	0.45	0.24	0.15	0.06
0.80	6.85	5.30	4.84	4.47	4.19	3.71	3.22	2.86	2.57	2.06	1.54	0.80	0.42	0.21	0.12	0.04
0.85	7.41	5.69	5.17	4.77	4.46	3.93	3.39	2.99	2.68	2.12	1.56	0.77	0.39	0.18	0.10	0.03
0.90	7.98	6.08	5.51	5.07	4.74	4.15	3.56	3.13	2.78	2.19	1.58	0.75	0.35	0.15	0.08	0.02
0.95	8.59	6.48	5.86	5.38	5.02	4.38	3.74	3.27	2.89	2.25	1.60	0.72	0.31	0.13	0.07	0.01
1.00	9.21	6.91	6.22	5.70	5.30	4.61	3.91	3.40	3.00	2.30	1.61	0.69	0.29	0.11	0.05	0.01
1.05	9.86	7.35	6.59	6.03	5.59	4.84	4.08	3.54	3.10	2.35	1.62	0.66	0.26	0.09	0.04	0.01
1.10	10.52	7.79	6.97	6.37	5.88	5.08	4.26	3.67	3.20	2.41	1.63	0.64	0.23	0.07	0.03	0.00
1.15	11.21	8.24	7.36	6.71	6.19	5.32	4.44	3.81	3.30	2.46	1.64	0.61	0.21	0.06	0.02	0.00
1.20	11.90	8.70	7.76	7.06	6.50	5.57	4.62	3.95	3.41	2.51	1.65	0.58	0.18	0.05	0.02	0.00
1.25	11.63	9.18	8.16	7.41	6.82	5.81	4.80	4.08	3.51	2.56	1.65	0.55	0.16	0.04	0.01	0.00
1.30	13.36	9.67	8.57	7.76	7.14	6.06	4.98	4.22	3.61	2.60	1.65	0.52	0.14	0.03	0.01	0.00

1.35	14.13	10.17	8.99	8.13	7.46	6.31	5.16	4.36	3.71	2.65	1.65	0.50	0.12	0.02	0.01	0.00
1.40	14.90	10.67	9.41	8.50	7.78	6.56	5.35	4.49	3.81	2.69	1.64	0.47	0.10	0.02	0.01	0.00
1.45	15.71	11.20	9.85	8.89	8.11	6.82	5.54	4.62	3.91	2.73	1.64	0.44	0.09	0.01	0.00	0.00
1.50	16.53	11.73	10.30	9.27	8.44	7.08	5.73	4.76	4.00	2.77	1.63	0.42	0.07	0.01	0.00	0.00
(四)$C_s=2.5C_v$																
0.05	1.20	1.16	1.15	1.14	1.14	1.12	1.11	1.09	1.08	1.07	1.04	1.00	0.97	0.94	0.92	0.89
0.10	1.43	1.35	1.31	1.29	1.28	1.25	1.22	1.19	1.17	1.13	1.08	1.00	0.93	0.88	0.04	0.79
0.15	1.72	1.55	1.50	1.47	1.44	1.39	1.34	1.30	1.26	1.20	1.12	0.99	0.89	0.82	0.77	0.70
0.20	1.97	1.76	1.70	1.65	1.61	1.54	1.46	1.40	1.35	1.26	1.16	0.98	0.86	0.76	0.70	0.61
0.25	2.29	2.00	1.92	1.85	1.79	1.70	1.60	1.52	1.45	1.33	1.20	0.97	0.82	0.70	0.64	0.54
0.30	2.62	2.25	2.14	2.05	1.98	1.86	1.73	1.63	1.55	1.40	1.24	0.96	0.78	0.65	0.58	0.47
0.35	3.00	2.53	2.39	2.27	2.19	2.03	1.87	1.75	1.65	1.47	1.27	0.95	0.75	0.60	0.53	0.41
0.40	3.38	2.81	2.64	2.50	2.40	2.21	2.02	1.87	1.75	1.54	1.30	0.94	0.71	0.55	0.47	0.36
0.45	3.82	3.12	2.91	2.75	2.62	2.40	2.17	1.99	1.85	1.60	1.33	0.92	0.67	0.51	0.43	0.32
0.50	4.26	3.44	3.19	3.00	2.85	2.59	2.32	2.12	1.96	1.67	1.36	0.90	0.63	0.47	0.39	0.29

续表 A. 0. 1

C_v \ P(%)	0.01	0.1	0.2	0.33	0.5	1	2	3.33	5	10	20	50	75	90	95	99
(四)$C_s=2.5C_v$																
0.55	4.75	3.79	3.50	3.27	3.10	2.79	2.48	2.25	2.07	1.73	1.39	0.88	0.60	0.43	0.35	0.26
0.60	5.25	4.14	3.81	3.54	3.35	3.00	2.64	2.38	2.17	1.80	1.42	0.86	0.56	0.39	0.32	0.24
0.65	5.80	4.52	4.14	3.83	3.61	3.21	2.81	2.52	2.27	1.86	1.44	0.83	0.53	0.36	0.30	0.23
0.70	6.36	4.90	4.47	4.13	3.88	3.43	2.98	2.65	2.39	1.92	1.46	0.81	0.50	0.33	0.27	0.22
0.75	6.96	5.31	4.82	4.44	4.16	3.66	3.15	2.78	2.49	1.98	1.47	0.78	0.46	0.31	0.26	0.21
0.80	7.57	5.73	5.18	4.76	4.44	3.89	3.33	2.92	2.60	2.04	1.49	0.75	0.43	0.28	0.24	0.21
0.85	8.22	6.17	5.55	5.09	4.73	4.12	3.50	3.06	2.70	2.10	1.50	0.72	0.40	0.27	0.23	0.21
0.90	8.88	6.61	5.93	5.43	5.03	4.36	3.68	3.19	2.80	2.15	1.50	0.70	0.37	0.25	0.22	0.20
0.95	9.59	7.09	6.33	5.78	5.34	4.60	3.86	3.33	2.90	2.20	1.51	0.67	0.35	0.24	0.21	0.20
1.00	10.30	7.55	6.73	6.13	5.65	4.85	4.04	3.47	3.01	2.25	1.52	0.64	0.33	0.23	0.21	0.20
1.05	11.05	8.04	7.14	6.49	5.97	5.10	4.22	3.60	3.11	2.29	1.52	0.61	0.31	0.22	0.20	0.20
1.10	11.80	8.54	7.56	6.85	6.29	5.35	4.41	3.74	3.21	3.34	1.52	0.58	0.29	0.21	0.20	0.20
1.15	12.61	9.06	8.00	7.23	6.62	5.60	4.59	3.87	3.30	2.38	1.51	0.55	0.27	0.21	0.20	0.20
1.20	13.42	9.58	8.44	7.61	6.95	5.86	4.78	4.01	3.40	2.42	1.50	0.53	0.26	0.21	0.20	0.20
1.25	14.27	10.12	8.90	8.01	7.29	6.12	4.97	4.14	3.50	2.44	1.49	0.50	0.25	0.21	0.20	0.20

1.30	15.13	10.67	9.37	8.41	7.64	6.38	5.16	4.27	3.60	2.47	1.48	0.48	0.24	0.20	0.20	0.20
1.35	16.02	11.24	9.84	8.80	8.00	6.64	5.34	4.40	3.68	2.50	1.46	0.45	0.23	0.20	0.20	0.20
1.40	16.92	11.81	10.31	9.20	8.35	6.91	5.52	4.52	3.76	2.53	1.45	0.43	0.23	0.20	0.20	0.20
1.45	17.86	12.40	10.79	9.61	8.70	7.17	5.70	4.65	3.83	2.56	1.43	0.40	0.22	0.20	0.20	0.20
1.50	18.81	12.99	11.28	10.03	9.06	7.44	5.88	4.77	3.91	2.58	1.41	0.37	0.22	0.20	0.20	0.20
(五)$C_s=3C_v$																
0.05	1.20	1.17	1.15	1.14	1.14	1.12	1.11	1.09	1.08	1.07	1.04	1.00	0.97	0.94	0.92	0.89
0.10	1.44	1.35	1.32	1.30	1.29	1.25	1.22	1.19	1.17	1.13	1.08	0.99	0.93	0.88	0.85	0.79
0.15	1.71	1.56	1.51	1.48	1.45	1.40	1.35	1.30	1.26	1.20	1.12	0.99	0.89	0.82	0.78	0.70
0.20	2.02	1.79	1.72	1.67	1.63	1.55	1.47	1.41	1.35	1.27	1.16	0.98	0.86	0.76	0.71	0.62
0.25	2.35	2.05	1.95	1.88	1.82	1.72	1.61	1.53	1.46	1.34	1.20	0.97	0.82	0.71	0.65	0.56
0.30	2.72	2.32	2.19	2.10	2.02	1.89	1.75	1.64	1.56	1.40	1.23	0.96	0.78	0.66	0.60	0.50
0.35	3.12	2.61	2.46	2.33	2.24	2.07	1.90	1.77	1.66	1.47	1.26	0.94	0.74	0.61	0.55	0.46
0.40	3.56	2.92	2.73	2.58	2.46	2.26	2.05	1.89	1.76	1.54	1.28	0.92	0.70	0.57	0.50	0.42

续表 A.0.1

C_v \ P(%)	0.01	0.1	0.2	0.33	0.5	1	2	3.33	5	10	20	50	75	90	95	99
(五)$C_s=3C_v$																
0.45	4.04	3.26	3.03	2.85	2.70	2.46	2.21	2.02	1.87	1.60	1.32	0.90	0.67	0.53	0.47	0.39
0.50	4.55	3.62	3.34	3.12	2.96	2.67	2.37	2.15	1.98	1.67	1.35	0.88	0.64	0.49	0.44	0.37
0.55	5.09	3.99	3.66	3.42	3.21	2.88	2.54	2.29	2.08	1.73	1.36	0.86	0.60	0.46	0.41	0.36
0.60	5.66	4.38	4.01	3.71	3.49	3.10	2.71	2.42	2.19	1.79	1.38	0.83	0.57	0.44	0.39	0.35
0.65	6.26	4.81	4.36	4.03	3.77	3.33	3.88	2.56	2.29	1.85	1.40	0.80	0.53	0.41	0.37	0.34
0.70	6.90	5.23	4.73	4.35	4.06	3.56	3.05	2.69	2.40	1.90	1.41	0.78	0.50	0.39	0.36	0.34
0.75	7.57	5.48	5.12	4.69	4.36	3.80	3.24	2.83	2.50	1.96	1.42	0.76	0.48	0.38	0.35	0.34
0.80	8.26	6.14	5.50	5.04	4.66	4.05	3.42	2.97	2.61	2.01	1.43	0.72	0.46	0.36	0.34	0.34
0.85	9.00	6.62	5.92	5.40	4.98	4.29	3.59	3.10	2.71	2.06	1.43	0.69	0.44	0.35	0.34	0.34
0.90	9.75	7.11	6.33	5.75	5.30	4.54	3.78	3.24	2.81	2.10	1.43	0.67	0.42	0.35	0.34	0.33
0.95	10.54	7.62	6.76	6.13	5.62	4.80	3.96	3.37	2.91	2.14	1.43	0.64	0.39	0.34	0.34	0.33
1.00	11.35	8.15	7.20	6.51	5.96	5.05	4.15	3.50	3.00	2.18	1.42	0.61	0.38	0.34	0.34	0.33
1.05	12.20	8.68	7.66	6.90	6.31	5.32	4.34	3.64	3.10	2.21	1.41	0.58	0.37	0.34	0.33	0.33
1.10	13.07	9.24	8.13	7.31	6.65	5.57	4.50	3.77	3.19	2.23	1.40	0.56	0.36	0.34	0.33	0.33
1.15	13.96	9.81	8.59	7.70	7.00	5.83	4.70	3.89	3.26	2.26	1.38	0.54	0.35	0.34	0.33	0.33

1.20	14.88	10.40	9.08	8.12	7.36	6.10	4.89	4.02	3.35	2.30	1.36	0.51	0.35	0.33	0.33	0.33
1.25	15.84	11.00	9.57	8.53	7.72	6.36	5.07	4.14	3.43	2.31	1.34	0.49	0.35	0.33	0.33	0.33
1.30	16.81	11.60	10.06	8.94	8.09	6.64	5.25	4.26	3.51	2.33	1.31	0.47	0.34	0.33	0.33	0.33
1.35	17.80	12.21	10.57	9.38	8.45	6.91	5.42	4.38	3.59	2.34	1.30	0.45	0.34	0.33	0.33	0.33
1.40	18.84	12.83	11.09	9.82	8.88	7.17	5.61	4.49	3.66	2.34	1.27	0.43	0.34	0.33	0.33	0.33
1.45	19.88	13.47	11.62	10.26	9.20	7.45	5.77	4.60	3.72	2.35	1.23	0.42	0.34	0.33	0.33	0.33
1.50	20.95	14.13	12.15	10.69	9.58	7.72	5.95	4.71	3.78	2.35	1.21	0.40	0.33	0.33	0.33	0.33
(六)$C_s=3.5C_v$																
0.05	1.20	1.17	1.16	1.15	1.14	1.12	1.11	1.10	1.09	1.07	1.04	1.00	0.97	0.94	0.92	0.89
0.10	1.45	1.36	1.33	1.31	1.29	1.26	1.22	1.20	1.17	1.13	1.08	0.99	0.93	0.88	0.85	0.79
0.15	1.73	1.58	1.52	1.49	1.46	1.41	1.35	1.30	1.27	1.20	1.12	0.99	0.89	0.82	0.78	0.71
0.20	2.06	1.82	1.74	1.69	1.64	1.56	1.48	1.42	1.36	1.27	1.16	0.98	0.86	0.76	0.72	0.64
0.25	2.42	2.09	1.99	1.91	1.85	1.74	1.62	1.53	1.46	1.34	1.19	0.96	0.82	0.71	0.66	0.58
0.30	2.82	2.38	2.24	2.14	2.06	1.92	1.77	1.66	1.57	1.40	1.22	0.95	0.78	0.67	0.61	0.53
0.35	3.26	2.70	2.52	2.39	2.29	2.11	1.92	1.78	1.67	1.47	1.26	0.93	0.74	0.62	0.57	0.50

续表 A. 0. 1

C_v \ $P(\%)$	0.01	0.1	0.2	0.33	0.5	1	2	3.33	5	10	20	50	75	90	95	99
(六)$C_s=3.5C_v$																
0.40	3.75	3.04	2.82	2.66	2.53	2.31	2.08	1.91	1.78	1.53	1.28	0.91	0.71	0.58	0.53	0.47
0.45	4.27	3.40	3.14	2.94	2.79	2.52	2.25	2.04	1.88	1.60	1.31	0.89	0.67	0.55	0.50	0.45
0.50	4.82	3.78	3.48	3.24	3.06	2.74	2.42	2.18	1.99	1.66	1.33	0.86	0.64	0.52	0.48	0.44
0.55	5.41	4.20	3.83	3.55	3.34	2.96	2.58	2.31	2.10	1.72	1.34	0.84	0.60	0.50	0.46	0.44
0.60	6.06	4.62	4.20	3.87	3.62	3.20	2.76	2.45	2.20	1.77	1.35	0.81	0.57	0.48	0.45	0.43
0.65	6.73	5.08	4.58	4.22	3.92	3.44	2.94	2.59	2.30	1.83	1.36	0.78	0.55	0.46	0.44	0.43
0.70	7.43	5.54	4.98	4.56	4.23	3.68	3.12	2.72	2.41	1.88	1.37	0.75	0.53	0.45	0.44	0.43
0.75	8.16	6.02	5.38	4.92	4.55	3.92	3.30	2.86	2.51	1.92	1.38	0.72	0.50	0.44	0.43	0.43
0.80	8.94	6.53	5.81	5.29	4.87	4.18	3.49	2.99	2.61	1.97	1.37	0.70	0.49	0.44	0.43	0.43
0.85	9.75	7.05	6.25	5.67	5.20	4.43	3.67	3.13	2.70	2.00	1.36	0.67	0.47	0.44	0.43	0.43
0.90	10.60	7.59	6.71	6.06	5.54	4.69	3.87	3.26	2.80	2.04	1.35	0.64	0.46	0.43	0.43	0.43
0.95	11.46	8.15	7.18	6.47	5.89	4.95	4.05	3.39	2.89	2.06	1.34	0.61	0.45	0.43	0.43	0.43
1.00	12.37	8.72	7.65	6.86	6.25	5.22	4.23	3.52	2.97	2.09	1.32	0.59	0.45	0.43	0.43	0.43
1.05	13.31	9.31	8.13	7.27	6.60	5.49	4.41	3.64	3.05	2.11	1.29	0.56	0.44	0.43	0.43	0.43
1.10	14.28	9.91	8.62	7.69	6.97	5.76	4.59	3.76	3.13	2.13	1.28	0.54	0.44	0.43	0.43	0.43

1.15	15.26	10.51	9.13	8.12	7.33	6.03	4.76	3.88	3.20	2.14	1.26	0.53	0.43	0.43	0.43	0.43
1.20	16.29	11.14	8.65	8.56	7.71	6.39	4.95	3.99	3.28	2.15	1.23	0.51	0.43	0.43	0.43	0.43
1.25	17.33	11.78	10.18	8.99	8.10	6.56	5.12	4.10	3.34	2.16	1.20	0.50	0.43	0.43	0.43	0.43
1.30	18.41	12.44	10.70	9.44	8.46	6.84	5.29	4.21	3.40	2.16	1.18	0.48	0.43	0.43	0.43	0.43
1.35	19.50	13.11	11.24	9.89	8.84	7.11	5.45	4.31	3.44	2.16	1.14	0.47	0.43	0.43	0.43	0.43
1.40	20.66	13.78	11.78	10.35	9.23	7.37	5.62	4.41	3.49	2.15	1.11	0.47	0.43	0.43	0.43	0.43
1.45	21.80	14.46	12.34	10.81	9.61	7.64	5.73	4.50	3.55	2.14	1.07	0.46	0.43	0.43	0.43	0.43
1.50	23.00	15.17	12.90	11.28	10.01	7.89	5.93	4.59	3.59	2.12	1.04	0.45	0.43	0.43	0.43	0.43
(七)$C_s=4C_v$																
0.05	1.21	1.17	1.16	1.15	1.14	1.12	1.11	1.10	1.08	1.06	0.04	1.00	0.97	0.94	0.92	0.89
0.10	1.46	1.37	1.34	1.31	1.30	1.26	1.23	1.20	1.18	1.13	1.08	0.99	0.93	0.88	0.85	0.80
0.15	1.76	1.59	1.54	1.50	1.47	1.41	1.35	1.31	1.27	1.20	1.12	0.98	0.89	0.82	0.78	0.72
0.20	2.10	1.85	1.77	1.71	1.66	1.58	1.49	1.42	1.37	1.27	1.16	0.97	0.85	0.77	0.72	0.65
0.25	2.49	2.13	2.02	1.94	1.87	1.76	1.64	1.54	1.47	1.34	1.19	0.96	0.82	0.72	0.67	0.60
0.30	2.92	2.44	2.30	2.18	2.10	1.94	1.79	1.67	1.57	1.40	1.22	0.94	0.78	0.68	0.63	0.56

续表 A. 0. 1

P(%) / C_v	0. 01	0. 1	0. 2	0. 33	0. 5	1	2	3. 33	5	10	20	50	75	90	95	99
(七)$C_s=4C_v$																
0. 35	3. 40	2. 78	2. 60	2. 45	2. 34	2. 14	1. 95	1. 80	1. 68	1. 47	1. 25	0. 92	0. 74	0. 64	0. 59	0. 54
0. 40	3. 92	3. 15	2. 92	2. 74	2. 60	2. 36	2. 11	1. 93	1. 78	1. 53	1. 27	0. 90	0. 71	0. 60	0. 56	0. 52
0. 45	0. 49	3. 54	3. 25	3. 03	2. 87	2. 58	2. 28	2. 06	1. 89	1. 59	1. 29	0. 87	0. 68	0. 58	0. 54	0. 51
0. 50	5. 10	3. 96	3. 61	3. 35	3. 15	2. 80	2. 46	2. 20	2. 00	1. 65	1. 30	0. 84	0. 64	0. 55	0. 53	0. 51
0. 55	5. 76	4. 39	3. 99	3. 68	3. 44	3. 04	2. 63	2. 34	2. 10	1. 70	1. 31	0. 82	0. 62	0. 54	0. 52	0. 50
0. 60	6. 45	4. 35	4. 38	4. 03	3. 75	3. 29	2. 81	2. 47	2. 21	1. 76	1. 32	0. 79	0. 59	0. 52	0. 51	0. 50
0. 65	7. 18	5. 34	4. 78	4. 38	4. 07	3. 53	2. 99	2. 61	2. 51	1. 80	1. 32	0. 76	0. 57	0. 51	0. 50	0. 50
0. 70	7. 95	5. 84	5. 21	4. 75	4. 39	3. 78	3. 18	2. 75	2. 41	1. 85	1. 32	0. 73	0. 55	0. 51	0. 50	0. 50
0. 75	8. 76	6. 36	5. 65	5. 13	4. 72	4. 04	3. 36	2. 88	2. 50	1. 88	1. 32	0. 71	0. 54	0. 51	0. 50	0. 50
0. 80	9. 62	6. 90	6. 11	5. 53	5. 06	4. 30	3. 55	3. 01	2. 60	1. 91	1. 30	0. 68	0. 53	0. 50	0. 50	0. 50
0. 85	11. 49	7. 46	6. 58	5. 93	5. 42	4. 55	3. 74	3. 14	2. 68	1. 94	1. 29	0. 65	0. 52	0. 50	0. 50	0. 50
0. 90	11. 41	8. 05	7. 06	6. 34	5. 77	4. 82	3. 92	3. 26	2. 76	1. 97	1. 27	0. 63	0. 51	0. 50	0. 50	0. 50
0. 95	12. 37	8. 65	7. 55	6. 75	6. 13	5. 09	4. 10	3. 39	2. 84	1. 99	1. 25	0. 60	0. 51	0. 50	0. 50	0. 50
1. 00	13. 36	9. 25	8. 05	7. 18	6. 50	5. 37	4. 27	3. 50	2. 92	2. 00	1. 23	0. 59	0. 50	0. 50	0. 50	0. 50

1.05	14.38	9.87	8.57	7.62	6.87	5.63	4.46	3.62	3.00	2.01	1.20	0.57	0.50	0.50	0.50	0.50
1.10	15.43	10.52	9.10	8.05	7.25	5.91	4.63	3.73	3.06	2.01	1.18	0.56	0.50	0.50	0.50	0.50
1.15	16.51	11.18	9.62	8.50	7.62	6.18	4.80	3.83	3.12	2.01	1.15	0.54	0.50	0.50	0.50	0.50
1.20	17.62	11.85	10.17	8.96	8.01	6.45	4.96	3.93	3.16	2.01	1.11	0.53	0.50	0.50	0.50	0.50
1.25	18.78	12.52	10.71	9.41	8.40	6.71	5.12	4.03	3.21	2.00	1.07	0.53	0.50	0.50	0.50	0.50
1.30	19.94	13.22	11.27	9.88	8.79	6.96	5.29	4.12	3.25	1.99	1.04	0.52	0.50	0.50	0.50	0.50
1.35	21.14	13.92	11.83	10.33	9.17	7.24	5.44	4.20	3.30	1.97	1.00	0.52	0.50	0.50	0.50	0.50
1.40	22.38	14.64	12.40	10.80	9.55	7.50	5.59	4.28	3.32	1.94	0.96	0.51	0.50	0.50	0.50	0.50
1.45	23.65	15.37	12.09	11.27	9.95	7.77	5.74	4.36	3.36	1.91	0.93	0.51	0.50	0.50	0.50	0.50
1.50	24.91	16.10	13.57	11.72	10.34	8.02	5.88	4.42	3.38	1.88	0.90	0.51	0.50	0.50	0.50	0.50
(八)$C_s=5C_v$																
0.05	1.21	1.17	1.16	1.15	1.14	1.13	1.11	1.10	1.09	1.07	1.04	1.00	0.97	0.94	0.92	0.89
0.10	1.48	1.38	1.35	1.33	1.30	1.27	1.23	1.20	1.18	1.13	1.08	0.99	0.93	0.88	0.85	0.80
0.15	1.81	1.63	1.57	1.53	1.49	1.43	1.36	1.32	1.27	1.20	1.12	0.98	0.89	0.82	0.79	0.73
0.20	2.19	1.91	1.82	1.75	1.70	1.60	1.51	1.44	1.38	1.27	1.15	0.97	0.85	0.77	0.74	0.68

续表 A.0.1

C_v \ P(%)	0.01	0.1	0.2	0.33	0.5	1	2	3.33	5	10	20	50	75	90	95	99
(八) $C_s=5C_v$																
0.25	2.63	2.22	2.10	2.00	1.93	1.80	1.66	1.56	1.48	1.34	1.18	0.95	0.81	0.74	0.69	0.65
0.30	3.13	2.67	2.40	2.27	2.17	2.00	1.82	1.69	1.58	1.40	1.21	0.93	0.78	0.69	0.66	0.62
0.35	3.68	2.95	2.74	2.57	2.44	2.21	1.99	1.82	1.69	1.46	1.23	0.90	0.75	0.67	0.64	0.61
0.40	4.28	3.36	3.09	2.88	2.72	2.44	2.16	1.96	1.80	1.52	1.24	0.88	0.72	0.64	0.62	0.60
0.45	4.94	3.81	3.47	3.22	3.01	2.68	2.34	2.10	1.90	1.56	1.25	0.85	0.69	0.63	0.61	0.60
0.50	5.65	4.28	3.87	3.57	3.32	2.92	2.52	2.23	2.00	1.62	1.26	0.82	0.67	0.61	0.60	0.60
0.55	6.40	4.77	4.28	3.93	3.65	3.17	2.71	2.37	2.11	1.67	1.26	0.79	0.65	0.61	0.60	0.60
0.60	8.21	5.29	4.72	4.31	3.98	3.43	2.88	2.50	2.20	1.71	1.25	0.77	0.63	0.61	0.60	0.60
0.65	8.07	5.83	5.18	4.71	4.32	3.69	3.08	2.63	2.30	1.73	1.24	0.74	0.62	0.60	0.60	0.60
0.70	8.96	6.40	5.66	5.10	4.68	3.95	3.26	2.76	2.38	1.76	1.22	0.71	0.62	0.60	0.60	0.60
0.75	9.90	7.00	6.14	5.52	5.03	4.22	3.44	2.88	2.46	1.79	1.20	0.68	0.61	0.60	0.60	0.60
0.80	10.89	7.60	6.64	5.94	5.40	4.50	3.61	3.00	2.54	1.80	1.18	0.67	0.61	0.60	0.60	0.60
0.85	11.91	8.23	7.16	6.48	5.77	4.76	3.80	3.12	2.61	1.81	1.15	0.65	0.60	0.60	0.60	0.60
0.90	12.97	8.88	7.69	6.81	6.15	5.03	3.97	3.22	2.66	1.81	1.13	0.64	0.60	0.60	0.60	0.60

0.95	14.07	9.55	8.22	7.27	6.53	5.30	4.14	3.33	2.72	1.81	1.10	0.63	0.60	0.60	0.60	0.60
1.00	15.22	10.20	8.77	7.73	6.92	5.57	4.30	3.42	2.77	1.80	1.06	0.62	0.60	0.60	0.60	0.60
1.05	16.39	10.92	9.33	8.19	7.31	5.82	4.47	3.51	2.81	1.79	1.03	0.62	0.60	0.60	0.60	0.60
1.10	17.61	11.63	9.89	8.66	7.69	6.09	4.61	3.59	2.85	1.77	0.99	0.61	0.60	0.60	0.60	0.60
1.15	18.87	12.34	10.48	8.12	8.08	6.36	4.76	3.67	2.89	1.74	0.95	0.61	0.60	0.60	0.60	0.60
1.20	20.13	13.08	11.06	9.58	8.46	6.62	4.90	3.74	2.91	1.71	0.92	0.61	0.60	0.60	0.60	0.60
1.25	21.46	13.83	11.64	10.06	8.86	6.88	5.03	3.80	2.93	1.68	0.88	0.60	0.60	0.60	0.60	0.60
(九) $C_s=6C_v$																
0.05	1.22	1.18	1.16	1.15	1.14	1.13	1.11	1.10	1.09	1.06	1.04	1.00	0.97	0.94	0.93	0.91
0.10	1.51	1.40	1.36	1.34	1.31	1.28	1.24	1.21	1.18	1.13	1.08	0.99	0.93	0.88	0.86	0.81
0.15	1.86	1.66	1.60	1.55	1.51	1.45	1.38	1.32	1.28	1.20	1.12	0.98	0.89	0.83	0.81	0.76
0.20	2.28	1.96	1.86	1.79	1.73	1.63	1.52	1.45	1.38	1.27	1.15	0.96	0.85	0.78	0.75	0.71
0.25	2.77	2.31	2.16	2.06	1.98	1.83	1.69	1.58	1.48	1.33	1.17	0.94	0.82	0.75	0.72	0.69
0.30	3.33	2.69	2.50	2.36	2.24	2.05	1.86	1.71	1.59	1.40	1.19	0.92	0.78	0.72	0.69	0.67
0.35	3.95	3.11	2.87	2.68	2.53	2.28	2.03	1.85	1.69	1.45	1.21	0.89	0.76	0.70	0.68	0.67

续表 A. 0. 1

C_v \ P(%)	0.01	0.1	0.2	0.33	0.5	1	2	3.33	5	10	20	50	75	90	95	99
（九）$C_s=6C_v$																
0.40	4.63	3.57	3.25	3.02	2.83	2.52	2.21	1.98	1.80	1.50	1.22	0.86	0.73	0.68	0.67	0.67
0.45	5.39	4.06	3.66	3.38	3.15	2.77	2.39	2.12	1.90	1.54	1.22	0.83	0.71	0.68	0.67	0.67
0.50	6.10	4.58	4.10	3.76	3.48	3.02	2.58	2.25	2.00	1.59	1.21	0.80	0.69	0.67	0.67	0.67
0.55	7.03	5.12	4.50	4.16	3.83	3.28	2.76	2.38	2.09	1.62	1.20	0.78	0.69	0.67	0.67	0.67
0.60	7.94	5.70	5.04	4.56	4.18	3.55	2.94	2.51	2.18	1.65	1.18	0.75	0.68	0.67	0.67	0.67
0.65	8.90	6.30	5.53	4.97	4.54	3.82	3.12	2.63	2.25	1.66	1.16	0.73	0.68	0.67	0.67	0.67
0.70	9.92	6.92	6.05	5.41	4.91	4.09	3.30	2.75	2.33	1.67	1.13	0.71	0.67	0.67	0.67	0.67
0.75	10.98	7.56	6.57	5.85	5.29	4.36	3.47	2.85	2.39	1.68	1.10	0.70	0.67	0.67	0.67	0.67
0.80	12.08	8.23	7.11	6.30	5.67	4.63	3.64	2.95	2.44	1.67	1.07	0.69	0.67	0.67	0.67	0.67
0.85	13.24	8.91	7.66	6.76	6.06	4.89	3.80	3.05	2.49	1.66	1.08	0.68	0.67	0.67	0.67	0.67
0.90	14.43	9.61	8.22	7.22	6.45	5.16	3.96	3.13	2.53	1.65	1.00	0.68	0.67	0.67	0.67	0.67
0.95	15.68	10.33	8.80	7.68	6.83	5.42	4.10	3.21	2.56	1.62	0.96	0.67	0.67	0.67	0.67	0.67
1.00	16.94	11.07	9.38	8.15	7.22	5.68	4.25	3.28	2.59	1.59	0.93	0.67	0.67	0.67	0.67	0.67
1.05	18.27	11.82	9.97	8.62	7.62	5.94	4.38	3.34	2.61	1.56	0.89	0.67	0.67	0.67	0.67	0.67

注：表中 C_s 为偏态系数，是反映数据系列在均值两侧分布对称或不对称（偏态）程度的参数。

A.0.2 按极值Ⅰ型分布进行频率分析，应符合下列规定：

1 对 n 年连续的年最高或最低潮(水)位序列 h_i，其均值 $\bar{h}$ 可按式(A.0.1-1)计算，均方差 S 年频率为 P 的年最高或最低潮(水)位可按下列公式计算确定，其中 λ_{Pn} 是与频率 P 及资料年数 n 有关的系数，可按表 A.0.2 采用。

$$S=\sqrt{\frac{1}{n}\sum_{i=1}^{n}h_i^2-\bar{h}^2} \tag{A.0.2-1}$$

$$h_P=\bar{h}\pm\lambda_{Pn}S \tag{A.0.2-2}$$

2 对在 n 年连续的年最高或最低潮(水)位序列 h_i 外，根据调查，在考证期 N 年中有 a 个特高或特低潮(水)位值 h_j，其均值 $\bar{h}$ 可按式(A.0.1-4)计算确定，均方差 S 及年频率为 P 的年最高或最低潮(水)位可按下列公式计算确定，其中 λ_{PN} 是与频率 P 及考证期 N 有关的系数，可按表 A.0.2 采用。

$$S=\sqrt{\frac{1}{N}\left(\sum_{j=1}^{a}h_j^2+\frac{N-a}{n}\sum_{i=1}^{n}h_i^2\right)-\bar{h}^2} \tag{A.0.2-3}$$

$$h_P=\bar{h}\pm\lambda_{PN}S \tag{A.0.2-4}$$

A.0.3 经验频率计算应符合下列规定：

1 按递减次序排列的年最高潮(水)位或按递增次序排列的年最低潮(水)位序列中，第 m 年的经验频率应按下式计算确定：

$$P=\frac{m}{n+1}\times100\% \tag{A.0.3-1}$$

2 对在 n 年连续的年最高或最低潮(水)位序列外，根据调查，在考证期 N 年中有 a 个特高或特低潮(水)位值，其连续潮(水)位序列的经验频率可按式(A.0.3-1)计算确定，第 M 个特高或特低潮(水)位的经验频率可按下式计算确定：

$$P=\frac{M}{N+1}\times100\% \tag{A.0.3-2}$$

A.0.4 重现期 T_R(年)与年频率 P(%)的关系可按下式计算：

$$T_R=\frac{100}{P} \tag{A.0.4}$$

表 A.0.2 极值Ⅰ型分布律的 λ_{Pn} 和 λ_{PN} 值表

n	频率 P(%)								N^{*}
	0.1	0.2	0.5	1	2	4	5	10	
8	7.103	6.336	5.321	4.551	3.779	3.001	2.749	1.953	8
9	6.909	6.162	5.174	4.425	3.673	2.916	2.670	1.895	9
10	6.752	6.022	5.055	4.323	3.587	2.847	2.606	1.848	10
11	6.622	5.905	4.957	4.238	3.516	2.789	2.553	1.809	11
12	6.513	5.807	4.874	4.166	3.456	2.741	2.509	1.777	12
13	6.419	5.723	4.803	4.105	3.405	2.699	2.470	1.748	13
14	6.337	5.650	4.741	4.052	3.360	2.663	2.437	1.724	14
15	6.266	5.586	4.687	4.005	3.321	2.632	2.408	1.703	15
16	6.202	5.529	4.638	3.963	3.286	2.603	2.382	1.683	16
17	6.145	5.478	4.596	3.926	3.255	2.578	2.359	1.666	17
18	6.094	5.433	4.557	3.893	3.227	2.556	2.338	1.651	18
19	6.048	5.391	4.522	3.863	3.202	2.535	2.319	1.637	19
20	6.006	5.354	4.490	3.836	3.179	2.517	2.302	1.625	20
22	5.933	5.288	4.434	3.788	3.138	2.484	2.272	1.603	22
24	5.870	5.232	4.387	3.747	3.104	2.457	2.246	1.584	24

26	5.816	5.183	4.346	3.711	3.074	2.433	2.224	1.568	26
28	5.769	5.141	4.310	3.681	3.048	2.412	2.205	1.553	28
30	5.727	5.104	4.279	3.653	3.026	2.393	2.188	1.541	30
35	5.642	5.027	4.214	3.598	2.979	2.356	2.153	1.515	35
40	5.576	4.968	4.164	3.554	2.943	2.326	2.126	1.495	40
45	5.522	4.920	4.123	3.519	2.913	2.303	2.104	1.479	45
50	5.479	4.881	4.090	3.491	2.889	2.283	2.086	1.466	50
60	5.410	4.820	4.038	3.446	2.852	2.253	2.059	1.446	60
70	5.359	4.774	4.000	3.413	2.824	2.230	2.038	1.430	70
80	5.319	4.738	3.970	3.387	2.802	2.213	2.021	1.419	80
90	5.287	4.710	3.945	3.366	2.784	2.199	2.008	1.409	90
100	5.261	4.686	3.925	3.349	2.770	2.187	1.998	1.401	100
200	5.130	4.568	3.826	3.263	2.698	2.129	1.944	1.362	200
500	5.032	4.481	3.752	3.200	2.645	2.086	1.905	1.333	500
1000	4.992	4.445	3.722	3.174	2.623	2.069	1.889	1.321	1000

续表 A. 0. 2

n	频率 P(%)								N
	25	50	75	90	95	97	99	99.9	
8	0.842	−0.130	−0.897	−1.458	−1.749	−1.923	−2.224	−2.673	8
9	0.814	−0.133	−0.879	−1.426	−1.709	−1.879	−2.172	−2.608	9
10	0.791	−0.136	−0.865	−1.400	−1.677	−1.843	−2.130	−2.557	10
11	0.771	−0.138	−0.854	−1.378	−1.650	−1.813	−2.095	−2.514	11
12	0.755	−0.139	−0.844	−1.360	−1.628	−1.788	−2.065	−2.478	12
13	0.741	−0.141	−0.836	−1.345	−1.609	−1.767	−2.040	−2.447	13
14	0.729	−0.142	−0.829	−1.331	−1.592	−1.748	−2.018	−2.420	14
15	0.718	−0.143	−0.823	−1.320	−1.578	−1.732	−1.999	−2.396	15
16	0.709	−0.144	−0.817	−1.309	−1.565	−1.717	−1.982	−2.375	16
17	0.700	−0.145	−0.812	−1.300	−1.553	−1.705	−1.967	−2.357	17
18	0.693	−0.146	−0.808	−1.292	−1.543	−1.693	−1.953	−2.340	18
19	0.686	−0.147	−0.804	−1.284	−1.533	−1.683	−1.941	−2.325	19
20	0.680	−0.148	−0.800	−1.277	−1.525	−1.673	−1.930	−2.311	20
22	0.669	−0.149	−0.794	−1.265	−1.510	−1.656	−1.910	−2.287	22
24	0.659	−0.150	−0.788	−1.255	−1.497	−1.642	−1.893	−2.266	24

26	0.651	—0.151	—0.783	—1.246	—1.486	—1.630	—1.879	—2.249	26
28	0.644	—0.152	—0.779	—1.239	—1.477	—1.619	—1.866	—2.233	28
30	0.638	—0.153	—0.776	—1.232	—1.468	—1.610	—1.855	—2.219	30
35	0.625	—0.154	—0.768	—1.218	—1.451	—1.591	—1.832	—2.191	35
40	0.615	—0.155	—0.763	—1.207	—1.438	—1.576	—1.814	—2.170	40
45	0.607	—0.156	—0.758	—1.198	—1.427	—1.564	—1.800	—2.152	45
50	0.601	—0.157	—0.754	—1.191	—1.418	—1.554	—1.788	—2.138	50
60	0.591	—0.158	—0.748	—1.180	—1.404	—1.538	—1.770	—2.115	60
70	0.583	—0.159	—0.744	—1.172	—1.394	—1.526	—1.756	—2.098	70
80	0.577	—0.159	—0.740	—1.165	—1.386	—1.517	—1.746	—2.085	80
90	0.572	—0.160	—0.737	—1.160	—1.379	—1.510	—1.737	—2.075	90
100	0.568	—0.160	—0.735	—1.155	—1.374	—1.504	—1.730	—2.066	100
200	0.549	—0.162	—0.723	—1.134	—1.347	—1.474	—1.694	—2.023	200
500	0.535	—0.164	—0.714	—1.117	—1.326	—1.451	—1.668	—1.990	500
1000	0.529	—0.164	—0.710	—1.110	—1.318	—1.442	—1.657	—1.976	1000

附录B　波长-周期-水深关系表

表B　波长-周期-水深关系表 $L=f(T,d)$

水深(m)	周期(s)													
	2	3	4	5	6	7	8	9	10	12	14	16	18	20
1.0	5.21	8.68	11.99	15.23	18.43	21.61	24.78	27.94	31.10	—	—	—	—	—
2.0	6.04	11.30	16.22	20.94	25.57	30.14	34.68	39.19	43.68	—	—	—	—	—
3.0	6.21	12.67	18.95	24.92	30.71	36.40	42.02	47.59	53.14	—	—	—	—	—
4.0	6.23	13.39	20.85	27.93	34.76	41.42	47.99	54.49	60.94	—	—	—	—	—
5.0	—	13.75	22.19	30.30	38.07	45.64	53.06	60.39	67.66	82.05	96.32	110.57	124.73	138.87
6.0	—	13.92	23.12	32.17	40.85	49.25	57.48	65.58	73.60	89.44	105.17	120.79	136.35	151.86
7.0	—	13.99	23.76	33.67	43.20	52.40	61.39	70.22	78.94	96.00	113.20	130.13	146.97	163.75
8.0	—	14.02	24.19	34.87	45.21	55.18	64.88	74.20	83.79	102.31	120.60	138.74	156.78	174.76
9.0	—	14.03	24.48	35.82	46.92	57.62	68.03	78.21	88.24	107.99	127.46	146.75	165.94	185.05
10.0	—	14.04	24.66	36.58	48.39	59.80	70.88	81.70	92.34	113.27	133.87	154.28	174.55	194.72
12.0	—	14.05	24.85	37.62	50.71	63.46	75.82	87.88	99.70	122.86	145.60	168.00	190.39	212.58

14.0	—	—	24.92	38.24	52.40	66.38	79.95	93.17	106.11	131.39	156.14	180.56	204.77	228.83
16.0	—	—	24.95	38.59	53.60	68.69	83.42	97.75	111.75	139.05	165.71	191.98	217.97	243.78
18.0	—	—	24.97	38.78	54.44	70.52	86.32	101.72	116.75	145.99	174.49	202.50	230.20	257.67
20.0	—	—	—	38.89	55.02	71.95	88.76	105.18	121.20	152.32	182.57	212.27	241.60	270.67
22.0	—	—	—	38.95	55.42	73.07	90.80	108.19	125.17	158.10	190.07	221.40	252.29	282.88
24.0	—	—	—	38.98	55.68	73.92	92.50	110.81	128.71	163.42	197.04	229.95	262.56	294.42
26.0	—	—	—	39.00	55.86	74.58	93.50	113.09	131.88	168.31	203.55	237.99	271.87	305.37
28.0	—	—	—	39.00	55.97	75.07	95.06	115.06	134.72	172.82	209.64	245.57	280.89	315.78
30.0	—	—	—	39.01	56.05	75.44	96.02	116.77	137.25	176.99	215.35	252.75	289.47	325.70
32.0	—	—	—	—	56.09	75.72	96.79	118.25	139.51	180.84	220.72	259.54	297.63	335.19
34.0	—	—	—	—	56.12	75.92	97.42	119.52	141.52	184.40	225.77	265.99	305.42	344.27
36.0	—	—	—	—	56.14	76.07	97.93	120.61	143.32	187.70	230.52	272.12	312.87	352.99
38.0	—	—	—	—	56.16	76.18	98.34	121.53	144.91	190.74	234.99	277.96	319.99	361.35
40.0	—	—	—	—	56.17	76.26	98.66	122.33	146.32	193.56	239.22	283.30	326.82	369.41
42.0	—	—	—	—	56.17	76.32	98.92	123.00	147.57	196.17	243.20	288.82	333.37	377.16

续表 B

水深(m)	周期(s)													
	2	3	4	5	6	7	8	9	10	12	14	16	18	20
44.0	—	—	—	—	56.17	76.36	99.13	123.56	148.67	198.58	246.96	293.88	339.67	384.63
46.0	—	—	—	—	56.18	76.39	99.29	124.04	149.64	200.81	250.51	298.70	345.71	391.84
48.0	—	—	—	—	—	76.41	99.42	124.44	150.49	202.87	253.87	303.32	351.53	398.81
50.0	—	—	—	—	—	76.43	99.52	124.78	151.24	204.76	257.04	307.73	357.12	405.54
55.0	—	—	—	—	—	76.45	99.71	125.49	152.73	208.88	264.21	317.93	370.23	421.43
60.0	—	—	—	—	—	76.46	99.78	125.78	153.76	212.22	270.42	327.07	382.19	436.09
65.0	—	—	—	—	—	76.47	99.82	126.02	154.49	214.91	275.80	335.25	393.12	449.66
70.0	—	—	—	—	—	—	99.85	126.17	155.00	217.06	280.43	342.59	403.13	462.24
深水波	6.24	14.05	24.97	39.02	56.19	76.47	99.88	126.42	156.07	224.74	305.89	399.54	505.67	624.28

注:表中波长单位为 m。

附录C 波浪要素计算

C.0.1 不规则波对应平均波周期的波长 L 可按下式计算：

$$L=\frac{g\overline{T}^2}{2\pi}\text{th}\frac{2\pi d}{L} \tag{C.0.1-1}$$

式中：L——波长(m)；

$\overline{T}$——平均周期(s)；

g——重力加速度，取 9.81m/s^2；

d——水深(m)。

波长 L 可通过试算确定，也可根据 d/L_0 值查本规范附录D中 L/L_0 之比值求得。

有效波周期可按下式计算：

$$T_s=1.15\overline{T} \tag{C.0.1-2}$$

式中：T_s——有效波周期(s)。

C.0.2 只有短期测波资料时，波高的设计频率可按下式计算：

$$P_b=\frac{a}{bn} \tag{C.0.2}$$

式中：P_b——重现期为 b 年的设计频率；

a——波浪实测资料的年数；

n——波浪观测的总次数。

C.0.3 用于计算风浪的风速、风向、风区长度、风时以及水域水深等参数的确定，应符合下列规定：

1 风速应采用水面以上10m高度处的10min平均风速。

2 风向应采用设计主风向，并应验算设计主风向左右22.5°、45°方位角的风浪要素。

3 风区长度可采用由计算点逆风向到对岸的距离；当水域周

界不规则、水域中有岛屿时，或在河道的转弯、汊道处，风区长度可采用等效风区长度 F_e，F_e 可按下式计算：

$$F_e=\frac{\sum F_i\cos^2\alpha_i}{\sum\cos\alpha_i} \tag{C.0.3-1}$$

式中：F_i——在设计主风向两侧各 45°范围内，每隔 $\Delta\alpha$ 角由计算点引到对岸的射线长度(m)；

α_i——射线 F_i 与设计主风向上射线 F_0 之间的夹角(°)，$\alpha_i=i\Delta\alpha_0$，计算时可取 $\Delta\alpha=7.5°$($i=0$、±1，±2，…，±6)，初步计算时也可取 $\Delta\alpha=15°$($i=0$、±1，±2，±3)(图 C.0.3)。

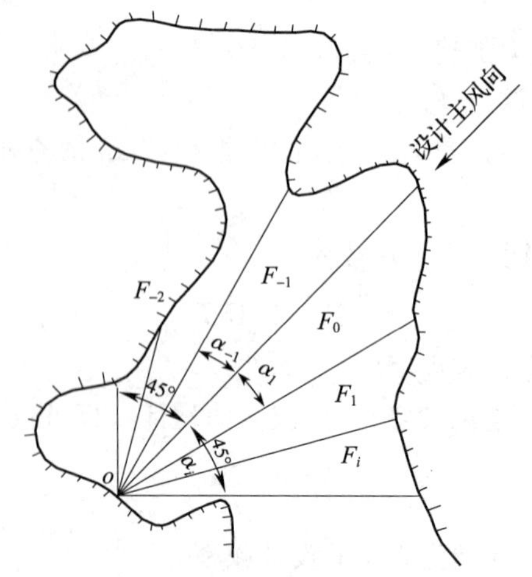

图 C.0.3　等效风区长度计算

4　从工程安全考虑，波浪要素计算中不考虑风时的影响，可按定常波计算。

5　风区水深 d 可按风区内水域平均深度确定：在海图上，按指定风向在风区长度范围内，均匀读取 n 点(3 点～7 点)处的水深，并计算每两点间的平均水深 d_i 及间距 ΔX_i，再加上设计潮位及海图深度基面与设计采用的基面之差值 Δh_0，即为风区平均水深，即可按下式计算；当风区内水域的水深变化较小时，水域平均深度可按计算风向的水下地形剖面图确定。

$$d=\frac{\sum d_i \Delta X_i}{\sum \Delta X_i}+H_P+\Delta h_0 \quad (C.0.3\text{-}2)$$

式中：d——风区平均水深(m)；

d_i、ΔX_i——海图上每两点间平均深度及两点间相应的距离(m)；

H_P——设计频率潮位(m)；

Δh_0——海图深度基准面与设计采用的基面之差值(m)。

C.0.4 海湾及河口区风浪要素可按莆田海堤试验站公式计算确定，其计算应按下列公式计算：

$$\frac{g\overline{H}}{V^2}=0.13\text{th}\left[0.7\left(\frac{gd}{V^2}\right)^{0.7}\right]\text{th}\left\{\frac{0.0018\left(gF/V^2\right)^{0.45}}{0.13\text{th}\left[0.7\left(gd/V^2\right)^{0.7}\right]}\right\} \quad (C.0.4\text{-}1)$$

$$\frac{g\overline{T}}{V}=13.9\left(\frac{g\overline{H}}{V^2}\right)^{0.5} \quad (C.0.4\text{-}2)$$

式中：g——重力加速度，取 $9.81m/s^2$；

$\overline{H}$——平均波高(m)；

$\overline{T}$——平均波周期(s)；

F——风区长度(m)；

V——设计风速(m/s)；

d——风区的平均水深(m)。

附录 D　浅水的波高、波速、波长与相对水深的关系表

表 D　浅水的波高、波速、波长与相对水深的关系

d/L_0	d/L	C/C_0及L/L_0	H/H'_0	d/L_0	d/L	C/C_0及L/L_0	H/H'_0
0	0	0	∞	0.002700	0.02079	0.1299	1.967
0.0001000	0.003990	0.02506	4.467	0.002800	0.02117	0.1323	1.950
0.0002000	0.005643	0.03544	3.757	0.002900	0.02155	0.1346	1.933
0.0003000	0.006912	0.04340	3.395	0.003000	0.02192	0.1369	1.917
0.0004000	0.007982	0.05011	3.160	0.003100	0.02228	0.1391	1.902
0.0005000	0.008925	0.05602	2.989	0.003200	0.02264	0.1413	1.887
0.0006000	0.009778	0.06136	2.856	0.003300	0.02300	0.1435	1.873
0.0007000	0.01056	0.06627	2.749	0.003400	0.02335	0.1456	1.860
0.0008000	0.01129	0.07084	2.659	0.003500	0.02369	0.1477	1.847
0.0009000	0.01198	0.07513	2.582	0.003600	0.02403	0.1498	1.834
0.001000	0.01263	0.07918	2.515	0.003700	0.02436	0.1519	1.822

0.001100	0.01325	0.08304	2.456	0.003800	0.02469	0.1539	1.810
0.001200	0.01384	0.08672	2.404	0.003900	0.02502	0.1559	1.799
0.001300	0.01440	0.09026	2.357	0.004000	0.02534	0.1579	1.788
0.001400	0.01495	0.09365	2.314	0.004100	0.02566	0.1598	1.777
0.001500	0.01548	0.09693	2.275	0.004200	0.02597	0.1617	1.767
0.001600	0.01598	0.1001	2.239	0.004300	0.02628	0.1636	1.756
0.001700	0.01648	0.1032	2.205	0.004400	0.02659	0.1655	1.746
0.001800	0.01696	0.1062	2.174	0.004500	0.02689	0.1674	1.737
0.001900	0.01743	0.1091	2.145	0.004600	0.02719	0.1692	1.727
0.002000	0.01788	0.1119	2.119	0.004700	0.02749	0.1710	1.718
0.002100	0.01832	0.1140	2.094	0.004800	0.02778	0.1728	1.709
0.002200	0.01876	0.1173	2.070	0.004900	0.02807	0.1746	1.701
0.002300	0.01918	0.1199	2.047	0.005000	0.02836	0.1764	1.692
0.002400	0.01959	0.1225	2.025	0.005100	0.02864	0.1781	1.684
0.002500	0.02000	0.1250	2.005	0.005200	0.02893	0.1798	1.676
0.002600	0.02040	0.1275	1.986	0.005300	0.02921	0.1815	1.669

续表 D

d/L_0	d/L	C/C_0及L/L_0	H/H'_0	d/L_0	d/L	C/C_0及L/L_0	H/H'_0
0.005400	0.02948	0.1832	1.662	0.008600	0.03733	0.2303	1.487
0.005500	0.02976	0.1848	1.654	0.008700	0.03755	0.2317	1.482
0.005600	0.03003	0.1865	1.647	0.008800	0.03777	0.2330	1.478
0.005700	0.03030	0.1881	1.640	0.008900	0.03799	0.2343	1.474
0.005800	0.03057	0.1897	1.633	0.009000	0.03821	0.2356	1.471
0.005900	0.03083	0.1913	1.626	0.009100	0.03842	0.2368	1.467
0.006000	0.03110	0.1929	1.620	0.009200	0.03864	0.2381	1.463
0.006100	0.03136	0.1945	1.614	0.009300	0.03885	0.2394	1.459
0.006200	0.03162	0.1961	1.607	0.009400	0.03906	0.2407	1.456
0.006300	0.03188	0.1976	1.601	0.009500	0.03928	0.2419	1.452
0.006400	0.03213	0.1992	1.595	0.009600	0.03949	0.2431	1.448
0.006500	0.03238	0.2007	1.589	0.009700	0.03970	0.2443	1.445
0.006600	0.03264	0.2022	1.583	0.009800	0.03990	0.2456	1.442
0.006700	0.03289	0.2037	1.578	0.009900	0.04011	0.2468	1.438
0.006800	0.03313	0.2052	1.572	0.01000	0.04032	0.2480	1.4350
0.006900	0.03338	0.2067	1.567	0.01100	0.04233	0.2598	1.4030

0.007000	0.03362	0.2082	1.561	0.01200	0.04426	0.2711	1.3750
0.007100	0.03387	0.2096	1.556	0.01300	0.04612	0.2820	1.3500
0.007200	0.03411	0.2111	1.551	0.01400	0.04791	0.2924	1.3270
0.007300	0.03435	0.2125	1.546	0.01500	0.04964	0.3022	1.3070
0.007400	0.03459	0.2139	1.541	0.01600	0.05132	0.3117	1.2880
0.007500	0.03482	0.2154	1.536	0.01700	0.05296	0.3209	1.2710
0.007600	0.03506	0.2168	1.531	0.01800	0.05455	0.3298	1.2550
0.007700	0.03529	0.2182	1.526	0.01900	0.05611	0.3386	1.2400
0.007800	0.03552	0.2196	1.521	0.02000	0.05763	0.3470	1.2260
0.007900	0.03576	0.2209	1.517	0.02100	0.05912	0.3552	1.2130
0.008000	0.03598	0.2223	1.512	0.02200	0.06057	0.3632	1.2010
0.008100	0.03621	0.2237	1.508	0.02300	0.06200	0.3710	1.1890
0.008200	0.03644	0.2250	1.503	0.02400	0.06340	0.3786	1.1780
0.008300	0.03666	0.2264	1.499	0.02500	0.06478	0.3860	1.1680
0.008400	0.03689	0.2277	1.495	0.02600	0.06613	0.3932	1.1590
0.008500	0.03711	0.2290	1.491	0.02700	0.06747	0.4002	1.1500

续表 D

d/L_0	d/L	C/C_0及L/L_0	H/H'_0	d/L_0	d/L	C/C_0及L/L_0	H/H'_0
0.02800	0.06878	0.4071	1.1410	0.06000	0.10430	0.5753	0.9932
0.02900	0.07007	0.4138	1.1330	0.06100	0.10530	0.5794	0.9907
0.03000	0.07135	0.4205	1.1250	0.06200	0.10630	0.5834	0.9883
0.03100	0.07260	0.4269	1.1180	0.06300	0.10730	0.5874	0.9860
0.03200	0.07385	0.4333	1.1110	0.06400	0.10820	0.5914	0.9837
0.03300	0.07507	0.4395	1.1040	0.06500	0.10920	0.5954	0.9815
0.03400	0.07630	0.4457	1.0980	0.06600	0.11010	0.5993	0.9793
0.03500	0.07748	0.4517	1.092	0.06700	0.11110	0.6031	0.9772
0.03600	0.07867	0.4577	1.086	0.06800	0.11200	0.6069	0.9752
0.03700	0.07984	0.4635	1.080	0.06900	0.11300	0.6106	0.9732
0.03800	0.08100	0.4691	1.075	0.07000	0.11390	0.6144	0.9713
0.03900	0.08215	0.4747	1.069	0.07100	0.11490	0.6181	0.9694
0.04000	0.08329	0.4802	1.064	0.07200	0.11580	0.6217	0.9676
0.04100	0.08442	0.4857	1.059	0.07300	0.11680	0.6252	0.9658
0.04200	0.08553	0.4911	1.055	0.07400	0.11770	0.6289	0.9641
0.04300	0.08664	0.4964	1.050	0.07500	0.11860	0.6324	0.9624

0.04400	0.08774	0.5015	1.046	0.07600	0.11950	0.6359	0.9607
0.04500	0.08883	0.5066	1.042	0.07700	0.12050	0.6392	0.9591
0.04600	0.08991	0.5116	1.038	0.07800	0.12140	0.6427	0.9576
0.04700	0.09098	0.5166	1.034	0.07900	0.12230	0.6460	0.9562
0.04800	0.09205	0.5215	1.030	0.08000	0.12320	0.6493	0.9548
0.04900	0.09311	0.5263	1.026	0.08100	0.12410	0.6526	0.9534
0.05000	0.09416	0.5310	1.023	0.08200	0.12510	0.6558	0.9520
0.05100	0.09520	0.5357	1.019	0.08300	0.12590	0.6590	0.9506
0.05200	0.09623	0.5403	1.016	0.08400	0.12680	0.6622	0.9493
0.05300	0.09726	0.5449	1.013	0.08500	0.12770	0.6655	0.9481
0.05400	0.09829	0.5494	1.010	0.08600	0.12860	0.6685	0.9469
0.05500	0.09930	0.5538	1.007	0.08700	0.12950	0.6716	0.9457
0.05600	0.10030	0.5582	1.004	0.08800	0.13040	0.6747	0.9445
0.05700	0.10130	0.5626	1.001	0.08900	0.13130	0.6778	0.9433
0.05800	0.10230	0.5668	0.9985	0.09000	0.13220	0.6808	0.9422
0.05900	0.10330	0.5711	0.9958	0.09100	0.13310	0.6838	0.9411

续表 D

d/L_0	d/L	C/C_0及L/L_0	H/H'_0	d/L_0	d/L	C/C_0及L/L_0	H/H'_0
0.09200	0.13400	0.6868	0.9401	0.1240	0.16150	0.7678	0.9189
0.09300	0.13490	0.6897	0.9391	0.1250	0.16240	0.7700	0.9186
0.09400	0.13570	0.6925	0.9381	0.1260	0.16320	0.7721	0.9182
0.09500	0.13660	0.6953	0.9371	0.1270	0.16400	0.7742	0.9178
0.09600	0.13750	0.6982	0.9362	0.1280	0.16490	0.7763	0.9175
0.09700	0.13840	0.7011	0.9353	0.1290	0.16570	0.7783	0.9172
0.09800	0.13920	0.7039	0.9344	0.1300	0.16650	0.7804	0.9169
0.09900	0.14010	0.7066	0.9335	0.1310	0.16740	0.7824	0.9166
0.10000	0.14100	0.7093	0.9327	0.1320	0.16820	0.7844	0.9164
0.10100	0.14190	0.7120	0.9319	0.1330	0.16910	0.7865	0.9161
0.10200	0.14270	0.7147	0.9311	0.1340	0.16990	0.7885	0.9158
0.10300	0.14360	0.7173	0.9304	0.1350	0.17080	0.7905	0.9156
0.10400	0.14450	0.7200	0.9297	0.1360	0.17160	0.7925	0.9154
0.10500	0.14530	0.7226	0.9290	0.1370	0.17240	0.7945	0.9152
0.10600	0.14620	0.7252	0.9282	0.1380	0.17330	0.7964	0.9150
0.10700	0.14700	0.7277	0.9276	0.1390	0.17410	0.7983	0.9148

0.10800	0.14790	0.7303	0.9269	0.1400	0.17490	0.8002	0.9146
0.10900	0.14880	0.7327	0.9263	0.1410	0.17580	0.8021	0.9144
0.1100	0.14960	0.7352	0.9257	0.1420	0.17660	0.8039	0.9142
0.1110	0.15050	0.7377	0.9251	0.1430	0.17740	0.8057	0.9141
0.1120	0.15130	0.7402	0.9245	0.1440	0.17830	0.8076	0.9140
0.1130	0.15220	0.7426	0.9239	0.1450	0.17910	0.8094	0.9139
0.1140	0.15300	0.7450	0.9234	0.1460	0.18000	0.8112	0.9137
0.1150	0.15390	0.7474	0.9228	0.1470	0.18080	0.8131	0.9136
0.1160	0.15470	0.7497	0.9223	0.1480	0.18160	0.8149	0.9135
0.1170	0.15560	0.7520	0.9218	0.1490	0.18250	0.8166	0.9134
0.1180	0.15640	0.7543	0.9214	0.1500	0.18330	0.8183	0.9133
0.1190	0.15730	0.7566	0.9209	0.1510	0.18410	0.8200	0.9133
0.1200	0.15810	0.7589	0.9204	0.1520	0.18500	0.8217	0.9132
0.1210	0.15900	0.7612	0.9200	0.1530	0.18580	0.8234	0.9132
0.1220	0.15890	0.7634	0.9196	0.1540	0.18660	0.8250	0.9132
0.1230	0.16070	0.7656	0.9192	0.1550	0.18750	0.8267	0.9131

续表 D

d/L_0	d/L	C/C_0及L/L_0	H/H'_0	d/L_0	d/L	C/C_0及L/L_0	H/H'_0
0.1560	0.18830	0.8284	0.9130	0.1880	0.21500	0.8743	0.9157
0.1570	0.18910	0.8301	0.9130	0.1890	0.21590	0.8755	0.9159
0.1580	0.19000	0.8317	0.9130	0.1900	0.21670	0.8767	0.9161
0.1590	0.19080	0.8333	0.9130	0.1910	0.21760	0.8779	0.9163
0.1600	0.19170	0.8349	0.9130	0.1920	0.21840	0.8791	0.9165
0.1610	0.19250	0.8365	0.9130	0.1930	0.21920	0.8803	0.9167
0.1620	0.19330	0.8381	0.9130	0.1940	0.22010	0.8815	0.9169
0.1630	0.19410	0.8396	0.9130	0.1950	0.22090	0.8827	0.9170
0.1640	0.19500	0.8411	0.9130	0.1960	0.22180	0.8839	0.9172
0.1650	0.19580	0.8427	0.9131	0.1970	0.22260	0.8850	0.9174
0.1660	0.19660	0.8442	0.9132	0.1980	0.22340	0.8862	0.9176
0.1670	0.19750	0.8457	0.9132	0.1990	0.22430	0.8873	0.9179
0.1680	0.19830	0.8472	0.9133	0.2000	0.22510	0.8884	0.9181
0.1690	0.19920	0.8486	0.9133	0.2010	0.22600	0.8895	0.9183
0.1700	0.20000	0.8501	0.9134	0.2020	0.22680	0.8906	0.9186
0.1710	0.20080	0.8515	0.9135	0.2030	0.22770	0.8917	0.9188

0.1720	0.20170	0.8529	0.9136	0.2040	0.22850	0.8928	0.9190
0.1730	0.20250	0.8544	0.9137	0.2050	0.22930	0.8939	0.9193
0.1740	0.20330	0.8558	0.9138	0.2060	0.23020	0.8950	0.9195
0.1750	0.20420	0.8572	0.9139	0.2070	0.23100	0.8960	0.9197
0.1760	0.20500	0.8586	0.9140	0.2080	0.23190	0.8971	0.9200
0.1770	0.20580	0.8600	0.9141	0.2090	0.23280	0.8981	0.9202
0.1780	0.20660	0.8614	0.9142	0.2100	0.23360	0.8991	0.9205
0.1790	0.20750	0.8627	0.9144	0.2110	0.23440	0.9001	0.9207
0.1800	0.20830	0.8640	0.9145	0.2120	0.23530	0.9011	0.9210
0.1810	0.20920	0.8653	0.9146	0.2130	0.23610	0.9021	0.9213
0.1820	0.21000	0.8666	0.9148	0.2140	0.23700	0.9031	0.9215
0.1830	0.21080	0.8680	0.9149	0.2150	0.23780	0.9041	0.9218
0.1840	0.21170	0.8693	0.9150	0.2160	0.23870	0.9051	0.9221
0.1850	0.21250	0.8709	0.9152	0.2170	0.23950	0.9061	0.9223
0.1860	0.21340	0.8718	0.9154	0.2180	0.24040	0.9070	0.9226
0.1870	0.21420	0.8731	0.9155	0.2190	0.24120	0.9079	0.9228

续表 D

d/L_0	d/L	C/C_0及L/L_0	H/H'_0	d/L_0	d/L	C/C_0及L/L_0	H/H'_0
0.2200	0.24210	0.9088	0.9218	0.2520	0.26960	0.9346	0.9330
0.2210	0.24290	0.9097	0.9221	0.2530	0.27050	0.9353	0.9333
0.2220	0.24380	0.9107	0.9223	0.2540	0.27140	0.9360	0.9336
0.2230	0.24460	0.9116	0.9226	0.2550	0.27220	0.9367	0.9340
0.2240	0.24550	0.9125	0.9228	0.2560	0.27310	0.9374	0.9343
0.2250	0.24630	0.9134	0.9245	0.2570	0.27400	0.9381	0.9346
0.2260	0.24720	0.9143	0.9248	0.2580	0.27490	0.9388	0.9349
0.2270	0.24810	0.9152	0.9251	0.2590	0.27570	0.9394	0.9353
0.2280	0.24890	0.9161	0.9254	0.2600	0.27660	0.9400	0.9356
0.2290	0.24980	0.9170	0.9258	0.2610	0.27750	0.9406	0.9360
0.2300	0.25060	0.9178	0.9261	0.2620	0.27840	0.9412	0.9363
0.2310	0.25150	0.9186	0.9264	0.2630	0.27920	0.9418	0.9367
0.2320	0.25230	0.9194	0.9267	0.2640	0.28010	0.9425	0.9370
0.2330	0.25320	0.9203	0.9270	0.2650	0.28100	0.9431	0.9373
0.2340	0.25400	0.9211	0.9273	0.2660	0.28190	0.9437	0.9377
0.2350	0.25490	0.9219	0.9276	0.2670	0.28270	0.9443	0.9380

0.2360	0.25580	0.9227	0.9279	0.2680	0.28360	0.9449	0.9383
0.2370	0.25660	0.9235	0.9282	0.2690	0.28450	0.9455	0.9386
0.2380	0.25750	0.9243	0.9285	0.2700	0.28540	0.9461	0.9390
0.2390	0.25840	0.9251	0.9288	0.2710	0.28630	0.9467	0.9393
0.2400	0.25920	0.9259	0.9291	0.2720	0.28720	0.9473	0.9396
0.2410	0.26010	0.9267	0.9294	0.2730	0.28800	0.9478	0.9400
0.2420	0.26100	0.9275	0.9298	0.2740	0.28890	0.9484	0.9403
0.2430	0.26180	0.9282	0.9301	0.2750	0.28980	0.9490	0.9406
0.2440	0.26270	0.9289	0.9304	0.2760	0.29070	0.9495	0.9410
0.2450	0.26350	0.9296	0.9307	0.2770	0.29160	0.9500	0.9413
0.2460	0.26440	0.9304	0.9310	0.2780	0.29240	0.9505	0.9416
0.2470	0.26530	0.9311	0.9314	0.2790	0.29330	0.9511	0.9420
0.2480	0.26610	0.9318	0.9317	0.2800	0.29420	0.9516	0.9423
0.2490	0.26700	0.9325	0.9320	0.2810	0.29510	0.9521	0.9426
0.2500	0.26790	0.9332	0.9323	0.2820	0.29600	0.9526	0.9430
0.2510	0.26870	0.9339	0.9327	0.2830	0.29690	0.9532	0.9433

续表 D

d/L_0	d/L	C/C_0及L/L_0	H/H'_0	d/L_0	d/L	C/C_0及L/L_0	H/H'_0
0.2840	0.29780	0.9537	0.9436	0.3160	0.32660	0.9676	0.9541
0.2850	0.29870	0.9542	0.9440	0.3170	0.32750	0.9679	0.9544
0.2860	0.29960	0.9547	0.9443	0.3180	0.32840	0.9682	0.9547
0.2870	0.30050	0.9552	0.9446	0.3190	0.32940	0.9686	0.9550
0.2880	0.30140	0.9557	0.9449	0.3200	0.33020	0.9690	0.9553
0.2890	0.30220	0.9562	0.9452	0.3210	0.33110	0.9693	0.9556
0.2900	0.30310	0.9567	0.9456	0.3220	0.33210	0.9696	0.9559
0.2910	0.30400	0.9572	0.9459	0.3230	0.33300	0.9700	0.9562
0.2920	0.30490	0.9577	0.9463	0.3240	0.33390	0.9703	0.9565
0.2930	0.30580	0.9581	0.9466	0.3250	0.33490	0.9707	0.9568
0.2940	0.30670	0.9585	0.9469	0.3260	0.33570	0.9710	0.9571
0.2950	0.30760	0.9590	0.9473	0.3270	0.33670	0.9713	0.9574
0.2960	0.30850	0.9594	0.9476	0.3280	0.33760	0.9717	0.9577
0.2970	0.30940	0.9599	0.9480	0.3290	0.33850	0.9720	0.9580
0.2980	0.31030	0.9603	0.9483	0.3300	0.33940	0.9723	0.9583
0.2990	0.31120	0.9607	0.9486	0.3310	0.34030	0.9726	0.9586

0.3000	0.31210	0.9611	0.9490	0.3320	0.34130	0.9729	0.9589
0.3010	0.31300	0.9616	0.9493	0.3330	0.34220	0.9732	0.9592
0.3020	0.31390	0.9620	0.9496	0.3340	0.34310	0.9735	0.9595
0.3030	0.31480	0.9624	0.9499	0.3350	0.34400	0.9738	0.9598
0.3040	0.31570	0.9629	0.9502	0.3360	0.34490	0.9741	0.9601
0.3050	0.31660	0.9633	0.9505	0.3370	0.34590	0.9744	0.9604
0.3060	0.31750	0.9637	0.9509	0.3380	0.34680	0.9747	0.9607
0.3070	0.31840	0.9641	0.9512	0.3390	0.34770	0.9750	0.9610
0.3080	0.31930	0.9645	0.9515	0.3400	0.34860	0.9753	0.9613
0.3090	0.32020	0.9649	0.9518	0.3410	0.34950	0.9756	0.9615
0.3100	0.32110	0.9653	0.9522	0.3420	0.35040	0.9758	0.9618
0.3110	0.32200	0.9656	0.9525	0.3430	0.35140	0.9761	0.9621
0.3120	0.32300	0.9666	0.9528	0.3440	0.35230	0.9764	0.9623
0.3130	0.32390	0.9664	0.9531	0.3450	0.35320	0.9767	0.9626
0.3140	0.32480	0.9668	0.9535	0.3460	0.35420	0.9769	0.9629
0.3150	0.32570	0.9672	0.9538	0.3470	0.35510	0.9772	0.9632

续表 D

d/L_0	d/L	C/C_0及L/L_0	H/H'_0	d/L_0	d/L	C/C_0及L/L_0	H/H'_0
0.3480	0.35600	0.9775	0.9635	0.3800	0.38600	0.9845	0.9717
0.3490	0.35700	0.9777	0.9638	0.3810	0.38690	0.9847	0.9719
0.3500	0.35790	0.9780	0.9640	0.3820	0.38790	0.9848	0.9721
0.3510	0.35880	0.9782	0.9643	0.3830	0.38880	0.9850	0.9724
0.3520	0.35980	0.9785	0.9646	0.3840	0.38980	0.9852	0.9726
0.3530	0.36070	0.9787	0.9648	0.3850	0.39070	0.9854	0.9728
0.3540	0.36160	0.9790	0.9651	0.3860	0.39170	0.9855	0.9730
0.3550	0.36250	0.9792	0.9654	0.3870	0.39260	0.9857	0.9732
0.3560	0.36350	0.9795	0.9657	0.3880	0.39360	0.9859	0.9735
0.3570	0.36440	0.9797	0.9659	0.3890	0.39450	0.9860	0.9737
0.3580	0.36530	0.9799	0.9662	0.3900	0.39550	0.9862	0.9739
0.3590	0.36630	0.9801	0.9665	0.3910	0.39640	0.9864	0.9741
0.3600	0.36720	0.9804	0.9667	0.3920	0.39740	0.9865	0.9743
0.3610	0.36820	0.9806	0.9670	0.3930	0.39830	0.9867	0.9745
0.3620	0.36910	0.9808	0.9673	0.3940	0.39930	0.9869	0.9748
0.3630	0.37000	0.9811	0.9675	0.3950	0.40020	0.9870	0.9750

0. 3640	0. 37090	0. 9813	0. 9677	0. 3960	0. 40120	0. 9872	0. 9752
0. 3650	0. 37190	0. 9815	0. 9680	0. 3970	0. 40210	0. 9873	0. 9754
0. 3660	0. 37280	0. 9817	0. 9683	0. 3980	0. 40310	0. 9874	0. 9756
0. 3670	0. 37370	0. 9819	0. 9686	0. 3990	0. 40400	0. 9876	0. 9758
0. 3680	0. 37470	0. 9821	0. 9688	0. 4000	0. 40500	0. 9877	0. 9761
0. 3690	0. 37560	0. 9823	0. 9690	0. 4010	0. 40590	0. 9879	0. 9763
0. 3700	0. 37660	0. 9825	0. 9693	0. 4020	0. 40600	0. 9880	0. 9765
0. 3710	0. 37750	0. 9827	0. 9696	0. 4030	0. 40780	0. 9882	0. 9766
0. 3720	0. 37850	0. 9830	0. 9698	0. 4040	0. 40880	0. 9883	0. 9768
0. 3730	0. 37940	0. 9832	0. 9700	0. 4050	0. 40980	0. 9885	0. 9770
0. 3740	0. 38040	0. 9834	0. 9702	0. 4060	0. 41070	0. 9886	0. 9772
0. 3750	0. 38130	0. 9835	0. 9705	0. 4070	0. 41160	0. 9887	0. 9774
0. 3760	0. 38220	0. 9837	0. 9707	0. 4080	0. 41260	0. 9889	0. 9776
0. 3770	0. 38320	0. 9839	0. 9709	0. 4090	0. 41360	0. 9890	0. 9778
0. 3780	0. 38410	0. 9841	0. 9712	0. 4100	0. 41450	0. 9891	0. 9780
0. 3790	0. 38500	0. 9843	0. 9714	0. 4110	0. 41550	0. 9892	0. 9782

续表 D

d/L_0	d/L	C/C_0及L/L_0	H/H'_0	d/L_0	d/L	C/C_0及L/L_0	H/H'_0
0.4120	0.41640	0.9894	0.9784	0.4460	0.44920	0.9930	0.9841
0.4130	0.41740	0.9895	0.9786	0.4470	0.45010	0.9930	0.9843
0.4140	0.41830	0.9896	0.9788	0.4480	0.45110	0.9931	0.9844
0.4150	0.41930	0.9898	0.9790	0.4490	0.45210	0.9932	0.9846
0.4160	0.42030	0.9899	0.9792	0.4500	0.45310	0.9933	0.9847
0.4170	0.42120	0.9900	0.9794	0.4510	0.45400	0.9934	0.9848
0.4180	0.42220	0.9901	0.9795	0.4520	0.45500	0.9935	0.9849
0.4190	0.42310	0.9902	0.9797	0.4530	0.45600	0.9935	0.9851
0.4200	0.42410	0.9904	0.9798	0.4540	0.45690	0.9936	0.9852
0.4210	0.42510	0.9905	0.9800	0.4550	0.45790	0.9937	0.9853
0.4220	0.42600	0.9906	0.9802	0.4560	0.45890	0.9938	0.9855
0.4230	0.42700	0.9907	0.9804	0.4570	0.45990	0.9938	0.9857
0.4240	0.42800	0.9908	0.9806	0.4580	0.46080	0.9939	0.9858
0.4250	0.42890	0.9909	0.9808	0.4590	0.46180	0.9940	0.9859
0.4260	0.42980	0.9910	0.9810	0.4600	0.46280	0.9941	0.9860
0.4270	0.43080	0.9911	0.9811	0.4610	0.46370	0.9941	0.9862

0. 4280	0. 43180	0. 9912	0. 9812	0. 4620	0. 46470	0. 9942	0. 9863
0. 4290	0. 43280	0. 9913	0. 9814	0. 4630	0. 46570	0. 9943	0. 9864
0. 4300	0. 43370	0. 9914	0. 9816	0. 4640	0. 46660	0. 9944	0. 9865
0. 4310	0. 43470	0. 9915	0. 9818	0. 4650	0. 46760	0. 9944	0. 9867
0. 4320	0. 43560	0. 9916	0. 9819	0. 4660	0. 46860	0. 9945	0. 9868
0. 4330	0. 43660	0. 9917	0. 9821	0. 4670	0. 46950	0. 9946	0. 9869
0. 4340	0. 43760	0. 9918	0. 9823	0. 4680	0. 47050	0. 9946	0. 9871
0. 4350	0. 43850	0. 9919	0. 9824	0. 4690	0. 47150	0. 9947	0. 9872
0. 4360	0. 43950	0. 9920	0. 9826	0. 4700	0. 47250	0. 9947	0. 9873
0. 4370	0. 44050	0. 9921	0. 9828	0. 4710	0. 47350	0. 9948	0. 9874
0. 4380	0. 44140	0. 9922	0. 9829	0. 4720	0. 47440	0. 9949	0. 9875
0. 4390	0. 44240	0. 9923	0. 9830	0. 4730	0. 47540	0. 9949	0. 9876
0. 4400	0. 44340	0. 9924	0. 9832	0. 4740	0. 47640	0. 9950	0. 9877
0. 4410	0. 44430	0. 9925	0. 9833	0. 4750	0. 47740	0. 9951	0. 9878
0. 4420	0. 44530	0. 9926	0. 9835	0. 4760	0. 47830	0. 9951	0. 9880
0. 4430	0. 44630	0. 9927	0. 9836	0. 4770	0. 47930	0. 9952	0. 9881
0. 4440	0. 44720	0. 9928	0. 9838	0. 4780	0. 48030	0. 9952	0. 9882
0. 4450	0. 44820	0. 9929	0. 9839	0. 4790	0. 48130	0. 9953	0. 9883

续表 D

d/L_0	d/L	C/C_0及L/L_0	H/H'_0	d/L_0	d/L	C/C_0及L/L_0	H/H'_0
0.4800	0.48220	0.9953	0.9885	0.4980	0.49990	0.9963	0.9903
0.4810	0.48320	0.9954	0.9886	0.4990	0.50090	0.9963	0.5100
0.4820	0.48420	0.9955	0.9887	0.5000	0.50180	0.9964	0.9905
0.4830	0.48520	0.9955	0.9888	0.5100	0.51170	0.9968	0.9914
0.4840	0.48620	0.9956	0.9889	0.5200	0.52150	0.9972	0.9922
0.4850	0.48710	0.9956	0.9890	0.5300	0.53140	0.9975	0.9930
0.4860	0.48810	0.9957	0.9891	0.5400	0.54120	0.9978	0.9936
0.4870	0.48910	0.9957	0.9892	0.5500	0.55110	0.9980	0.9942
0.4880	0.49010	0.9958	0.9893	0.5600	0.56100	0.9983	0.9947
0.4890	0.49110	0.9958	0.9895	0.5700	0.57090	0.9985	0.9953
0.4900	0.49200	0.9959	0.9896	0.5800	0.58080	0.9987	0.9957
0.4910	0.49300	0.9959	0.9897	0.5900	0.59070	0.9988	0.9962
0.4920	0.49400	0.9960	0.9898	0.60000	0.60060	0.9990	0.9965
0.4930	0.49500	0.9960	0.9899	0.70000	0.70020	0.9997	0.9988
0.4940	0.49600	0.9961	0.9899	0.80000	0.80010	0.9999	0.9996
0.4950	0.49690	0.9961	0.9900	0.90000	0.90000	1.0000	0.9999
0.4960	0.49790	0.9962	0.9901	1.00000	1.00000	1.0090	1.0000
0.4970	0.49890	0.9962	0.9902				

附录E　波浪爬高计算

E.0.1　单一坡度的斜坡式海堤在正向规则波作用下的爬高可按下列规定确定：

1　本条所列公式适用于下列条件：

1)波浪正向作用；

2)斜坡坡度 1∶m，m 为 1～5；

3)堤脚前水深 $d=(1.5\sim5.0)H$；

4)堤前底坡 i 小于或等于 1/50。

2　正向规则波在斜坡式海堤上的波浪爬高(图 E.0.1)，可按下列公式计算：

$$R=K_{\Delta}R_{1}H \tag{E.0.1-1}$$

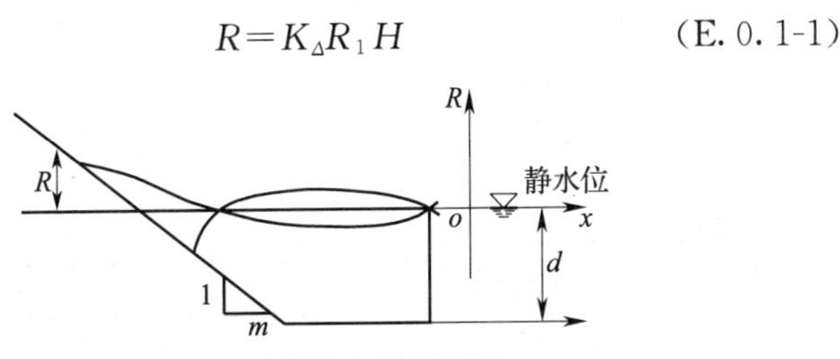

图 E.0.1　斜坡上波浪爬高

$$R_{1}=1.24\text{th}(0.432M)+[(R_{1})_{m}-1.029]R(M) \tag{E.0.1-2}$$

$$M=\frac{1}{m}\left(\frac{L}{H}\right)^{1/2}\left(\text{th}\frac{2\pi d}{L}\right)^{-1/2} \tag{E.0.1-3}$$

$$(R_{1})_{m}=2.49\text{th}\frac{2\pi d}{L}\left(1+\frac{\frac{4\pi d}{L}}{\text{sh}\frac{4\pi d}{L}}\right) \tag{E.0.1-4}$$

$$R(M)=1.09M^{3.32}\exp(-1.25M) \tag{E.0.1-5}$$

式中：R——波浪爬高(m)，从静水位算起，向上为正；

H——波高(m)；

L——波长(m)；

R_1——$K_\Delta=1$、$H=1m$ 时的波浪爬高(m)；

$(R_1)_m$——相应于某一 d/L 时的爬高最大值(m)；

M——与斜坡的 m 值有关的函数；

$R(M)$——爬高函数；

K_Δ——与斜坡护面结构型式有关的糙渗系数，可按表 E.0.1 确定。

表 E.0.1 糙渗系数 K_Δ

护面类型	K_Δ
光滑不透水护面(沥青混凝土)	1.00
混凝土及混凝土护面	0.90
草皮护面	0.85～0.90
砌石护面	0.75～0.80
抛填两层块石(不透水基础)	0.60～0.65
抛填两层块石(透水基础)	0.50～0.55
四脚空心方块(安放一层)	0.55
栅栏板	0.49
扭工字块体(安放两层)	0.38
四脚锥体(安放两层)	0.40
扭王字块体	0.47

E.0.2 在风直接作用下，单一坡度的斜坡式海堤正向不规则波的爬高可按下列规定确定：

1 适用条件与本规范第 E.0.1 条相同。

2 正向不规则波的爬高可按下式计算：

$$R_{1\%}=K_\Delta K_V R_1 H_{1\%} \tag{E.0.2}$$

式中：$R_{1\%}$——累积频率为1%的爬高(m)；

K_Δ——与斜坡护面结构型式有关的糙渗系数，可按表 E.0.1 确定；

K_V——与风速 V 有关的系数，可按表 E.0.2-1 确定；

R_1——$K_\Delta=1$、$H=1$m 时的爬高(m),由公式(E.0.1-2)确定,计算时波坦取为 $L/H_{1\%}$,L 为平均波周期对应的波长。

表 E.0.2-1　系数 K_V

V/C	≤1	2	3	4	≥5
K_V	1.00	1.10	1.18	1.24	1.28

注:波速 $C=L/T$(m/s)。

3　对于其他累积频率的爬高 R_F,可用累积频率为 1%的爬高 $R_{1\%}$乘以表 E.0.2-2 中的换算系数 K_F 确定。

表 E.0.2-2　系数 K_F

F(%)	0.1	1	2	4	5	10	13.7	20	30	50
K_F	1.17	1.00	0.93	0.87	0.84	0.75	0.71	0.65	0.58	0.47

注:$F=4\%$和 $F=13.7\%$的爬高分别相当于将不规则的爬高值按大小排列时,其中最大 1/10 和 1/3 部分的平均值。

E.0.3　海堤为单坡结构型式且 $0<m<1$ 时,波浪的爬高计算可按式(E.0.3)估算。

$$R_F=K_\Delta K_V R_0 H_{1\%} K_F \tag{E.0.3}$$

式中:R_F——波浪爬高累积率为 F 的波浪爬高值(m);

K_Δ——与护面结构型式有关的糙率及渗透性系数,可按表 E.0.1 确定;

K_V——与风速 V 及堤前水深 $d_{前}$ 有关的经验系数,可按表 E.0.3-1 确定;

R_0——不透水光滑墙上相对爬高,即当 $K_\Delta=1.0$、$H=1.0$m 时的爬高值,可由斜坡 m 及深水波坦 $L_0/H_{0(1\%)}$ 查表 E.0.3-2 确定;

$H_{1\%}$——波高累积率 $F=1\%$的波高值,当 $H_{1\%}\geq H_b$ 时,则 $H_{1\%}$取用 H_b 值;

K_F——爬高累积频率换算系数,按表 E.0.3-3 确定,若所求

R_F相应累积率的堤前波高H_F已经破碎，则$K_F=1$。

表 E.0.3-1 经验系数 K_V

$V/\sqrt{gd_{前}}$	≤1	1.5	2.0	2.5	3.0	3.5	4.0	≥5
K_V	1.00	1.02	1.08	1.16	1.22	1.25	1.28	1.30

表 E.0.3-2 不透水光滑墙上相对爬高 R_0

<table>
<tr><td>R_0 \ m
$L_0/H_{0(1\%)}$</td><td>0.1</td><td>0.2</td><td>0.3</td><td>0.4</td><td>0.5</td><td>0.6</td><td>0.7</td><td>0.8</td><td>0.9</td><td>1.0</td></tr>
<tr><td>7</td><td rowspan="3">1.24</td><td rowspan="3">1.27</td><td rowspan="3">1.28</td><td rowspan="3">1.32</td><td>1.42</td><td>1.55</td><td>1.68</td><td>1.87</td><td>2.05</td><td>2.25</td></tr>
<tr><td>20</td><td>—</td><td>—</td><td>—</td><td>—</td><td>—</td><td>2.03</td></tr>
<tr><td>50</td><td>1.35</td><td>1.47</td><td>1.57</td><td>1.70</td><td>1.85</td><td>1.97</td></tr>
</table>

表 E.0.3-3 爬高累积频率换算系数 K_F

F(%)	0.1	1	2	5	10	13	30	50
K_F	1.14	1.00	0.94	0.87	0.80	0.77	0.66	0.55

E.0.4 对带有平台的复合式斜坡堤的波浪爬高计算(图 E.0.4)，可先确定该断面的折算坡度系数m_e，再按坡度系数为m_e的单坡断面确定其爬高值。折算坡度系数m_e可按下列公式计算：

1 当$\Delta m=m_{下}-m_{上}=0$，即上、下坡度一致时：

$$m_e=m_{上}\left(1-4.0\frac{|d_w|}{L}\right)K_b \quad (E.0.4\text{-}1)$$

2 当$\Delta m>0$，即下坡缓于上坡时：

$$m_e=(m_{上}+0.3\Delta m-0.1\Delta m^2)\left(1-4.5\frac{d_w}{L}\right)K_b \quad (E.0.4\text{-}2)$$

3 当$\Delta m<0$，即下坡陡于上坡时：

$$m_e=(m_{上}+0.5\Delta m+0.08\Delta m^2)\left(1+3.0\frac{d_w}{L}\right)K_b \quad (E.0.4\text{-}3)$$

4 系数K_b可按下式计算：

$$K_b=1+3\frac{B}{L} \quad (E.0.4\text{-}4)$$

式中：$m_{上}$、$m_{下}$——平台以上、以下的斜坡坡率；

d_w——平台上的水深(图 E.0.4，当平台在静水位以下时取正值；平台在静水位以上时取负值；$|d_w|$表示取绝对值)(m)；

B——平台宽度(m)；

L——波长(m)。

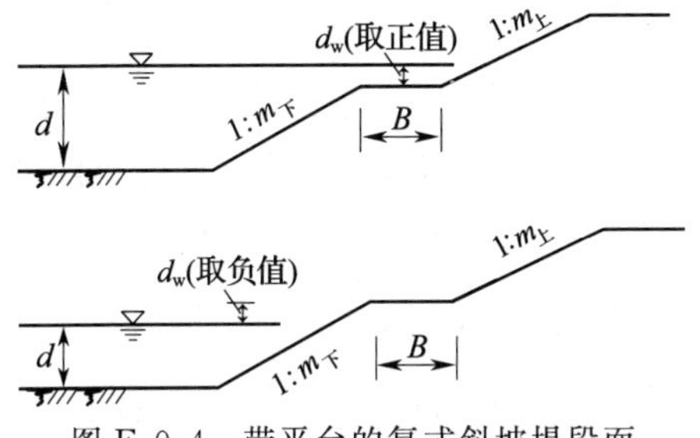

图 E.0.4 带平台的复式斜坡堤段面

5 折算坡度法适用于 $m_{上}=1.0\sim4.0$，$m_{下}=1.5\sim3$，$d_w/L=-0.025\sim+0.025$，$0.05<B/L\leqslant0.25$ 的条件。

E.0.5 对下部为陡墙、上部为斜坡、中间带平台的复合式斜坡堤(图 E.0.5)的波浪爬高，可按下列公式计算：

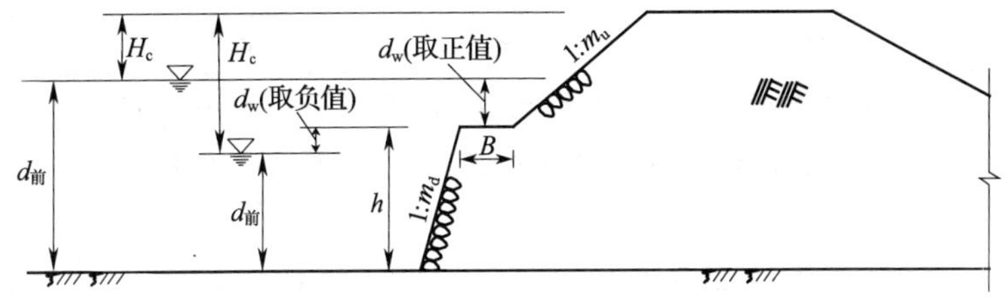

图 E.0.5 下部为陡墙、上部为斜坡的复式断面示意图

$$R_s/H_s=f_1(m_d)f_2(m_u)f_3(H_s/L_{op})f_4(d_w/H_s)f_5(B/H_s) \quad \text{(E.0.5-1)}$$

其中：

$$-2.0\leqslant d_w/H_s\leqslant-0.5 \quad f_1(m_d)=0.14m_d+0.88$$
$$-0.5<d_w/H_s\leqslant2.0 \quad f_1(m_d)=0.14m_d+0.95 \quad \text{(E.0.5-2)}$$

$$f_2(m_u)=1.04m_u^{-0.08} \quad (E.0.5\text{-}3)$$

$$\begin{aligned} &0.03<H_s/L_{op}\leqslant 0.041 \quad f_3=10.4\sqrt{H_s/L_{op}}-0.35 \\ &0.041<H_s/L_{op}<0.05 \quad f_3=-8.6\sqrt{H_s/L_{op}}+3.65 \end{aligned} \quad (E.0.5\text{-}4)$$

$$f_4(d_w/H_s)=-0.088(d_w/H_s)^2+0.08(d_w/H_s)+1 \quad (E.0.5\text{-}5)$$

$$f_5(B/H_s)=0.0996(B/H_s)^{-0.087} \quad (E.0.5\text{-}6)$$

式中：m_d、m_u——平台以下、以上的斜坡坡率，$0\leqslant m_d\leqslant 0.5$，$1.5\leqslant m_u\leqslant 2.0$；

d_w——平台上的水深（图 E.0.5，当平台在静水位以下时取正值；平台在静水位以上时取负值）(m)；

B——平台宽度(m)；

L_{op}——波长(m)，为$\frac{gT_P^2}{2\pi}$；

H_s——有效波高(m)。

E.0.6 当来波波向线与堤轴线的法线成β角时，上述计算得到的波浪爬高应乘以系数 K_β加以修正，当海堤坡率 m 大于或等于 1 时，修正系数 K_β值可按表 E.0.6 确定。

表 E.0.6 修正系数 K_β

β(°)	≤15	20	30	40	50	60
K_β	1.00	0.96	0.92	0.87	0.82	0.76

E.0.7 对于下部为斜坡、上部为陡墙、无平台的折坡式断面的爬高值，可用本条的假想坡度法进行近似计算，计算时应按以下步骤进行：

1 确定波浪破碎水深 d_b处 B 点的位置（图 E.0.7），B 点的位置在海涂或堤脚处，或在坡面上，详见本条第 2 款和第 3 款。

2 假定一爬高值 R_0，爬高终点为 A_0，连接 A_0B 得假想外坡 A_0B 及其相应的假想坡度 m，按第 E.0.1 条、第 E.0.2 条或第 E.0.3 条计算单坡上的爬高值 $R_{计}$，若 $R_{计}\neq R_0$，则假设另一爬高值 $R_{计}$，得终点 A_1，连接 A_1B 得假想外坡 A_1B 及其相应的

坡度 m，再按单坡计算波浪爬高值 $R_{计}$，直至假定爬高与计算爬高值相等。

3 破碎水深 d_b 位置的确定可按以下办法确定：

当波浪在堤前已破碎，且堤前滩涂比较平坦，d_b位置取在堤脚处[图 E.0.7(a)]；

当堤前水深较大，波浪在斜坡上破碎[图 E.0.7(b)]，其破碎水深 d_b可按下式计算：

$$d_b = H\left(0.47 + 0.023\frac{L}{H}\right)\frac{1+m^2}{m^2} \qquad (E.0.7)$$

式中：H、L——堤前的波高及波长(计算 $R_{1\%}$ 时，H 取 $H_{1\%}$)(m)；

m——计算破碎水深中所用坡度系数，一般取用 $m_{下}$。

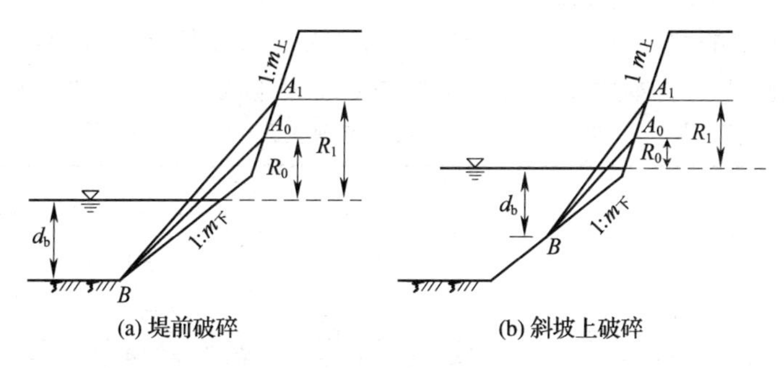

图 E.0.7 假想坡度法求爬高值示意图

E.0.8 带防浪墙的单坡式海堤可按本规范第 E.0.1 条、第 E.0.2 条或第 E.0.3 条规定的方法计算波浪爬高。当堤身较低而设计潮位较高时，还应按本规范第 E.0.7 条的假想坡度法计算波浪爬高，并取两者中的较大值，用假想坡度法计算时应符合折算坡比法的计算条件。

E.0.9 堤前有压载(镇压平台)时，波浪爬高应按下述步骤计算：

1 应按前述方法计算无压载时的爬高；

2 应将所计算的爬高值乘以压载系数 K_y，即得有压载的爬高值，K_y 可按表 E.0.9-1 确定；

表 E.0.9-1 压载系数 K_y

B/L	0.2			0.4			0.6			0.8		
L/H	≤15	20	25	≤15	20	25	≤15	20	25	≤15	20	25
d_1/H	K_y											
1.0	0.85	0.94	0.99	0.75	0.83	0.87	0.70	0.78	0.81	0.68	0.75	0.79
1.5	0.92	1.03	1.13	0.86	0.96	1.06	0.81	0.91	1.00	0.79	0.88	0.97
2.0	0.95	1.10	1.18	0.91	1.06	1.14	0.89	1.01	1.11	0.87	1.01	1.09
2.5	0.98	1.04	1.10	0.96	1.02	1.08	0.93	0.99	1.04	0.92	0.98	1.03

3 当堤前 d_1/H 小于或等于 1.5 时，且 m 小于或等于 1.5 时，有反压平台海堤上的波浪爬高值计算应按本条第 2 款所求结果乘以 K_m，K_m 可按表 E.0.9-2 确定。其中，d_1、B 分别为反压平台顶部的宽度及水深，(图 E.0.9)；L 为平均波长；H 取有效波波高即 $H_{13\%}$。本款仅适用于海堤坡度 m 大于或等于 1.0 的情况。

表 E.0.9-2 系数 K_m

d_1/H	m	B/L			
		0.2	0.4	0.6	0.8～1.0
		K_m			
1.0	1.0	1.35	1.26	1.25	1.14
	1.5	1.16	1.10	1.10	1.03
1.5	1.0	1.50	1.60	1.50	1.40
	1.5	1.36	1.46	1.30	1.24

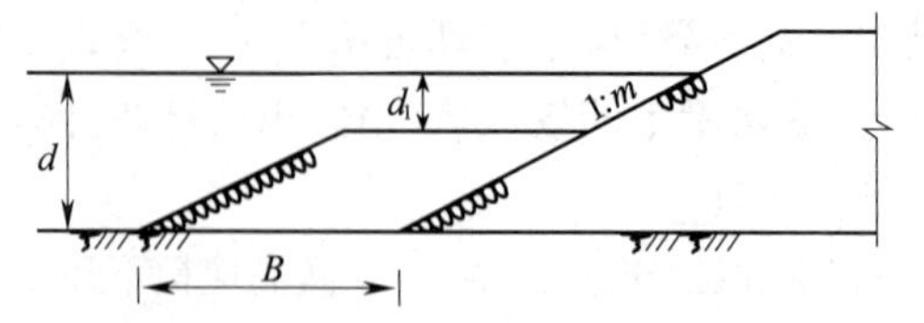

图 E.0.9 带反压平台的海堤断面

E.0.10 海堤前沿滩地上设有潜堤时，应按下述步骤计算波浪爬高。

波浪越堤后的波高 H_1 可按下列公式计算：

$$当\frac{d_a}{H}\leqslant 0,\frac{H_1}{H}=\text{th}\left[0.8\left(\left|\frac{d_a}{H}\right|+0.038\frac{L}{H}K_B\right)\right] \tag{E.0.10-1}$$

$$当\frac{d_a}{H}>0,\frac{H_1}{H}=\text{th}\left(0.03\frac{L}{H}K_B\right)-\text{th}\left(\frac{d_a}{2H}\right) \tag{E.0.10-2}$$

$$K_B=1.5e^{-0.4\frac{B}{H}}$$

式中符号意义见图 E.0.10；d_a 为静水位到潜堤堤顶的垂直高度，当潜堤出水时取正值[图 E.0.10(a)]，淹没时取负值[图 E.0.10(b)]；B 为潜堤堤顶宽度。

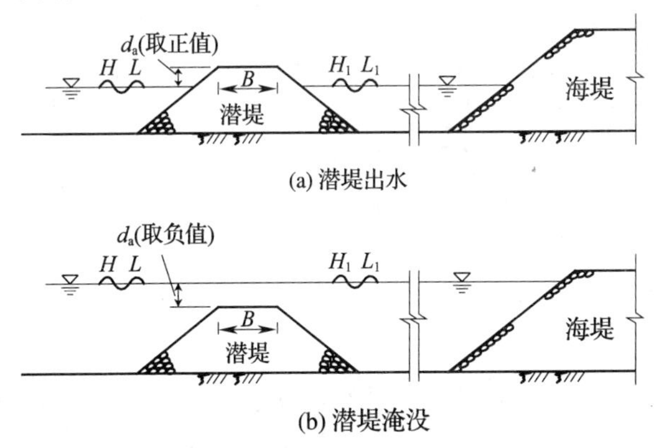

图 E.0.10　海堤前设有潜堤的示意图

按式(E.0.10-1)和式(E.0.10-2)计算潜堤后的波要素时，潜堤前的波要素取波高 $H_{13\%}$，波长为平均波长 L，并假定潜堤后的波高 H_1 也具有相同的累积率 13%。潜堤后的平均波长可假定周期不变，可按本规范式(E.0.1-1)计算，并认为潜堤前后有效波波高与平均波高之比不变，可按本规范表 6.1.3 换算，或可按本规范式(6.1.4)计算各种累积率的波高。

由潜堤后的波要素可确定堤前波要素，潜堤与海堤之间距离较短，水深变化不大时，则可把潜堤后的波要素作为海堤前的波要素，并计算其波浪爬高。

E. 0. 11 对于堤前植有防浪林的波浪爬高计算，应先确定防浪林消波后的堤脚前波高计算，再计算波浪爬高值。消波后的堤脚前波高可按下列公式计算：

$$H_f=(1-K)H \tag{E. 0. 11-1}$$

$$K=\left[\frac{30+\frac{0.03}{\alpha''}}{10^{\frac{0.2-0.16(1-\alpha')}{\alpha' B/L}}}+\frac{70-\frac{0.03}{\alpha''}}{10^{\frac{0.0026-0.23(0.01-\alpha'')}{\alpha'' B/L}}}\right]\% \tag{E. 0. 11-2}$$

$$\alpha'=\frac{2\pi(R^2-R_0^2)}{\sqrt{3}l^2}$$

$$\alpha''=\frac{2\pi R_0^2}{\sqrt{3}l^2}$$

式中：H_f——经林带消波后的波高(m)；

H——未经林带消波前的波高(m)；

K——防浪林消波系数；

α'——林木枝叶遮蔽系数；

α''——林木主干遮蔽系数；

R_0——林木主干的平均半径(m)；

R——林木整体(包括主干和枝叶在内)的平均半径(m)；

l——林木成等边三角形交错排列的株距(m)；

$\frac{\sqrt{3}l}{2}$——林木成等边三角形交错排列时的行距(m)；

B——林带宽度(m)；

L——波长(m)。

注：式(E. 0. 11-2)的适用范围为：$0\leqslant\alpha'\leqslant1.00$，$0.0006\leqslant\alpha''\leqslant0.0091$。

E. 0. 12 对于加糙插砌条石护面的波浪爬高计算，可按下式计算：

$$R_{KP}=K_R R \tag{E. 0. 12}$$

式中：R_{KP}——加糙插砌条石护面的斜坡堤的波浪爬高(m)；

R——斜坡堤砌石护面为平整时的波浪爬高(m)，由本规范式(E. 0. 1-1)确定；

K_R——加糙插砌条石护面对波浪爬高衰减影响的系数，由表 E.0.12 确定。

表 E.0.12　K_R 值

m	K_R
3	0.70
2	0.70
1.5	0.80

附录F 越浪量计算

F.0.1 符合以下条件的斜坡式海堤堤顶越浪量可按下列规定确定：

1 式(F.0.1-1)、式(F.0.1-2)的适用范围如下：

1)$2.2\leqslant d/H_{1/3}\leqslant 4.7$。

2)$0.02\leqslant H_{1/3}/L_{PO}\leqslant 0.10$[$L_{PO}$为以谱峰周期$T_P$计算的深水波长(m)]。

3)$1.5\leqslant m\leqslant 3.0$。

4)$0.6\leqslant b_1/H_{1/3}\leqslant 1.4$[$b_1$为坡肩宽度(m)]。

5)$1.0\leqslant H_c'/H_{1/3}\leqslant 1.6$[$H_c'$为防浪墙墙顶在静水面以上的高度(m)]。

6)底坡$i\leqslant 1/25$。

2 当斜坡式海堤堤顶无防浪墙时(图F.0.1-1)，堤顶越浪量可按下式计算：

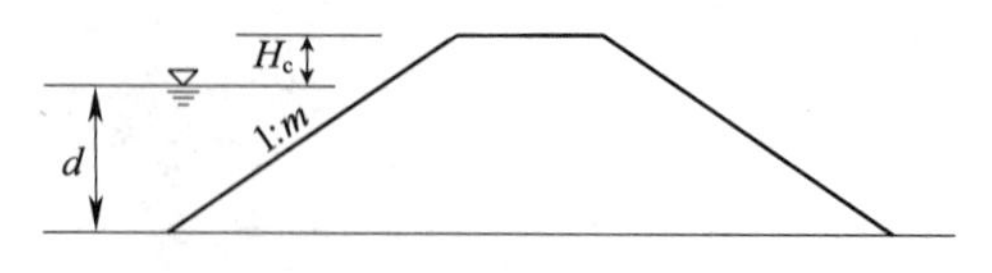

图F.0.1-1 堤顶无防浪墙斜坡式海堤

$$q=AK_A\frac{H_{1/3}^2}{T_P}\left(\frac{H_c}{H_{1/3}}\right)^{-1.7}\left[\frac{1.5}{\sqrt{m}}+\mathrm{th}\left(\frac{d}{H_{1/3}}-2.8\right)^2\right]\ln\sqrt{\frac{gT_P^2m}{2\pi H_{1/3}}}$$

(F.0.1-1)

式中：q——越浪量，单位时间单位堤宽的越浪水体体积[$m^3/(s\cdot m)$]；

H_c——堤顶在静水面以上的高度(m)；

A——经验系数，按表 F.0.1-1 确定；

K_A——护面结构影响系数，按表 F.0.1-2 确定；

T_P——谱峰周期，$T_P=1.33\overline{T}$。

表 F.0.1-1 经验系数 A、B

m	1.5	2.0	3.0
A	0.035	0.060	0.056
B	0.60	0.45	0.38

表 F.0.1-2 护面结构影响系数 K_A

护面结构	混凝土板	抛石	扭工字块体	四脚空心方块
K_A	1.00	0.49	0.40	0.50

3 斜坡堤顶有防浪墙时(图 F.0.1-2)，堤顶的越浪量可按下式计算：

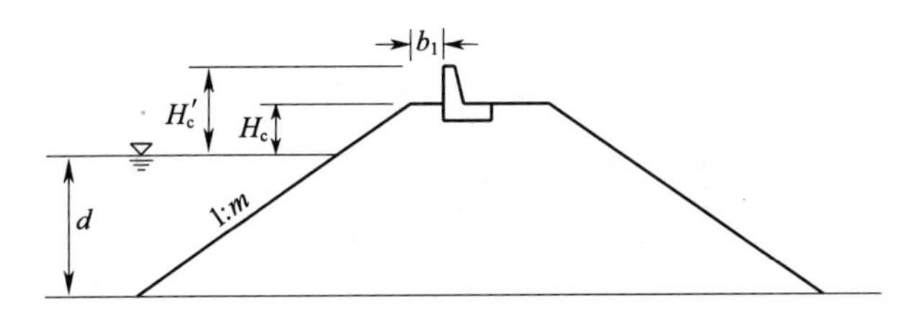

图 F.0.1-2 堤顶有防浪墙斜坡式海堤

$$Q=0.07^{H_c'/H_{1/3}}\exp\left(0.5-\frac{b_1}{2H_{1/3}}\right)BK_A$$

$$\cdot\frac{H_{1/3}^2}{T_P}\left[\frac{0.3}{\sqrt{m}}+\mathrm{th}\left(\frac{d}{H_{1/3}}-2.8\right)^2\right]\ln\sqrt{\frac{gT_P^2m}{2\pi H_{1/3}}} \quad (F.0.1\text{-}2)$$

式中：B——经验系数，可按表 F.0.1-1 确定。

F.0.2 对下部为陡墙、上部为斜坡、中间带平台的复合式斜坡堤(图 E.0.5)，其堤顶越浪量可按下列公式计算：

$$Q/(gH_s^3)^{0.5}=f_1(m_d)f_2(m_u)f_3(H_s/L_{op})f_4(d_w/H_s)\cdot f_5(H_c/H_s)f_6(B/H_s) \tag{F.0.2-1}$$

$$f_1(m_d)=0.28m_d+0.86 \tag{F.0.2-2}$$

$$f_2(m_u)=-0.047(m_u)^2+0.14m_u+0.89 \tag{F.0.2-3}$$

$$f_3(H_s/L_{op})=368.6(H_s/L_{op})-25.3(H_s/L_{op})^{0.5}+10.95 \tag{F.0.2-4}$$

$$f_4(d_w/H_s)=0.25(d_w/H_s)^2+0.33(d_w/H_s)+1.04 \tag{F.0.2-5}$$

$$f_5(H_c/H_s)=0.214e^{-2.25(H_c/H_s)} \tag{F.0.2-6}$$

$$f_6(B/H_s)=1.02e^{-(0.08B/H_s)} \tag{F.0.2-7}$$

式中：m_d、m_u——平台以下、以上的斜坡坡率，$0\leqslant m_d\leqslant 0.5$，$1.5\leqslant m_u\leqslant 2.0$；

d_w——平台上的水深(m)(图 E.0.5)，当平台在静水位以下时取正值；平台在静水位以上时取负值；

B——平台宽度(m)；

L_{op}——波长(m)，为$\frac{gT_P^2}{2\pi}$；

H_s——有效波高(m)。

附录G　波浪作用力计算

G.1　直立式护面

G.1.1　当 $d_1/d > 2/3$，且 $\overline{T}\sqrt{g/d} < 8$，$d < 2H$，$i \leqslant 1/10$ 或 $\overline{T}\sqrt{g/d} \geqslant 8$，$d < 1.8H$，$i \leqslant 1/10$ 时，直立式海堤护面上波浪作用力可按下列规定确定：

1　本条中的波高 H 均是指 H_F，频率 F 的取值应按本规范表6.1.3确定。

2　波峰作用下的波浪力(图G.1.1-1)可按下列规定计算：

1)静水面以上高度 H_F 处的波浪压力强度应为零。

2)静水面处的波浪压力强度应按下式计算：

$$p_s = \gamma K_1 K_2 H \tag{G.1.1-1}$$

式中：K_1——水底坡度 i 的函数，应按表G.1.1-1确定；

K_2——波坦 L/H 的函数，应按表G.1.1-2确定。

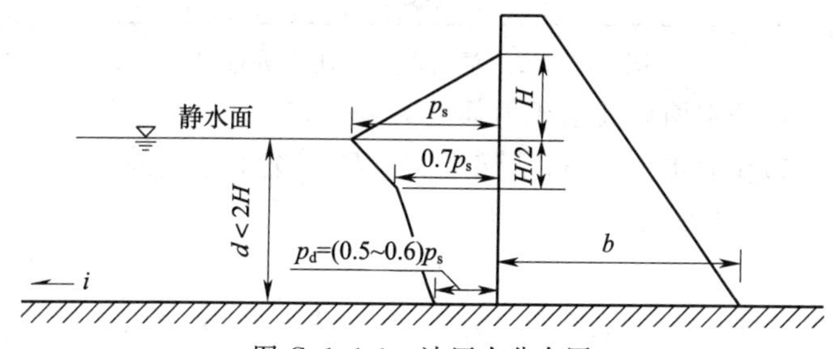

图G.1.1-1　波压力分布图

表G.1.1-1　系数 K_1

底坡 i	$\frac{1}{10}$	$\frac{1}{25}$	$\frac{1}{40}$	$\frac{1}{50}$	$\frac{1}{60}$	$\frac{1}{80}$	$\leqslant\frac{1}{100}$
K_1	1.89	1.54	1.40	1.37	1.33	1.29	1.25

注：底坡 i 可取建筑物前一定距离内的平均值。

表 G.1.1-2　系数 K_2

波坦 L/H	14	15	16	17	18	19	20	21	22
K_2	1.01	1.06	1.12	1.17	1.21	1.26	1.30	1.34	1.37
波坦 L/H	23	24	25	26	27	28	29	30	
K_2	1.41	1.44	1.46	1.49	1.50	1.52	1.54	1.55	

3)静水面以上的波浪压力强度应按直线变化。

4)静水面以下深度 $Z=H/2$ 处的波浪压力强度应按下式计算：

$$p_z=0.7p_s \tag{G.1.1-2}$$

5)水底处波浪压力强度应按下列公式计算：

$$p_d=0.6p_s(d/H\leqslant1.7) \tag{G.1.1-3}$$

$$p_d=0.5p_s(d/H>1.7) \tag{G.1.1-4}$$

3　波谷作用下的波浪力(图 G.1.1-2)可按下列方法计算：

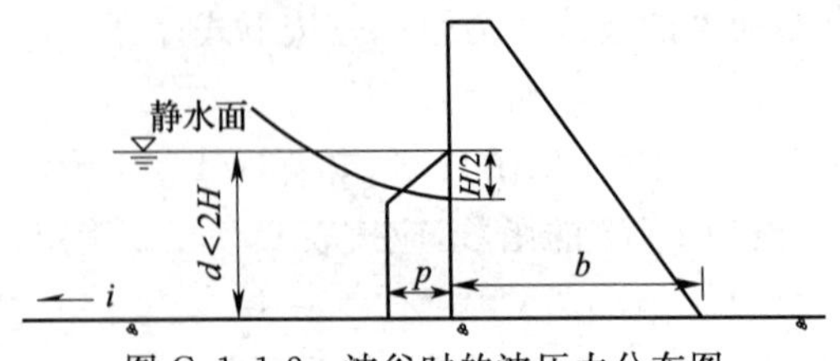

图 G.1.1-2　波谷时的波压力分布图

1)静水面处波浪压力强度为零。

2)在静水面以下，从深度 $Z=H/2$ 至水底处的波浪压力强度应按下式计算：

$$p=0.5\gamma H \tag{G.1.1-5}$$

G.1.2　对于堤前水深 $d\geqslant2H_F$ 的直立式海堤，波浪力可按现行行业标准《海港水文规范》JTS 145—2 的有关规定计算。

G.2　斜坡式护面

G.2.1　对于斜坡式海堤，当护面层采用混凝土板时，护面板的稳定取决于上、下两面波浪力与浮力的作用。

G. 2. 2 在 m 大于或等于 1.5 且小于或等于 5.0 时，作用在整体或装配式平板护面上的波压力应按图 G.2.2 分布，最大波压力 p_2(kPa)应按下列公式计算：

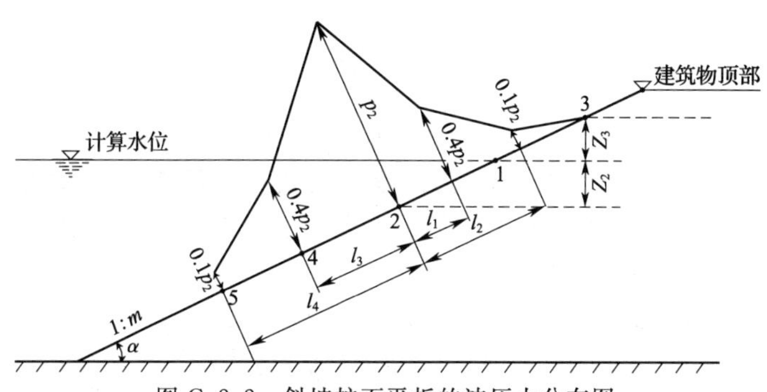

图 G.2.2 斜坡护面平板的波压力分布图

$$p_2 = k_1 k_2 \overline{p} \gamma H \quad \text{(G. 2. 2-1)}$$

$$k_1 = 0.85 + 4.8\frac{H}{L} + m\left(0.028 - 1.15\frac{H}{L}\right) \quad \text{(G. 2. 2-2)}$$

式中：γ——水的容重(kN/m^3)；

k_2——系数，按表 G.2.2-1 确定；

$\overline{p}$——斜坡上点 2 的最大相对波压力(图 G.2.2)，按表 G.2.2-2 确定；

H——波高，本条中均指 $H_{1\%}$。

表 G. 2. 2-1 系数 k_2

波坦 L/H	10	15	20	25	35
k_2	1.00	1.15	1.30	1.35	1.48

表 G. 2. 2-2 斜坡上最大相对波压力 $\overline{p}$

H(m)	0.5	1.0	1.5	2.0	2.5	3.0	3.5	≥4.0
$\overline{p}$	3.7	2.8	2.3	2.1	1.9	1.8	1.75	1.7

最大波压力 p_2 作用点 2 的垂直坐标 Z_2(m)应按下列公式计算：

$$z_2 = A + \frac{1}{m^2}\left(1 - \sqrt{2m^2+1}\right)(A+B) \quad \text{(G. 2. 2-3)}$$

$$A=H\left(0.47+0.023\frac{L}{H}\right)\frac{1+m^2}{m^2} \quad (G.2.2\text{-}4)$$

$$B=H\left[0.95-(0.84m-0.25)\frac{H}{L}\right] \quad (G.2.2\text{-}5)$$

$$l_a=\frac{mL}{\sqrt[4]{m^2-1}} \quad (G.2.2\text{-}6)$$

式中：B——沿坡方向（垂直于水边线）的护面板长度。

图 G.2.2 中 z_3(m)即为波浪在斜坡上的爬高，是压力零点。斜坡上点 2 上、下各压力转折点离点 2 的距离以及各点的波压力 p，可由下述规定确定：

$l_1=0.0125l_a$ 与 $l_3=0.0265l_a$ 处，$p=0.4p_2$；

$l_2=0.0325l_a$ 与 $l_4=0.0675l_a$ 处，$p=0.1p_2$。

G.2.3 作用于图 G.2.3-1 所示的斜坡式海堤顶部防浪墙上的波浪力，当无因次参数 $\xi \leqslant \xi_b$ 时，可按下列规定计算：

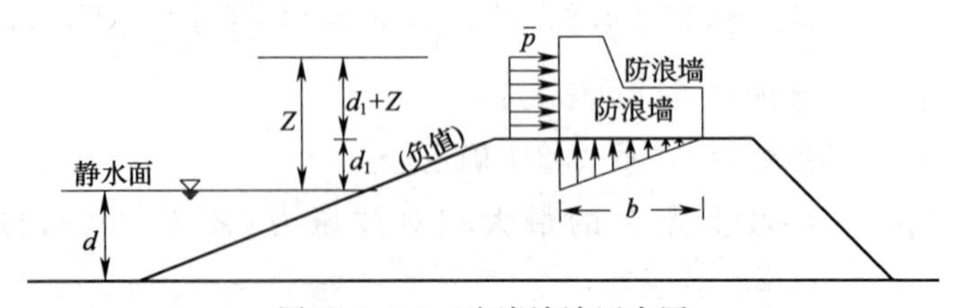

图 G.2.3-1 防浪墙波压力图

1 本条中的波高 H 均是指 H_F，频率 F 的取值应按表 6.1.3 确定。

2 波峰作用时防浪墙上平均压力强度应按下式计算：

$$\bar{p}=0.24\gamma HK_p \quad (G.2.3\text{-}1)$$

式中：$\bar{p}$——平均压力强度(kPa)；

K_p——与无因次参数 ξ 和波坦 L/H 有关的平均压强系数（图 G.2.3-2）。

3 无因次参数 ξ 应按下式计算：

$$\xi=\left(\frac{d_1}{d}\right)\left(\frac{d}{H}\right)^{2\pi H/L} \quad (G.2.3\text{-}2)$$

式中：d_1——防浪墙前水深(m)，当静水面在墙底面以下时 d_1 为负值。

4 无因次参数 ξ_b 应按下式计算：

$$\xi_b = 3.29\left(\frac{H}{L} + 0.043\right) \qquad (G.2.3\text{-}3)$$

5 当 $\xi = \xi_b$ 时，平均波浪压力强度 $\bar{p}$ 达到最大值。

6 防浪墙上的波压力分布高度应按下式计算：

$$d_1 + Z = H\text{th}\left(\frac{2\pi d}{L}\right)K_z \qquad (G.2.3\text{-}4)$$

式中：K_z——与无因次参数 ξ 和波坦 L/H_F 有关的波压力作用高度系数。K_z 可按图 G.2.3-2 确定。

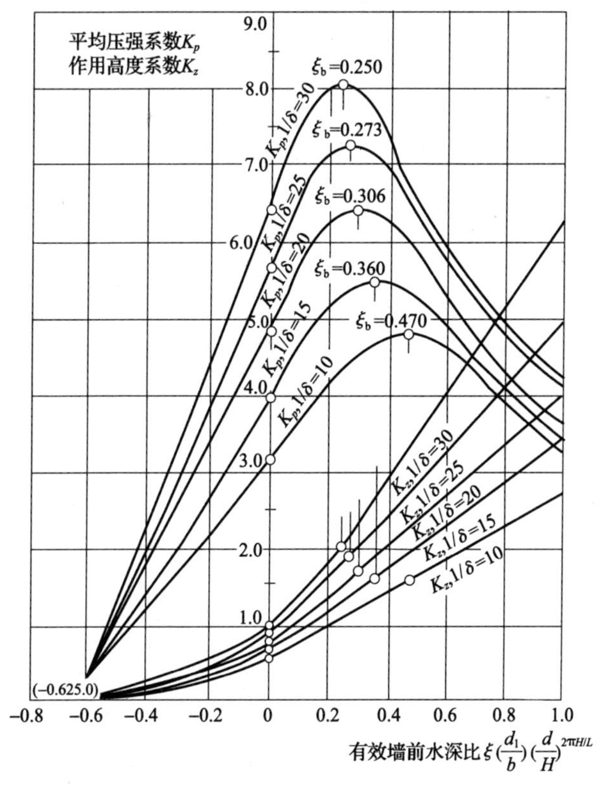

图 G.2.3-2 不同波坦情况下 $K_p-\xi$、$K_z-\xi$ 曲线

7 单位长度防浪墙上的总波浪力应按下式计算：

$$p=\overline{p}(d_1+Z) \tag{G.2.3-5}$$

式中：p——单位长度防浪墙上的总波浪力（kN/m）。

8 防浪墙底面上的波浪浮托力应按下式计算：

$$P_u=\mu\frac{b\overline{p}}{2} \tag{G.2.3-6}$$

式中：P_u——防浪墙底面上的波浪浮托力（kN/m）；

μ——波浪浮托力分布图的折减系数，取0.7。

注：本条不适用于防浪墙前有掩护棱体的情况。

附录 H　用作反滤的土工织物设计计算

H.0.1　用作反滤的土工织物应满足保土性、透水性和防堵性的要求：

1　应防止被保护土流失，引起渗透变形。

2　应保证渗透水通畅排除。

3　应保证不致被细土粒淤堵失效。

H.0.2　为满足保土性，土工织物的等效孔径与土的特征粒径应按下式计算：

$$O_{95} \leqslant n' d_{85} \tag{H.0.2-1}$$

式中：O_{95}——土工织物的等效孔径(mm)；

d_{85}——被保护土的特征粒径(mm)，即土中小于该粒径的土质量占总质量的 85%，采用试样中最小的 d_{85}；

n'——与被保护土的类型、级配、织物品种和状态有关的经验系数，应按表 H.0.2 规定采用。

表 H.0.2　系数 n'

被保护土细粒($d \leqslant 0.075$mm)含量(%)	土的不均匀系数，或土工织物品种		n'值
≤50	$C_u \leqslant 2, C_u \geqslant 8$		1
	$2 < C_u \leqslant 4$		$0.5C_u$
	$4 < C_u < 8$		$8/C_u$
>50	有纺织物	$O_{95} \leqslant 0.3$mm	1
	无纺织物		1.8

注：当被保护土受动力水流时，n'值应采用 0.5。

土的不均匀系数 C_u 应按下式计算：

$$C_u = d_{60}/d_{10} \tag{H.0.2-2}$$

式中：d_{60}、d_{10}——土中小于各该粒径的土质量分别占总土质量的60%和10%。

H.0.3 土工织物反滤材料的透水性应符合下式要求：

$$k_g \geqslant A k_s$$

式中：A——系数，不宜小于10。来水量大、水力梯度高时，可增大A值；

k_g——土工织物的垂直渗透系数(cm/s)；

k_s——被保护土的渗透系数(cm/s)。

H.0.4 土工织物防堵性要求其孔径应符合下列条件：

1 被保护土级配良好，水力梯度低，流态稳定，修理费用小及不发生淤堵时：

$$O_{95} \geqslant 3d_{15} \tag{H.0.4-1}$$

式中：d_{15}——被保护土的特征粒径(mm)，即土中小于该粒径的土质量占总质量的15%。

2 被保护土易管涌，具有分散性，水力梯度高，流态复杂，修理费用大时：

1) 被保护土的渗透系数 $k_s \geqslant 1 \times 10^{-5}$ cm/s 时：

$$GR \leqslant 3 \tag{H.0.4-2}$$

式中：GR——梯度比，试验方法见有关规程。

2) 被保护土的渗透系数 $k_s < 1 \times 10^{-5}$ cm/s 时，应以现场土料进行长期淤堵试验，观察其淤堵情况，试验方法应符合现行行业标准《土工合成材料测试规程》SL 235 的有关规定。

附录J　护坡护脚计算

J.0.1 在波浪作用下，斜坡堤干砌块石护坡的护面层厚度 t(m)，当斜坡坡率 $m=1.5\sim5.0$ 时，可按下式计算：

$$t=K_1\frac{\gamma}{\gamma_b-\gamma}\frac{H}{\sqrt{m}}\sqrt[3]{\frac{L}{H}} \tag{J.0.1}$$

式中：K_1——系数，对一般干砌石可取 0.266，对砌方石、条石取 0.225；

γ_b——块石的容重(kN/m^3)；

γ——水的容重(kN/m^3)；

H——计算波高(m)，当 $d/L\geqslant0.125$ 时，取 $H_{4\%}$；当 $d/L<0.125$ 时，取 $H_{13\%}$；d 为堤前水深(m)；

L——波长(m)；

m——斜坡坡率，$m=\cot\alpha$，α 为斜坡坡角(°)。

J.0.2 设置排水孔的浆砌石的护面层厚度可按本规范式(J.0.1)计算。

J.0.3 当 $d/H=1.7\sim3.3$ 和 $L/H=12\sim25$ 时，干砌条石护面层厚度可按下式计算：

$$t=0.744\frac{\gamma}{\gamma_b-\gamma}\frac{\sqrt{m^2+1}}{m+A}\left(0.476+0.157\frac{d}{H}\right)H \tag{J.0.3}$$

式中：t——干砌条石护面层厚度，即条石长度(m)；

γ_b——块石的容重(kN/m^3)；

A——系数，斜缝干砌可取 1.2，平缝干砌可取 0.85；

m——坡度系数，取 0.8～1.5。

注：当 m 为 2～3 时，加糙干砌条石护面的厚度也可按式(J.0.1)计算，但应乘以折减系数 α。当平面加糙度为 25%时，即沿海堤轴线方向每隔三行凸起一行，条

石凸起高度等于截面宽度尺寸 a 时，即凸起条石护面厚度为 $h+a$，a 通常为 $h/3$左右，α 可取为 0.85，此时加糙干砌条石护面的波浪爬高值也应乘以 0.7 的折减系数。

J.0.4 混凝土护坡计算应符合下列规定：

1 对具有明缝的混凝土或钢筋混凝土板护坡，当斜坡坡率 $m=2\sim5$时，满足稳定所需的面板厚度可按下式确定：

$$t=0.07\eta H\sqrt[3]{\frac{L}{B}}\frac{\rho_w}{\rho_c-\rho_w}\frac{\sqrt{m^2+1}}{m} \quad (J.0.4)$$

式中：t——混凝土护面板厚度(m)；

η——系数，对整体式大块护面板取 1.0，对装配式护面板取 1.1；

H——计算波高(m)，取 $H_{1\%}$；

ρ_c——板的密度(t/m^3)；

ρ_w——水的密度(t/m^3)；

L——波长(m)；

B——沿坡方向(垂直于水边线)的护面板长度(m)；

m——斜坡坡率，$m=\cot\alpha$，α 为斜坡的坡角(°)。

2 混凝土板强度计算应符合下列内容：

1)作用在板上的力应有板上的波浪压力和板自重。波浪压力计算应按本规范第 G.2.2 条的规定执行。板自重应为均布荷载：$G_w=t\gamma_c\cos\alpha$[γ_c为板的容重(kN/m^3)]。

2)作用在板上的荷载简图(图 J.0.4)，应将上述荷载组合起来，用弹性地基上梁板的计算方法确定板的厚度、应力和配筋。

J.0.5 采用栅栏板作为斜坡堤护坡面层的计算应按下列规定进行：

1 栅栏板的平面尺寸宜采用长方形，结构布置见图 J.0.5，长、短边比值可取 1.25，调整平面尺寸时，比值不变，宽度每增加或减少 1m，厚度 t 可相应减少或增加 50mm。δ 的最小构造尺寸为 100mm。栅栏板的平面尺寸与设计波高 H 关系可按式(J.0.5-1)与式(J.0.5-2)计算。栅栏板的空隙率 P'宜采用 33%～39%，当 $P'=37\%$时，细部尺寸可按式(J.0.5-3)～式(J.0.5-7)计算。

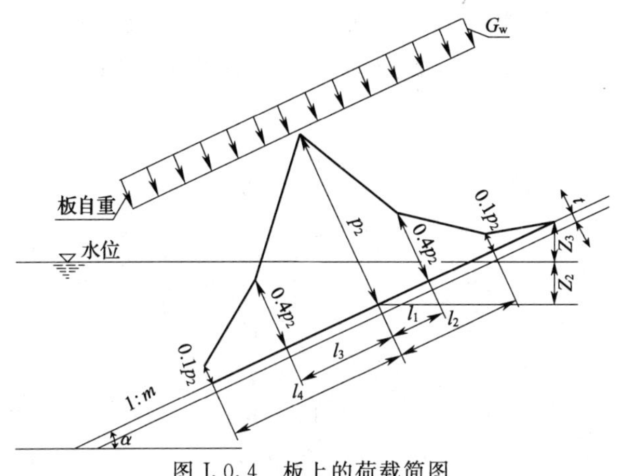

图 J. 0. 4　板上的荷载简图

t—板厚

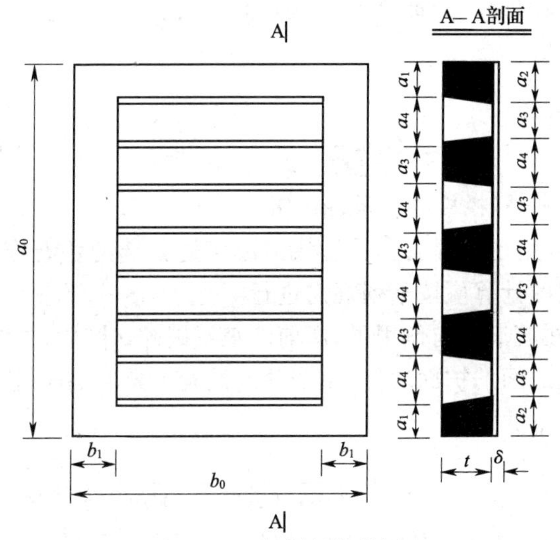

图 J. 0. 5　栅栏板结构图

$$a_0 = 1.25H \tag{J.0.5-1}$$

$$b_0 = 1.0H \tag{J.0.5-2}$$

式中：a_0——栅栏板长边(m)，沿斜坡方向布置；

b_0——栅栏板短边(m)，沿海堤轴线方向布置；

H——计算波高(m),当 $d/L \geqslant 0.125$ 时,取 $H_{5\%}$;当 $d/L < 0.125$ 时,取 $H_{13\%}$,d 为堤前水深(m);

L——波长(m)。

$$a_1 = \frac{a_0}{15} - \frac{t}{16} \quad \text{(J.0.5-3)}$$

$$a_2 = \frac{a_0}{15} + \frac{t}{16} \quad \text{(J.0.5-4)}$$

$$a_3 = \frac{a_0}{15} - \frac{t}{8} \quad \text{(J.0.5-5)}$$

$$a_4 = \frac{a_0}{15} + \frac{t}{8} \quad \text{(J.0.5-6)}$$

$$b_1 = 0.1 b_0 \quad \text{(J.0.5-7)}$$

式中:t——栅栏板的厚度(m)。

2 当斜坡堤的坡度系数 $m = 1.5 \sim 2.5$ 时,栅栏板的厚度可按下式计算:

$$t = 0.235 \frac{\gamma}{\gamma_c - \gamma} \frac{0.61 + 0.13 \dfrac{d}{H}}{m^{0.27}} H \quad \text{(J.0.5-8)}$$

式中:γ_c——栅栏板的容重(kN/m^3)。

J.0.6 采用预制混凝土异型块体或经过分选的块石作为斜坡堤护坡面层的计算应按下列规定进行:

1 在波浪正向作用下,岸前波浪不破碎,计算水位上、下1倍设计波高之间的护面块体,单个预制混凝土异型块体、块石的稳定质量可按下式计算:

$$Q = 0.1 \frac{\gamma_b H^3}{K_D (\gamma_b / \gamma - 1)^3 m} \quad \text{(J.0.6-1)}$$

式中:Q——主要护面层的护面块体、块石个体质量。当护面由两层块石组成,则块石质量可在 $0.75Q \sim 1.25Q$ 范围内,但应有50%以上的块石质量大于 Q;

γ_b——预制混凝土异型块体或块石的容重(kN/m^3);

γ——水的容重(kN/m^3);

H——设计波高(m),当平均波高与水深的比值 $\overline{H}/d<0.3$ 时,宜采用 $H_{5\%}$;当 $\overline{H}/d \geqslant 0.3$ 时,宜采用 $H_{13\%}$;

K_D——稳定系数,可按表 J. 0. 6-1 确定。

表 J. 0. 6-1 稳定系数 K_D

护面类型	构造型式	n(%)	K_D	备注
块石	抛填两层	1～2	4.0	—
	安放(立放)一层	0～1	5.5	—
四脚空心方块	安放一层	0	14	—
扭工字块体	安放两层	0	18	—
扭王字块体	安放一层	0	18	$H<7.5$m

注:1 n 为预制混凝土异型块体容许失稳率;

2 当波高大于 4m 时,不宜选用四脚空心块护面;

3 H 为设计波高。

2 预制混凝土异型块体、块石护面层厚度可按下式计算:

$$t=nc\left(\frac{Q}{0.1\gamma_b}\right)^{\frac{1}{3}} \qquad (J. 0. 6\text{-}2)$$

式中:t——块体或块石护面层厚度(m);

n——护面块体或块石的层数;

c——系数,可按表 J. 0. 6-2 确定。

表 J. 0. 6-2 系数 c 和护面层的空隙率 P'

护面类型	构造型式	c	P'(%)	备注
块石	抛填两层	1.0	40	—
块石	安放(立放)一层	1.3～1.4	—	—
扭工字块体	安放两层	1.2	60	随机安放
		1.1	60	规则安放
扭王字块体	安放一层	1.36	50	随机安放

3 预制混凝土异型块体个数可按下式计算:

$$N=Anc(1-P')\left(\frac{0.1\gamma_b}{Q}\right)^{2/3} \qquad (J. 0. 6\text{-}3)$$

式中:N——预制混凝土异型混凝土块体个数;

A——垂直于厚度的护面层平均面积(m^2);

P'——护面层的空隙率(%),按表 J.0.6-2 确定。

4 预制混凝土异型块体混凝土量可按下式计算:

$$V = N\frac{Q}{0.1\gamma_b} \tag{J.0.6-4}$$

式中:V——预制混凝土异形块体混凝土量(m^3)。

5 四脚空心方块各部分尺寸宜按图 J.0.6-1 选取。

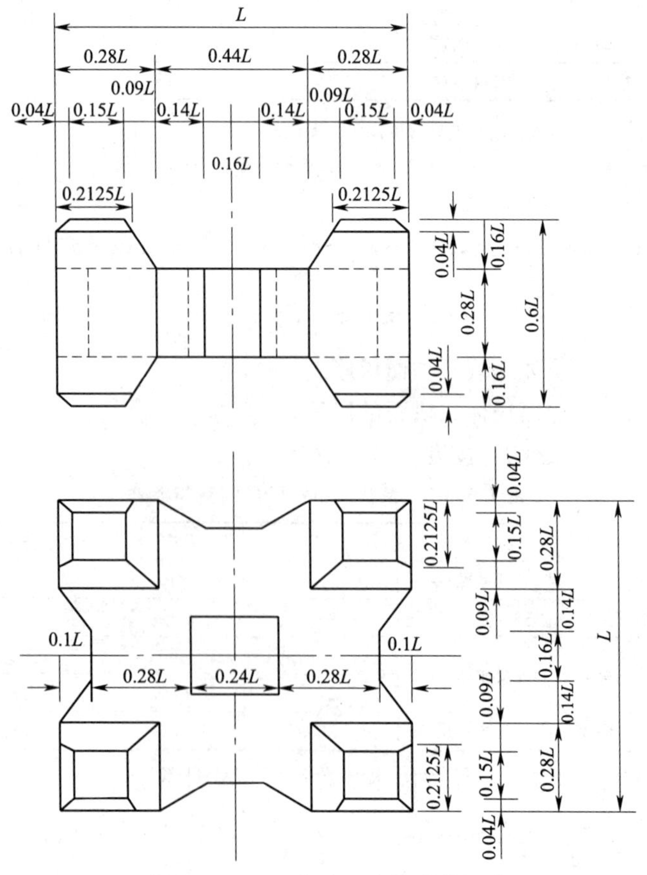

图 J.0.6-1 四脚空心方块形状尺寸

6 扭工字块形状尺寸宜按图 J. 0. 6-2 选取。

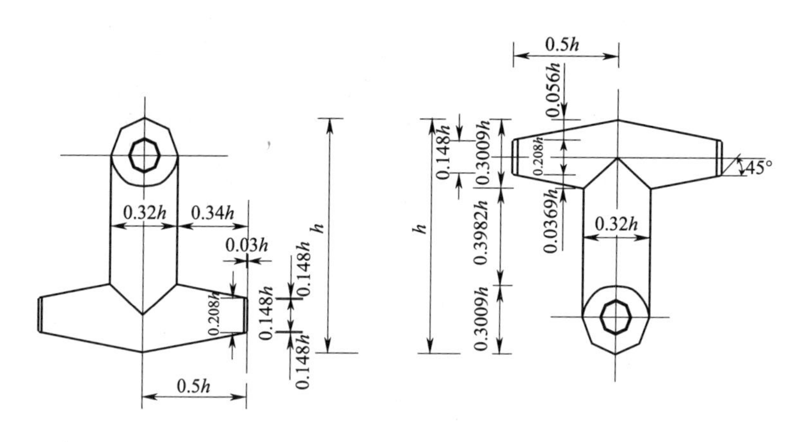

图 J. 0. 6-2　扭工字块形状尺寸图

7 扭王字块各部分尺寸宜按图 J. 0. 6-3 选取。

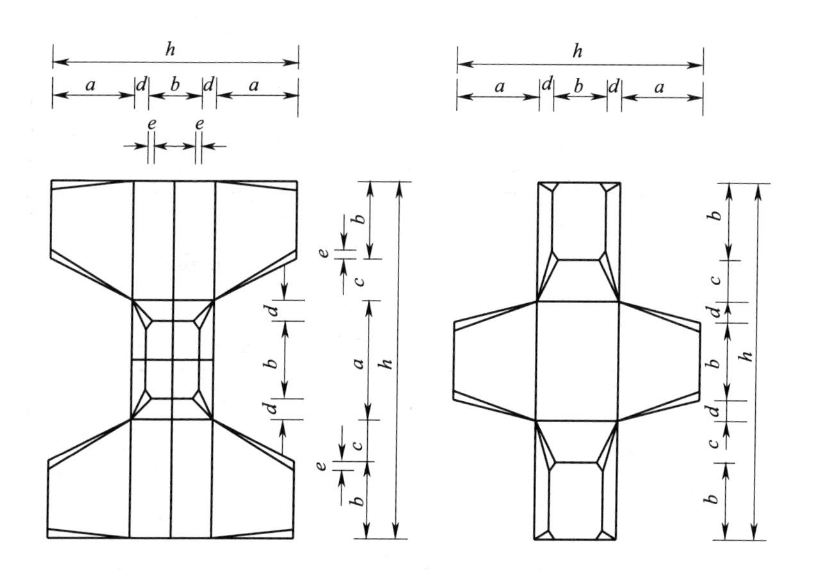

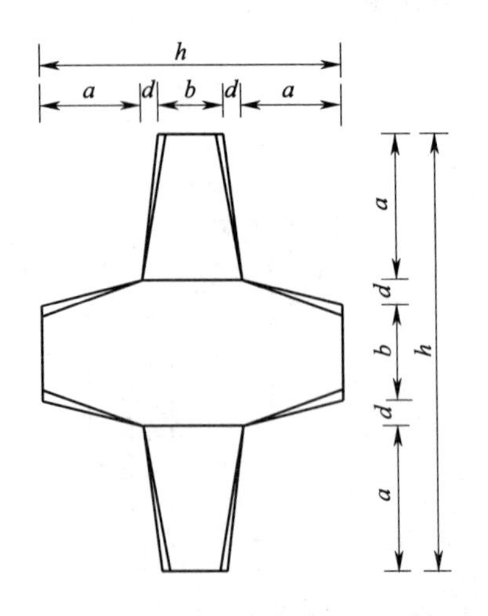

图 J. 0. 6-3　扭王字块形状尺寸图

注：本类型扭王字块体重量宜用于 10t 以内。

8　预制混凝土异型块体体积应符合表 J. 0. 6-3 的规定。

表 J. 0. 6-3　护面块体体积

异型块体	四脚空心块	扭工字块	扭王字块
$V(m^3)$	$0.299L$	$0.142h$	$0.265h$

注：表中 L、h 与图 J. 0. 6-1～图 J. 0. 6-3 对应。

J. 0. 7　护底块石的稳定重量可根据堤前最大波浪底流速按表 J. 0. 7 确定。

表 J. 0. 7　堤前护面底块石的稳定重量

底流速 V_{max}(m/s)	块石重量(kg)
2. 0	60
3. 0	150
4. 0	400
5. 0	800

1 斜坡堤前最大波浪底流速可按下式计算：

$$V_{\max}=\frac{\pi H}{\sqrt{\pi L \mathrm{sh}(4\pi d/L)/g}} \qquad (\mathrm{J}.0.7\text{-}1)$$

式中：H——累积频率为13%的波高(m)；

L——设计波长(m)；

d——堤前水深(m)。

2 陡墙式海堤前最大波浪底流速可按下列方法计算：

1) 墙前波态为远破波 $\overline{T}\sqrt{g/d}<8$，$d<2H$，$i\leqslant 1/10$ 或 $\overline{T}\sqrt{g/d}\geqslant 8$，$d<1.8H$，$i\leqslant 1/10$ 时($\overline{T}$ 为波浪平均周期，i 为水底坡度)：

$$V_{\max}=0.33\sqrt{g(H+d)} \qquad (\mathrm{J}.0.7\text{-}2)$$

式中：H——累积频率为5%的波高(m)。

其余符号意义同式(J.0.7-1)。

2) 堤前波态为 $0.6\leqslant d_1\leqslant 1.8H$ 且 $\frac{1}{3}<\frac{d_1}{d}\leqslant\frac{2}{3}$ 或 $0.6\leqslant d_1\leqslant 1.5H$ 且 $\frac{d_1}{d}\leqslant\frac{1}{3}$ 时，最大波浪底流速可按式(J.0.7-1)计算，其中 H 采用 $H_{5\%}$，d_1 为镇压平台上水深。

附录 K　堤坡稳定计算

K. 0. 1　海堤护坡的稳定计算应包括整体稳定和护坡稳定计算。整体稳定可采用本规范附录 M 的方法计算。

K. 0. 2　当海堤护坡自身结构不紧密或埋置较深不易发生整体滑动时，应计算护坡内部稳定。一般不稳定破坏发生在低潮水位期。护坡体和岸坡是两种不同抗剪强度的材料，水位较低时，往往沿抗剪强度较低的接触面向下滑动，滑动计算简图见图 K. 0. 2，假定滑动面经过坡前水位和坡岸滑裂面的交点，全滑动面为 abc 折线。折点 b 以上护坡体产生滑动力。依靠下部护坡体的内部摩阻力平衡。

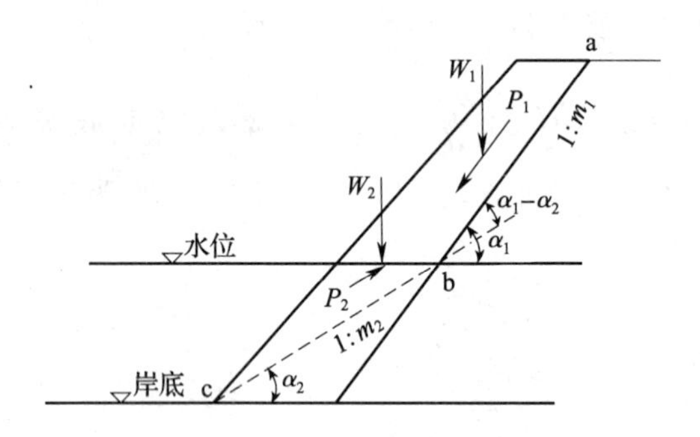

图 K. 0. 2　岸坡稳定计算简图

维持极限平衡所需的护坡体内部摩擦系数 f_2 值应按下列公式计算：

$$Af_2^2-Bf_2+C=0 \tag{K. 0. 2-1}$$

$$A=\frac{nm_1(m_2-m_1)}{\sqrt{1+m_1^2}} \tag{K. 0. 2-2}$$

$$B=\frac{m_2 W_2}{W_1}\sqrt{1+m_1^2}+\frac{m_2-m_1}{\sqrt{1+m_1^2}}+\frac{n(m_1^2 m_2+m_1)}{\sqrt{1+m_1^2}}$$

（K.0.2-3）

$$C=\frac{W_2}{W_1}\sqrt{1+m_1^2}+\frac{1+m_1 m_2}{\sqrt{1+m_1^2}} \quad (K.0.2-4)$$

$$n=f_1/f_2 \quad (K.0.2-5)$$

式中：m_1——折点 b 以上护坡内坡的坡率；

m_2——折点 b 以下滑动面的坡率；

f_1——护坡和基土之间的摩擦系数；

f_2——护坡材料的内摩擦系数。

块石护坡稳定安全系数 k 可按下式计算：

$$k=\frac{\tan\varphi}{f_2} \quad (K.0.2-6)$$

式中：φ——护坡体内摩擦角。

附录 L　堤面排水设计计算

L.0.1　纵向排水沟的最小纵向坡降为 0.12%，并应从堤轴线上游开始，往下游放坡，以利水流快速顺利地排向竖向排水沟及周边排水沟，并引至堤脚。纵向排水沟应设于二阶平台内侧，竖向排水沟应每 100m～300m 设置一条。

L.0.2　堤顶表面排水的设计降雨重现期应按 3 年一遇设计，堤坡坡面排水的设计降雨重现期应按 10 年一遇设计，设计径流量应按下式计算：

$$Q=16.67\Psi qF \tag{L.0.2}$$

式中：Q——设计径流量（m^3/s）；

Ψ——径流系数，见表 L.0.2，周边排水应以不同的地表类型选取径流系数按相应面积大小取加权平均值；

q——设计重现期和降雨历时内的平均降雨强度（mm/min）；

F——汇水面积（km^2）。

表 L.0.2　径流系数 Ψ

地表种类	径流系数	地表种类	径流系数
水泥混凝土路面	0.9	陡峻的山地	0.75～0.9
砾料面	0.4～0.6	起伏的山地	0.6～0.8
粗粒土坡面	0.1～0.3	起伏的草地	0.4～0.65
细粒土坡面	0.4～0.65	落叶林地	0.35～0.6
硬质岩石坡面	0.7～0.85	针叶林地	0.25～0.5
软质岩坡面	0.5～0.75		

L.0.3 排水沟泄水能力应按下列公式计算：

$$Q=v\omega \quad (L.0.3\text{-}1)$$

$$v=\frac{1}{n}R^{\frac{2}{3}}i^{\frac{1}{2}} \quad (L.0.3\text{-}2)$$

式中：Q——需排泄流量(m^3/s)；

v——排水沟内平均流速(m/s)；

ω——排水沟过水面积(m^2)；

n——糙率；

i——排水沟纵向坡降；

R——水力半径(m)。

对梯形断面排水沟，水力半径宜按下式计算：

$$R=\frac{(b+mh)h}{b+2h\sqrt{1+m^2}} \quad (L.0.3\text{-}3)$$

式中：m——梯形断面斜坡的坡率；

b——梯形断面底宽(m)；

h——断面水深(m)。

对矩形断面排水沟，水力半径宜按下式计算：

$$R=\frac{bh}{b+2h} \quad (L.0.3\text{-}4)$$

式中：b——矩形断面底宽(m)；

h——断面水深(m)。

对U形断面排水沟，水力半径宜按下式计算：

$$R=\frac{r}{2}\left[1+\frac{2(h-r)}{\pi r+2(h-r)}\right] \quad (L.0.3\text{-}5)$$

式中：r——U形断面圆弧段半径(m)；

h——断面水深(m)。

L.0.4 排水沟宜预留0.1m～0.2m超高值，在转弯半径较小的堤段，凹向侧超高宜适当增加。

附录M　抗滑稳定计算

M.0.1　海堤整体抗滑稳定计算方法可采用瑞典圆弧滑动法和简化毕肖普法，采用爆炸置换法软基处理的海堤宜采用简化毕肖普法。

M.0.2　瑞典圆弧滑动法(图M.0.2)应按下列公式计算：

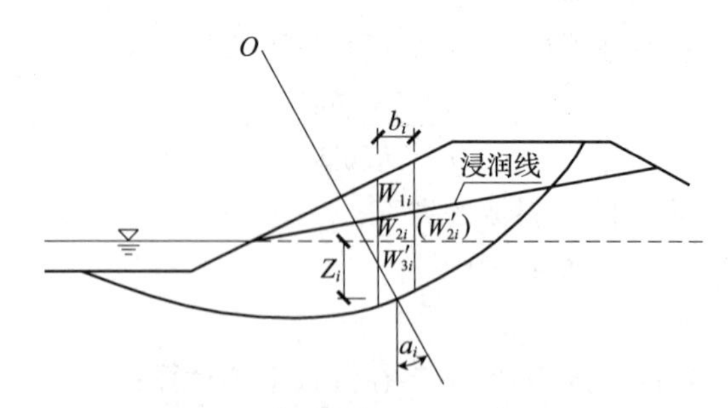

图M.0.2　瑞典圆弧滑动法示意图

1　总应力法应按下式计算：

$$K=\frac{\sum[(W_{1i}+W'_{2i}+W'_{3i})\cos\alpha_i\tan\varphi_i+C_ib_i\sec\alpha_i]}{\sum(W_{1i}+W_{2i}+W'_{3i})\sin\alpha_i}$$

(M.0.2-1)

2　有效应力法应按下式计算：

$$K=\frac{\sum\{[(W_{1i}+W_{2i}+W'_{3i})\cos\alpha_i-(u_i-\gamma_w Z_i)b_i\sec\alpha_i]\tan\varphi'_i+C'_ib_i\sec\alpha_i\}}{\sum(W_{1i}+W_{2i}+W'_{3i})\sin\alpha_i}$$

(M.0.2-2)

式中：K——抗滑稳定安全系数；

W_{1i}、W_{2i}、W'_{2i}、W'_{3i}——第 i 个土条浸润线以上的土体的天然重量、浸润线与外坡水位线之间的土体的饱和重量、浸润线与外坡水位线之间的土体的浮重量、外坡水位线以下的土体浮重量(kN)；

α_i——第 i 个土条底面中点的径向与竖直方向的夹角(°)；

φ_i、C_i——第 i 个土条底部土体的总抗剪强度指标[(°)、kPa]；

φ_i'、C_i'——第 i 个土条底部土体的有效抗剪强度指标[(°)、kPa]；

b_i——第 i 个土条的宽度(m)；

u_i——第 i 个土条底部的孔隙水压力(kPa)；

γ_w——水的容重(kN/m³)；

Z_i——坡外水位线高出第 i 个土条底面中点的距离(m)。

M.0.3 简化毕肖普法(图 M.0.3)应按下列公式计算：

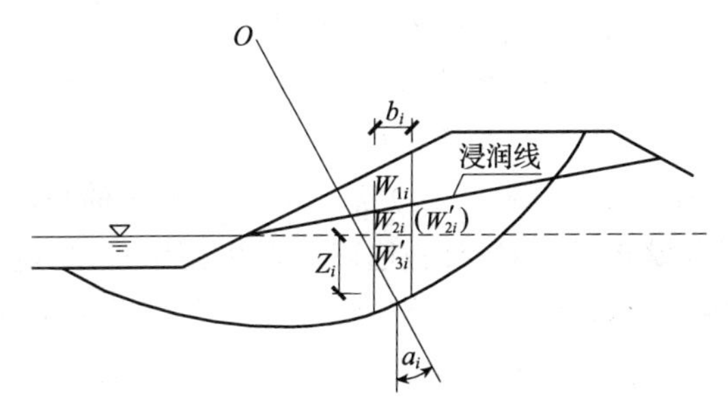

图 M.0.3 简化毕肖普法示意图

1 总应力法应按下式计算：

$$K=\frac{\sum[(W_{1i}+W_{2i}'+W_{3i}')\sec\alpha_i\tan\varphi_i+C_ib_i\sec\alpha_i][1/(1+\tan\alpha_i\tan\varphi_i/K)]}{\sum(W_{1i}+W_{2i}+W_{3i}')\sin\alpha_i}$$

(M.0.3-1)

2 有效应力法应按下式计算：

$$K=\frac{\sum\{[(W_{1i}+W_{2i}+W_{3i}')\sec\alpha_i-(u_i-\gamma_w Z_i)b_i\sec\alpha_i]\tan\varphi_i'+C_i'b_i\sec\alpha_i\}[1/(1+\tan\alpha_i\tan\varphi_i/K)]}{\sum(W_{1i}+W_{2i}+W_{3i}')\sin\alpha_i}$$

(M.0.3-2)

式中：　　　　K——抗滑稳定安全系数；

W_{1i}、W_{2i}、W'_{2i}、W'_{3i}——第 i 个土条浸润线以上的土体的天然重量、浸润线与外坡水位线之间的土体的饱和重量、浸润线与外坡水位线之间的土体的浮重量、外坡水位线以下的土体浮重量(kN)；

α_i——第 i 个土条底面中点的径向与竖直方向的夹角(°)；

φ_i、C_i——第 i 个土条底部土体的总抗剪强度指标[(°)、kPa]；

φ'_i、C'_i——第 i 个土条底部土体的有效抗剪强度指标[(°)、kPa]；

b_i——第 i 个土条的宽度(m)；

u_i——第 i 个土条底部的孔隙水压力(kPa)；

γ_w——水的容重(kN/m^3)；

Z_i——坡外水位线高出第 i 个土条底面中点的距离(m)。

M.0.4 各计算工况应按下述方法选取相应的土的强度指标：

1 若海堤施工速率较快，地基不发生固结排水，施工期地基土应取直接快剪指标 C_q、φ_q 或三轴不固结不排水指标 C_{uu}、φ_{uu} 或十字板强度指标 C_u。对于强度很低的软土(例如天然含水量在60%以上)，宜用十字板强度指标 C_u。

2 正常运用情况及非常运行情况Ⅱ均考虑地基土体已固结完成。采用总应力法进行稳定分析时，土的抗剪强度指标取经饱和后的固结快剪指标 C_{cq}、φ_{cq} 或三轴固结不排水指标 C_{cu}、φ_{cu}；采用有效应力法进行稳定分析时，土的抗剪强度指标取经饱和后的慢剪指标 C_s、φ_s 或三轴固结排水指标 C_{cd}、φ_{cd}。

3 加荷速率较慢、分期施工或地基设置竖向排水设施时，地基产生排水固结，计算时应考虑施工期土体强度的增长。

M.0.5 挡墙、防浪墙抗滑、抗倾稳定及基底压应力应按下列方法计算：

1 挡墙的抗滑稳定安全系数应按下式计算：

$$K_c=\frac{f\sum W}{\sum P} \tag{M.0.5-1}$$

式中：K_c——抗滑稳定安全系数；

$\sum W$——作用于墙体上的全部垂直力的总和(kN)；

$\sum P$——作用于墙体上的全部水平力的总和(kN)；

f——底板与堤基之间的摩擦系数。

2 挡墙、防浪墙的抗倾稳定性应按下式计算：

$$K_0=\frac{\sum M_V}{\sum M_H} \tag{M.0.5-2}$$

式中：K_0——抗倾稳定安全系数；

M_V——抗倾覆力矩(kN·m)；

M_H——倾覆力矩(kN·m)。

3 挡墙基底的压应力：挡墙为土基的基底的最大压应力不应大于地基允许承载力。基底压力的不均匀系数不应过大。其压应力应按下式计算：

$$\sigma_{\min}^{\max}=\frac{\sum G}{A}\pm\frac{\sum M}{\sum W} \tag{M.0.5-3}$$

式中：$\sigma_{\min}^{\max}$——基底的最大和最小压应力(kPa)；

$\sum G$——竖向荷载(kN)；

A——挡墙底面面积(m^2)；

$\sum M$——荷载对挡墙底面垂直于横剖面方向的形心轴的力矩(kN·m)；

$\sum W$——挡墙底面对垂直于横剖面方向形心轴的截面系数(m^3)。

附录N 软基处理及计算

N.1 排水井法

N.1.1 对1级～3级海堤，宜在现场选择试验段进行试验，在试验过程中应进行沉降、侧向位移、孔隙水压力等项目的监测并进行原位十字板剪切试验和室内土工试验。根据试验段获得的监测资料确定加载速率控制指标、推算土的固结系数、固结度及最终沉降等，以指导整段海堤的设计和施工。

N.1.2 排水井法的设计应包括下列内容：

1 选择塑料排水板或砂井，根据堤型、地质、工期等条件确定其断面尺寸、间距、排列方式、深度及处理范围。

2 确定荷载分级、加载速率及间歇时间。

3 计算地基土的固结度、强度增长、整体稳定性和变形。

N.1.3 排水竖井分普通砂井、袋装砂井和塑料排水板。普通砂井直径可取300mm～500mm，袋装砂井直径可取70mm～120mm。塑料排水板的当量换算直径可按下式计算：

$$d_p=\alpha\frac{2(b+\delta)}{\pi} \tag{N.1.3}$$

式中：d_p——塑料排水板当量换算直径(mm)；

b——塑料排水板宽度(mm)；

δ——塑料排水板厚度(mm)；

α——换算系数，可取$\alpha=0.75$。

N.1.4 排水竖井的平面布置可采用等边三角形或正方形排列。竖井的有效排水直径d_e与间距l应符合下列关系：

等边三角形排列 $d_e=1.05l$

正方形排列 $d_e=1.13l$

N.1.5 排水竖井的布置范围以满足稳定和沉降要求为原则，应避免由于不同排水条件可能发生的不均匀沉降，同时还应满足内坡防渗要求。

N.1.6 排水竖井的间距可根据地基土的固结特性和预定时间内所要求达到的固结度确定。竖井的间距可按井径比 n 选用（$n=d_e/d_w$，d_w 为排水竖井直径，对塑料排水板可取 $d_w=d_p$）。塑料排水板或袋装砂井的间距可按 $n=15\sim22$ 选用，普通砂井的间距可按 $n=6\sim8$ 选用。

N.1.7 排水竖井的深度应根据海堤的整体稳定性、沉降要求和工期等因素确定。竖井宜穿透软土层。

N.1.8 砂垫层的厚度不应小于500mm，视表层土质软弱程度，垫层厚度宜在0.8m～1.5m范围内选用，水下施工时垫层厚度不宜小于1.0m。砂料宜采用中粗砂，黏粒含量不宜大于3%，砂料中可混有少量粒径小于50mm的砾石。砂垫层的干密度应大于1.5g/cm^3，其渗透系数宜大于1×10^{-2}cm/s。

N.2 加筋土工织物铺垫

N.2.1 采用加筋土工织物铺垫的海堤整体稳定可采用荷兰法设计（图N.2.1），假定发生破坏时土工织物发挥的拉力作用沿滑弧切线方向。在稳定分析中当滑弧通过土工织物时，由于土工织物作用而增加的单位抗滑力矩应按下式计算：

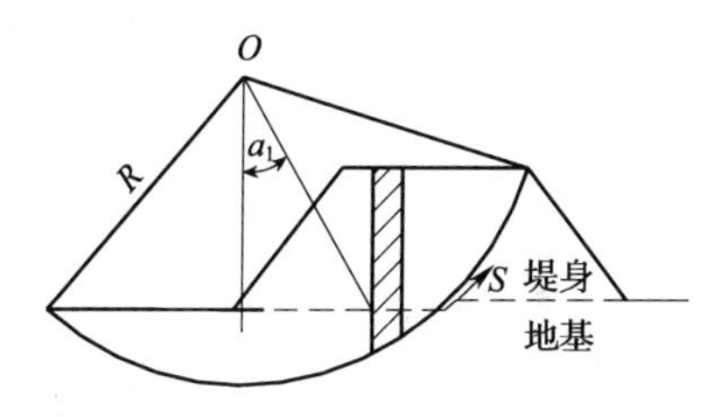

图N.2.1 考虑土工织物的稳定计算

$$\Delta M_r = TRn \tag{N.2.1}$$

式中：ΔM_r——由于土工织物作用而增加的单位宽度抗滑力矩（kN·m）；

T——单位宽度土工织物允许抗拉强度（kN）；

R——滑弧半径（m）；

n——土工织物层数。

N.2.2 土工织物铺设位置的确定（图N.2.2），可先对未用土工织物的情况进行稳定分析，求出最危险滑弧的位置，将土工织物铺设范围涵盖危险滑弧位置，并止于滑动侧堤脚。土工织物铺设时，锚固长度应足够，宜全断面铺设。

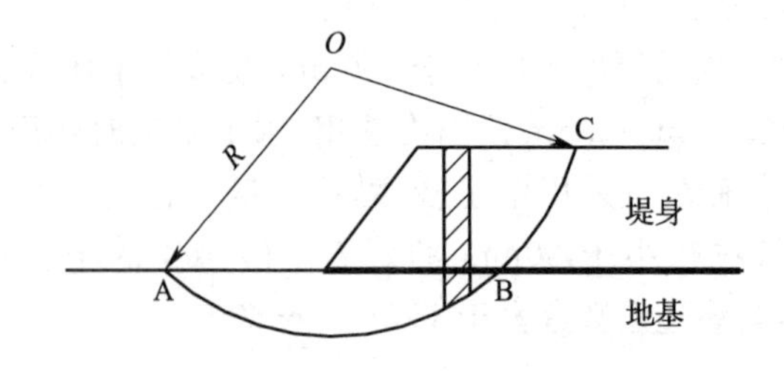

图N.2.2 土工织物的铺设

N.3 水泥土搅拌桩法

N.3.1 水泥土搅拌桩法可用于处理正常固结的淤泥及淤泥质土，当用于处理泥炭土、有机质土、塑性指数 I_p 大于25的黏土、地下水具有腐蚀性以及无工程经验的地区时，应通过现场试验确定其适用性。

N.3.2 确定处理方案前应收集拟处理区域内详尽的岩土工程资料，包括填土层的厚度和组成，软土层的分布范围和分层情况，地下水位及pH值，土的含水量、塑性指数和有机质含量。

N.3.3 采用水泥土搅拌桩法时，应先进行拟处理土的室内配比试验，针对现场拟处理的最弱层软土的性质，选择合适的固化剂、外掺剂及其掺量，以提供各种龄期、各种配比的强度参数。

N.3.4 固化剂宜选用等级为32.5级混合型硅酸盐水泥及以上级别的混合型或普通型硅酸盐水泥。水泥掺量宜为12%～20%。外掺剂可根据工程需要和土质条件选用早强、缓凝、减水以及节省水泥等作用的材料，但应避免环境污染。

N.3.5 水泥土搅拌桩法的设计，主要是确定搅拌桩的置换率和长度。竖向承载搅拌桩桩长应通过承载力、变形计算确定，并宜穿透软土层到达承载力相对较高的土层；为提高抗滑稳定性而设置的搅拌桩，其桩长宜超过危险滑弧以下2m。

N.3.6 竖向承载的水泥土搅拌桩复合地基的承载力特征值应通过现场单桩或多桩复合地基荷载试验确定。

N.3.7 搅拌桩的平面布置可根据上部荷载特点、稳定及变形要求，采用柱状、壁状或格栅状等加固型式。柱状加固可采用正方形、等边三角形等布桩型式。

N.4 地基固结度计算

N.4.1 竖向排水平均固结度应按下列方法计算：

1 当地基的附加应力 σ_z 呈均匀分布（图N.4.1-1），某一时间 t 的竖向平均固结度可按下列公式计算：

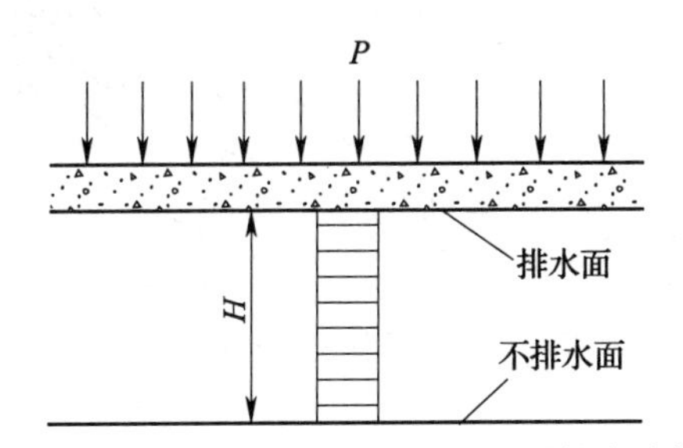

图 N.4.1-1 附加应力均匀分布时固结度计算

$$\overline{U}_z=1-\frac{8}{\pi^2}\sum_{m=1,3,\cdots}^{\infty}\frac{1}{m^2}e^{-\frac{m^2\pi^2}{4}T_v} \tag{N.4.1-1}$$

$$T_v=\frac{C_v t}{H^2} \tag{N.4.1-2}$$

式中：$\overline{U}_z$——竖向平均固结度（%）；

m——正奇数（1，3，5…）；

T_v——竖向固结时间因数（无因次）；

t——固结时间（s）；

H——竖向排水距离（cm），单面排水时为土层厚度，双面排水时取土层厚度的一半；

C_v——竖向固结系数（cm^2/s）。

2 当$\overline{U}_z>30\%$时，可用下式计算：

$$\overline{U}_z=1-\frac{8}{\pi^2}e^{-\frac{\pi^2}{4}T_v} \tag{N.4.1-3}$$

对旧堤加固工程，可用式（N.4.1-3）计算。若遇计算要求较高，则可按地基附加应力呈不同的几何图形从图 N.4.1-2 查取。

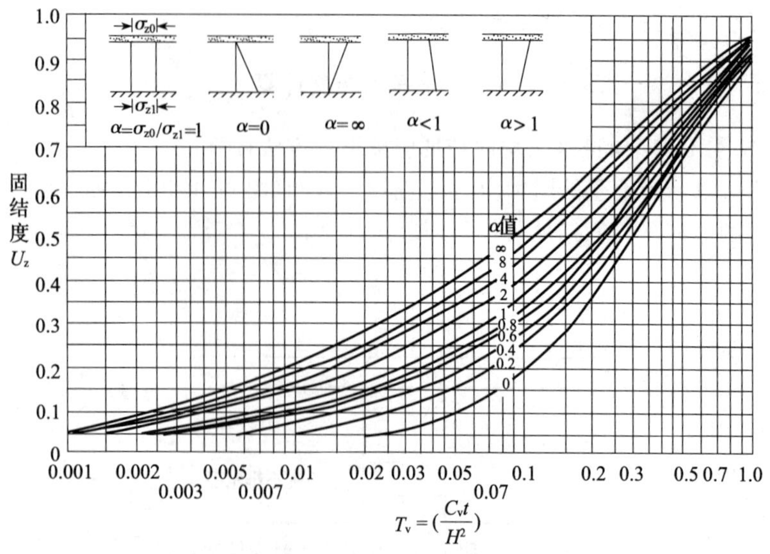

图 N.4.1-2 固结度 U_z -时间因素 T_v 关系曲线

N.4.2 有排水竖井的固结度应按下列方法计算。

1 一级或多级等速加载条件下，当固结时间为 t 时，对应总荷载的地基平均固结度可按下式计算：

$$\overline{U}_t=\sum_{i=1}^{n}\frac{q_i}{\sum\Delta p}\left[(T_i-T_{i-1})-\frac{\alpha}{\beta}e^{-\beta t}(e^{\beta T_i}-e^{\beta T_{i-1}})\right]$$

(N. 4. 2-1)

式中：$\overline{U}_t$——t 时间地基的平均固结度；

q_i——第 i 级荷载的加载速率(kPa/d)；

$\sum\Delta p$——各级荷载的累加值(kPa)；

T_i、T_{i-1}——第 i 级荷载加载的起始和终止时间(从零点算起)(d)，当计算第 i 级荷载加载过程中某时间 t 的固结度时，T_i 改为 t；

α、β——参数，可根据地基土排水固结条件按表 N. 4. 2 采用。对排水井地基，表 N. 4. 2 中所列 β 为不考虑涂抹和井阻影响的参数值。

表 N. 4. 2 α、β 值

参数	排水固结条件			
	竖向排水固结 $\overline{U}_z>30\%$	向内径向排水固结	竖向和向内径向排水固结(竖井穿透软土层)	说明
α	$\frac{8}{\pi^2}$	1	$\frac{8}{\pi^2}$	$F_n=\frac{n^2}{n^2-1}\ln(n)-\frac{3n^2-1}{4n^2}$ C_h——土的径向排水固结系数(cm^2/s)； C_v——土的竖向排水固结系数(cm^2/s)； H——土层竖向排水距离(cm)； d_e——竖井影响范围的直径(cm)； $\overline{U}_z$——双面排水土层或固结应力均匀分布的单面排水土层平均固结度
β	$\frac{\pi^2 C_v}{4H^2}$	$\frac{8C_h}{F_n d_e^2}$	$\frac{8C_h}{F_n d_e^2}+\frac{\pi^2 C_v}{4H^2}$	

2 当排水竖井采用挤土方式施工时，应计及涂抹对土体固结的影响。当竖井的纵向通水量 q_w 与天然土层水平向渗透系数 K_h 的比值较小，且长度又较长时，尚应考虑井阻影响。瞬时加载条件下，考虑涂抹和井阻影响时，径向排水平均固结度可按式(N.4.2-2)～式(N.4.2-6)计算。一级或多级等速加载条件下，考虑涂抹和井阻影响时竖井穿透软土层地基的平均固结度可按式(N.4.2-1)计算，其中

$$\alpha=\frac{8}{\pi^2},\beta=\frac{8c_h}{F_n d_e{}^2}+\frac{\pi^2 c_v}{4H^2}$$

$$\overline{U}_r=1-e^{-\frac{8C_h}{Fd_e{}^2}t} \tag{N.4.2-2}$$

$$F=F_n+F_s+F_r \tag{N.4.2-3}$$

$$F_n=(\frac{n^2}{n^2-1})\ln n-\frac{3n^2-1}{4n^2} \tag{N.4.2-4}$$

$$F_s=(\frac{K_h}{K_s}-1)\ln s \tag{N.4.2-5}$$

$$F_r=\frac{\pi^2 L^2}{4}\frac{K_h}{q_w} \tag{N.4.2-6}$$

式中：$\overline{U}_r$——固结时间 t 时竖井地基径向排水平均固结度；

K_h——软土层的水平向渗透系数(cm/s)；

K_s——涂抹区土的水平向渗透系数(cm/s)，可取 $K_s=\left(\frac{1}{5}\sim\frac{1}{3}\right)K_h$；

s——涂抹区直径 d_s 与竖井直径 d_w 的比值，可取 $s=2.0\sim3.0$，对中等灵敏黏性土取低值，对高灵敏黏性土取高值；

n——井径比，$n=\frac{d_e}{d_w}$；

q_w——竖井纵向通水量(cm^3/s)，为单位水力梯度下单位时间的排水量；

L——竖井深度(cm)。

3 对排水竖井未打穿软土层时，应分别计算竖井范围土层的平均固结度和竖井底面以下软土层的平均固结度。

附录P 龙口水力计算

P.0.1 龙口水力计算的任务是计算某一口门尺寸通过设计潮型的潮流时，整个涨、落潮过程中，上下游水位差、潜堤顶部流速、单宽流量等水力要素随时间变化的规律，以及压缩口门过程中，各种口门控制水力要素的变化规律。

P.0.2 龙口水力可按下式计算：

$$\left|\overline{Q}_0 \pm (\overline{Q}_s + \overline{Q}_f + \overline{Q}_p)\right| \Delta t = W_2 - W_1 \qquad (P.0.2)$$

式中：$\overline{Q}_0$——计算时段内内陆流域来水平均流量(m^3/s)；

$\overline{Q}_s$——计算时段内水闸泄水平均流量(m^3/s)；

$\overline{Q}_f$——计算时段内龙口溢流平均流量(m^3/s)；

$\overline{Q}_p$——计算时段内截流堤堆石体渗流平均流量(m^3/s)；

Δt——计算时段，一般取1800s～3600s；

W_2——计算时段末围区容量(m^3)；

W_1——计算时段初围区容量(m^3)。

P.0.3 以口门宽度为横坐标，口门底槛高程为纵坐标，将相应口门尺寸的各水力要素最大值按涨、落潮分别标注在相应的坐标上，可分别绘制出各水力要素最大值的等值线图。

附录Q 龙口的转化口门线

Q.0.1 转化口门线的数学模式应按下式计算：

$$\begin{cases} z = x\log B - y + \Delta \\ x = \varphi_1(H, W) \\ y = \varphi_2(H, W) \end{cases} \tag{Q.0.1-1}$$

式中：z——口门底槛高程(m)；

B——口门宽度(m)；

Δ——设计潮型的中潮位(m)；

x、y——系数(应按表Q.0.2-1和表Q.0.2-2确定)；

H——设计潮型的潮差(m)；

W——全潮库容($1\times10^7\mathrm{m}^3$)；

φ_1、φ_2——特定的二元二次函数。

转化口门线上任一点处的最大流速值可按下式计算：

$$V_{max} = 2.35\sqrt{h_0 - z} \tag{Q.0.1-2}$$

式中：h_0——设计潮型对应的最高潮位(m)；

z——转化口门线上点子的口门底槛高程(m)；

V_{max}——转化口门线上任一点处的最大流速(m/s)。

Q.0.2 利用转化口门线计算堵口过程中可能遇到的口门最大流速值及出现最大流速值时的口门尺寸，应再根据施工条件选定堵口程序。具体应按下列步骤进行：

1 根据工程的H和W，查表Q.0.2-1、表Q.0.2-2得x、y值；

2 假设一个B，用式(Q.0.1-1)求得一z值，再用式(Q.0.1-2)求出口门尺寸为(B、z)时的最大流速V_{max}，由此反复，可得一组(B、z)-V_{max}值；

3　根据工程实际施工条件选定允许口门的最大流速，由此值求得相应的转化口门尺寸(B、z)；

4　以此口门尺寸选定堵口程序。

表 Q.0.2-1　x 值

H(m)	W(1×10^7 m³)										
	2.0	2.5	3.0	3.5	4.0	4.5	5.0	5.5	6.0	6.5	7.0
4.000	1.616	1.689	1.758	1.824	1.887	1.946	2.002	2.055	2.104	2.150	2.192
4.250	1.620	1.694	1.765	1.833	1.897	1.958	2.015	2.069	2.120	2.167	2.211
4.500	1.637	1.712	1.785	1.854	1.920	1.982	2.041	2.096	2.149	2.198	2.243
4.750	1.666	1.743	1.817	1.888	1.955	2.019	2.079	2.136	2.190	2.241	2.288
5.000	1.708	1.787	1.862	1.934	2.003	2.068	2.130	2.189	2.244	2.296	2.345
5.250	1.762	1.843	1.920	1.993	2.064	2.131	2.194	2.254	2.311	2.364	2.415
5.500	1.830	1.912	1.990	2.065	2.137	2.206	2.271	2.332	2.391	2.445	2.497
5.750	1.910	1.993	2.073	2.150	2.223	2.293	2.360	2.423	2.483	2.539	2.592
6.000	2.002	2.087	2.169	2.247	2.322	2.393	2.461	2.526	2.588	2.645	2.700
6.250	2.108	2.194	2.271	2.357	2.433	2.506	2.576	2.642	2.705	2.765	2.821
6.500	2.226	2.314	2.398	2.480	2.557	2.632	2.703	2.771	2.835	2.896	2.954
6.750	2.357	2.446	2.532	2.615	2.694	2.770	2.843	2.912	2.978	3.041	3.100
7.000	2.500	2.591	2.679	2.763	2.844	2.921	2.995	3.066	3.134	3.198	3.258
7.250	2.656	2.748	2.838	2.923	3.006	3.085	3.161	3.233	3.302	3.367	3.430
7.500	2.828	2.919	3.009	3.097	3.181	3.261	3.338	3.412	3.483	3.550	3.613
7.750	3.006	3.102	3.194	3.283	3.368	3.450	3.529	3.604	3.676	3.745	3.810
8.000	3.200	3.297	3.391	3.481	3.568	3.652	3.732	3.809	3.882	3.952	4.019
8.250	3.407	3.505	3.601	3.693	3.781	3.866	3.948	4.026	4.101	4.173	4.241
8.500	3.626	3.726	3.823	3.917	4.006	4.093	4.176	4.256	4.333	4.406	4.476

续表 Q.0.2-1

H(m)	$W(1\times10^7 m^3)$											
	7.5	8.0	8.5	9.0	9.5	10.0	10.5	11.0	11.5	12.0	12.5	13.0
4.000	2.231	2.267	2.299	2.328	2.354	2.376	2.395	2.411	2.423	2.432	2.437	2.439
4.250	2.252	2.289	2.323	2.353	2.381	2.404	2.425	2.442	2.456	2.466	2.473	2.476
4.500	2.285	2.324	2.359	2.391	2.420	2.445	2.467	2.486	2.501	2.513	2.521	2.526
4.750	2.331	2.371	2.408	2.442	2.472	2.499	2.522	2.542	2.559	2.573	2.583	2.589
5.000	2.390	2.432	2.470	2.505	2.537	2.565	2.590	2.612	2.630	2.645	2.656	2.665
5.250	2.461	2.505	2.545	2.581	2.614	2.644	2.671	2.694	2.714	2.730	2.743	2.753
5.500	2.545	2.590	2.632	2.670	2.704	2.736	2.764	2.788	2.810	2.828	2.842	2.853
5.750	2.642	2.688	2.731	2.771	2.807	2.840	2.870	2.896	2.919	2.938	2.954	2.967
6.000	2.751	2.799	2.844	2.885	2.923	2.957	2.988	3.016	3.040	3.061	3.079	3.093
6.250	2.873	2.923	2.969	3.011	3.051	3.087	3.119	3.148	3.174	3.197	3.216	3.232
6.500	3.008	3.059	3.107	3.151	3.192	3.229	3.263	3.294	3.321	3.345	3.366	3.383
6.750	3.156	3.208	3.257	3.303	3.345	3.384	3.420	3.452	3.481	3.506	3.528	3.547
7.000	3.316	3.370	3.420	3.467	3.511	3.552	3.589	3.623	3.653	3.680	3.704	3.724
7.250	3.488	3.544	3.596	3.645	3.690	3.732	3.771	3.806	3.838	3.866	3.892	3.913
7.500	3.674	3.731	3.784	3.835	3.882	3.925	3.965	4.002	4.035	4.065	4.092	4.115
7.750	3.872	3.930	3.986	4.037	4.086	4.131	4.172	4.211	4.246	4.277	4.305	4.330
8.000	4.083	4.143	4.199	4.253	4.303	4.349	4.392	4.432	4.469	4.502	4.531	4.558
8.250	4.306	4.368	4.426	4.481	4.532	4.580	4.625	4.666	4.704	4.739	4.770	4.798
8.500	4.542	4.605	4.665	4.721	4.774	4.824	4.870	4.913	4.952	4.989	5.021	5.051

表 Q.0.2-2 y 值

H(m)	$W(1\times10^7 m^3)$										
	2.0	2.5	3.0	3.5	4.0	4.5	5.0	5.5	6.0	6.5	7.0
4.000	3.741	4.067	4.378	4.674	4.955	5.222	5.474	5.710	5.933	6.140	6.332
4.250	3.762	4.097	4.417	4.722	5.012	5.288	5.548	5.794	6.025	6.241	6.443
4.500	3.804	4.148	4.477	4.791	5.090	5.375	5.644	5.899	6.139	6.364	6.574
4.750	3.868	4.220	4.558	4.881	5.189	5.482	5.761	6.024	6.273	6.507	6.726
5.000	3.951	4.313	4.660	4.991	5.308	5.611	5.898	6.170	6.428	6.671	6.899
5.250	4.056	4.427	4.782	5.123	5.449	5.760	6.056	6.338	6.604	6.856	7.090
5.500	4.182	4.561	4.926	5.275	5.610	5.930	6.235	6.525	6.801	7.062	7.307
5.750	4.328	4.716	5.090	5.448	5.792	6.121	6.435	6.734	7.019	7.288	7.543
6.000	4.495	4.892	5.275	5.642	5.995	6.333	6.656	6.964	7.257	7.535	7.799
6.250	4.683	5.089	5.481	5.857	6.218	6.565	6.897	7.214	7.515	7.804	8.077
6.500	4.892	5.307	5.707	6.092	6.463	6.819	7.159	7.485	7.796	8.093	8.374
6.750	5.122	5.546	5.955	6.349	6.728	7.093	7.442	7.771	8.097	8.402	8.693
7.000	5.372	5.805	6.223	6.626	7.014	7.388	7.746	8.090	8.419	8.733	9.032
7.250	5.644	6.085	6.512	6.924	7.321	7.704	8.071	8.424	8.762	9.085	9.393
7.500	5.936	6.386	6.822	7.243	7.649	8.040	8.417	8.778	9.125	9.457	9.774
7.750	6.249	6.708	7.153	7.583	7.998	8.398	8.783	9.154	9.509	9.850	10.170
8.000	6.583	7.051	7.504	7.943	8.367	8.775	9.170	9.550	9.914	10.264	10.599
8.250	6.937	7.414	7.877	8.325	8.757	9.175	9.578	9.961	10.340	10.699	11.042
8.500	7.313	7.799	8.270	8.727	9.168	9.595	10.007	10.404	10.787	11.154	11.507

H(m)	$W(1\times10^7 m^3)$											
	7.5	8.0	8.5	9.0	9.5	10.0	10.5	11.0	11.5	12.0	12.5	13.0
4.000	6.510	6.672	6.820	6.953	7.072	7.175	7.264	7.337	7.396	7.440	7.469	7.484
4.250	6.629	6.801	6.958	7.099	7.227	7.339	7.436	7.519	7.587	7.640	7.678	7.701
4.500	6.769	6.950	7.116	7.266	7.402	7.524	7.630	7.722	7.798	7.860	7.907	7.939
4.750	6.930	7.120	7.294	7.454	7.599	7.729	7.844	7.945	8.031	8.101	8.157	8.198
5.000	7.112	7.311	7.494	7.661	7.817	7.956	8.080	8.190	8.284	8.363	8.428	8.478

续表 Q. 0. 2-2

H(m)	W(1×10⁷m³)											
	7. 5	8. 0	8. 5	9. 0	9. 5	10. 0	10. 5	11. 0	11. 5	12. 0	12. 5	13. 0
5. 250	7. 315	7. 522	7. 715	7. 892	8. 055	8. 203	8. 336	8. 454	8. 558	8. 646	8. 720	8. 779
5. 500	7. 538	7. 755	7. 956	8. 142	8. 314	8. 471	8. 613	8. 740	8. 852	8. 950	9. 032	9. 100
5. 750	7. 783	8. 008	8. 218	8. 413	8. 594	8. 760	8. 911	9. 047	9. 168	9. 274	9. 366	9. 443
6. 000	8. 048	8. 282	8. 501	8. 705	8. 895	9. 069	9. 229	9. 374	9. 504	9. 620	9. 720	9. 806
6. 250	8. 334	8. 577	8. 805	9. 018	9. 216	9. 400	9. 569	9. 722	9. 862	9. 986	10. 095	10. 190
6. 500	8. 641	8. 892	9. 129	9. 352	9. 559	9. 751	9. 930	10. 092	10. 240	10. 373	10. 491	10. 594
6. 750	8. 968	9. 229	9. 475	9. 706	9. 922	10. 123	10. 310	10. 482	10. 638	10. 780	10. 908	11. 020
7. 000	9. 317	9. 586	9. 841	10. 081	10. 306	10. 516	10. 712	10. 892	11. 058	11. 200	11. 345	11. 466
7. 250	9. 688	9. 965	10. 228	10. 471	10. 711	10. 930	11. 134	11. 324	11. 499	11. 658	11. 803	11. 934
7. 500	10. 076	10. 364	10. 636	10. 894	11. 137	11. 365	11. 578	11. 776	11. 960	12. 120	12. 243	12. 422
7. 750	10. 487	10. 783	11. 065	11. 331	11. 583	11. 820	12. 042	12. 250	12. 442	12. 620	12. 783	12. 931
8. 000	10. 919	11. 224	11. 514	11. 790	12. 051	12. 297	12. 528	12. 744	12. 945	13. 132	13. 303	13. 460
8. 250	11. 371	11. 686	11. 985	12. 269	12. 539	12. 794	13. 034	13. 259	13. 469	13. 664	13. 845	14. 011
8. 500	11. 845	12. 168	12. 476	12. 769	13. 048	13. 312	13. 560	13. 794	14. 014	14. 218	14. 407	14. 582

本规范用词说明

1 为便于在执行本规范条文时区别对待，对要求严格程度不同的用词说明如下：

1)表示很严格，非这样做不可的：

正面词采用“必须”，反面词采用“严禁”；

2)表示严格，在正常情况下均应这样做的：

正面词采用“应”，反面词采用“不应”或“不得”；

3)表示允许稍有选择，在条件许可时首先应这样做的：

正面词采用“宜”，反面词采用“不宜”；

4)表示有选择，在一定条件下可以这样做的，采用“可”。

2 条文中指明应按其他有关标准执行的写法为：“应符合……的规定”或“应按……执行”。

引用标准名录

《防洪标准》GB 50201
《堤防工程设计规范》GB 50286
《水利水电工程地质勘察规范》GB 50487
《河道整治设计规范》GB 50707
《堤防工程管理设计规范》SL 171
《堤防工程地质勘察规程》SL 188
《水工建筑物抗震设计规范》SL 203
《土工合成材料测试规程》SL 235
《水工混凝土施工规范》SL 677
《公路水泥混凝土路面设计规范》JTG D40
《公路沥青路面设计规范》JTG D50
《海港水文规范》JTS 145—2

中华人民共和国国家标准

海堤工程设计规范

GB/T 51015-2014

条 文 说 明

制 订 说 明

《海堤工程设计规范》GB/T 51015—2014，经住房城乡建设部2014年7月13日以第493号公告批准发布。

海堤是堤防工程的一种形式，但与江河堤防相比，在某些方面存在明显差别。例如，海堤的功能与作用是以防御台风暴潮为主，台风暴潮有作用时间短、强度大等特点；海堤的保护对象主要是沿海和河口地区，这一地区遭受自然灾害的频次较高，河口区海堤同时还担负着防洪的作用；海堤所受的作用力主要是波浪力的作用，受力形式和作用机理复杂；海堤的结构型式较江河堤复杂，且带有明显的地方特色；位于河流出海口区的海堤，受波浪和洪水的双重作用，且基础主要以软土地基为主，基础处理难度较大；台风暴潮期间海堤一旦出现险情，很难采取有效的抢险措施，若出现溃决，海水的影响还将是长期性的。因此，海堤工程的设计理念和设计思路与江河堤有明显不同，现行国家标准《堤防工程设计规范》GB 50286难以完整准确地作出规定。

本规范是在总结沿海各省海堤建设的经验，以及石油、交通等行业的海堤建设的实际经验基础上编制完成的。编制工作按起草、征求意见、审查和批准四个阶段程序进行。通过专家研讨会的形式，充分吸收国内外专家的工程实践经验。编制期间对重大技术问题开展了专题研究，列入规范的计算方法、计算公式有充分论据。

为便于广大设计、施工、科研、教学等有关人员在使用本规范时正确理解和执行条文规定，《海堤工程设计规范》编制组按章、节、条顺序编制了本规范的条文说明，对条文规定的目的、依据以及执行中需注意的有关事项进行了说明。但是，本条文说明不具备与规范正文同等的法律效力，仅供使用者作为理解和把握规范规定的参考。

目　　次

1 总 则

1.0.1 我国沿海地区时常遭受潮(洪)水侵袭,海堤工程是防御潮(洪)水危害的重要工程措施。为有效抵御潮(洪)水,沿海各省(直辖市)、自治区,涉海有关行业,总结多年海堤工程建设的经验,结合各自情况相继颁布出台了海堤工程设计的技术规范或相关技术规定,为各地科学合理建设海堤工程发挥了重要作用。但是,多年来,一直没有专门的海堤工程设计技术规范,给海堤工程设计和建设以及管理等方面带来一定的问题。为在海堤工程设计中做到安全可靠、经济合理、技术先进,管理规范,使海堤工程真正成为防御设计标准内潮(洪)水侵袭,减免超标准潮(洪)水灾害损失的工程措施,制订专门的海堤工程设计国家标准是十分必要的。

1.0.2 我国海堤工程种类繁多,按筑堤材料分为土堤、砌石堤、土石混合堤、钢筋混凝土挡墙等;按工程建设性质可分为新建、原有老堤加固或改建、扩建;按使用行业或保护对象可分为水利行业保护城镇乡村等海堤、交通部门的水运、海岸港口码头等、石油行业为滩海石油开采修建的海堤等。本规范对各类海堤工程在设计中的要求作出了原则规定。因此各类海堤工程的设计均应按本规范执行。

1.0.3 海堤工程是沿海地区或涉海工程防御潮(洪)水侵袭的重要工程设施,是防御工程体系的组成部分。为实现防潮(洪)总体目标,海堤工程应按照相关规划确定的任务和标准进行设计。位于城市段的海堤工程,是城市总体规划的组成部分,应符合城市总体规划确定的任务和要求。为滩海石油开发、海港码头以及滩涂开发而建的海堤工程,还应符合相关规划确定的规模和标准。河口区的海堤工程，同时承担防潮防洪任务，在设计中应符合河道治导线规划的要求。

1.0.4 资料收集、整理和分析工作是做好海堤工程设计的前提，应根据各设计阶段的精度要求，有针对性地开展工作。海堤工程设计可根据工程的级别、规模、主管部门的要求，对各设计阶段适当合并或简化。应注意各阶段对资料精度的要求，尽可能避免重复，在满足设计要求的前提下减少资料收集的工作量。为保证基本资料的完整性和可靠性，需要对所收集的资料进行分析和验证工作。为了便于工程运行管理，同一防护区的海堤工程设计基面应统一。

1.0.5 为确保海堤工程在设计条件下安全运用，使海堤工程有效防御设计条件下潮（洪）水危害，海堤工程设计应满足稳定、渗流、变形、抗冲刷等直接涉及工程安全的基本要求，这是本规范在堤基处理、堤身设计、堤岸防护等章节中的共性要求。在海堤工程设计中，对海堤工程周边生态与环境的要求应给予足够的重视，避免由于海堤工程建设带来周边生态与环境问题。对位于城市段的海堤工程，在设计时还应以城市总体规划为依据考虑城市景观的总体要求。

1.0.6 我国海岸线漫长，沿海地区涉及 11 个省（自治区、直辖市），海堤所在地区自然环境、社会经济等条件存在很大差异：各行业为保护不同类型的防护对象，对海堤工程有不同的技术要求。在海堤工程设计中，应当根据当地具体情况，认真贯彻因地制宜、就地取材的原则，以达到在保证工程质量的前提下降低工程造价的目的。对各地在海堤工程建设中的新技术、新工艺、新材料，应在总结经验和分析研究的基础上积极而又慎重地采用，必要时应进行科学试验。

1.0.7 本条提出了对地震烈度为 7 度及以上地区的 1 级海堤工程或特别重要堤段进行抗震设计分析的规定。在抗震设计的基础上，针对防护区的重要性、发生地震的几率以及采用抗震设计的工程投资等因素，作综合分析评价。

1.0.8 海堤工程涉及国民经济多个部门和专业，主要涉及海洋、水利水电、城建、石油、海港、交通、铁道、地质等部门和有关专业。对于特殊用途的海堤工程还要执行相关行业的技术标准。

3 防潮(洪)标准与级别

3.1 海堤工程的防潮(洪)标准

3.1.1 海堤工程是为保护防护对象的防潮(洪)安全而修建的。海堤工程防潮(洪)标准应根据防护对象的防潮防洪标准分析选定。本条列出了部分防护对象的防洪标准。

对侵蚀性海岸或淤积性海岸,在设计时要区别对待,经论证后采取不同的防护标准和措施。对原海堤不破坏情况,局部圈围的海堤工程防洪潮标准要根据具体情况根据新围垦土地保护对象的重要性选定,使海堤工程在确保安全的前提下具有经济性。

海堤特殊防护区是指在现行国家标准《防洪标准》GB 50201中未包括的沿海乡村地区存在的高新技术开发区、高新农业、水产养殖等防护对象。如防护区内还有本规范中尚未包括的防护对象,可根据其规模和重要性分析确定其防潮(洪)标准。

我国沿海各省(自治区、直辖市)根据各地的具体情况分别制订有相应的标准,本规范编制过程中调查和收集到的各地海堤工程设计标准相关资料汇总见表1。

表1 我国部分省(自治区、直辖市)海堤设计采用的标准

省(自治区、直辖市)	项目		海堤级别					
			1	2	3	4	5	
广西	防护区规模	农业用地(万亩)	—	—	＞5	5～1	1～0.1	＜0.1
		人口(万人)	—	—	＞5	5～1	1～0.1	＜0.1
	设计标准[重现期(年)]		—	—	50～20	20～10	10～5	＜5

续表 1

省(自治区、直辖市)	项目			海堤级别					
				1	2	3	4	5	
广东	防护区	城镇	重要性	重要	中等	一般	—	—	—
			人口(万人)	150～50	50～20	20～3	<3	—	—
		乡村	农业用地(万亩)	>100	100～30	30～5	<5	—	—
			人口(万人)	>200	200～60	60～10	<10	—	—
	设计标准[重现期(年)]			200～100	100～50	50～20	20～10	—	—
福建	围垦区毛面积(万亩)			—	≥1	1～0.3	<0.3	—	—
	设计标准[重现期(年)]	潮位		—	100～50	50～30	30～20	—	—
		风速		—	50	30	10	—	—
浙江	防护对象	城市		人口 150 万人以上特别重要城市	人口 50 万～100 万人重要城市	人口 10 万～50 万人城市	人口 1 万～10 万人城镇	人口 0.1 万～1 万人乡镇	—
		农村		—	100 万亩以上大片平原	5 万～100 万亩平原	1 万～5 万亩	1 万亩以下	—
		工矿企业、基础设施		特大型	大型	中型	中型	小型	—
	设计标准[重现期(年)]			200 以上	100	50	20	10	—
上海	防护对象			市区	—	—	—	—	—
	设计标准[重现期(年)]			200 加 12 级风	—	—	—	—	—
江苏	防护区农业用地			—	—	—	—	—	—
	设计标准[重现期(年)]			200	—	—	—	—	—

3.1.2 本条是对防护对象有特殊要求时作出的原则规定。需要时，可根据防护对象的防潮(洪)要求，对海堤工程的防潮(洪)标准作适当调整，但必须经过充分论证并经行业主管部门批准。对于同时承担防御潮水和洪水任务的堤防工程，可分别计算设计潮位和设计水位，进行海堤工程设计时选择较高值。

3.1.3 海堤工程上的涵、闸、泵站等建筑物及其他构筑物与海堤工程相连接，当海堤工程需要加高加固时，这些建筑物或构筑物的加高加固相对较困难。因此对建筑物或构筑物的防潮(洪)标准作出了相对较高的规定。

3.2 海堤工程的级别

3.2.1、3.2.2 海堤工程是堤防工程的一种类型，其级别的确定应与堤防工程级别的确定依据同样的原则。海堤工程的级别应当按照海堤工程防潮(洪)标准选定。考虑到各地、各行业、各部门之间海堤工程建设条件差异较大，条文中给出各级防潮标准重现期的范围，设计时可根据防护对象的重要程度、海堤工程建设条件等具体情况分析选用。

4 基 本 资 料

4.1 社 会 经 济

4.1.2 本条规定了对海堤工程防护区应具有的社会经济资料。这些资料是海堤工程设计中分析确定海堤设计标准和级别的重要依据，也是进行海堤工程经济效益分析和环境影响评价所需要的基本资料。

4.1.3 本条规定了对海堤工程区应具有的社会经济资料。这些资料是海堤工程设计时进行堤线比选、工程投资估算、挖压占地、房屋拆迁及移民安置的基本资料。

4.2 气象与水文

4.2.1 潮位、水位、风况和波浪是海堤设计中需要的最基本的资料，应充分收集和仔细复核。其他资料应根据设计需要，有针对性地搜集。例如：河口区为分析堤基的冲刷特性，需要河道流速、流量、泥沙资料；多雨地区，需要施工期降雨天数及降雨强度等资料；冰冻地区，需要冰冻期、冻土深度等冰情资料。

本条规定的各种潮位、水位、风况和波浪资料，要满足确定堤顶高程和堤身断面、核算堤坡稳定和堤身堤基渗流稳定以及确定护坡方案等方面的设计计算要求。

4.2.2 与海堤工程有关地区的水系、水域分布和治理情况、河势演变和冲淤变化等资料是堤线布置、堤型选择、堤身设计、堤基处理及堤岸防护等的重要依据，本条对收集、整理上述内容的资料作了原则性规定。

4.3 工 程 地 形

4.3.1 本条根据现行行业标准《水利水电工程测量规范》SL 197

并参考现行国家标准《堤防工程设计规范》GB 50286 制订。

地形图的比例尺，在规划阶段，一般可利用大多数筑堤地区的现有的 1∶10000 或 1∶50000 地形图进行工作；可行性研究阶段中的定线测量是确定堤线、测算工程量、统计挖压拆迁以及施工场地布置的基本依据，需测 1∶1000～1∶10000 专用带状地形图，其中 1∶2000 比例尺图比较常用。带状地形图的宽度需满足初步设计（包括防渗、排渗区及护岸工程范围）及管理（包括护堤地范围）的要求。有些滩地为不稳定的河道、海岸，为了对岸滩采取防护措施，有时还有测量水下地形的要求。为了统计挖压拆迁数量和类别，尽可能用航测与一般地面测图互相印证，以保证地物边界和物种形象的可靠性。

纵断面图比例尺是按照现行行业标准《水利水电工程测量规范》SL 197 要求并结合海堤工程特点而确定的，原则上一个纵断面图尽可能布置在一幅图纸上，并满足有关文字注记的要求。

横断面图的间距，除根据不同设计阶段的不同精度要求外，还需使断面具有代表性，为此在海堤走向的曲线段以及地形、地质变化较大处，即相应堤身断面变化处，应插补增加一些横断面图。

4.3.2 纵断面图的绘制一般可利用横断面图资料点绘，但当两横断面之间有沟汊或堤埂等特殊地形时，应据实反映于纵断面图上。

4.4 工 程 地 质

4.4.1 国家现行标准《堤防工程地质勘察规程》SL 188 中的工程地质勘察报告，其工程地质及筑堤材料资料项目内容覆盖面比较全面，各地在海堤工程设计时，除工程地质剖面图等普遍需要的资料外，需根据工程的地质特点，有针对性地选择项目进行勘探、试验。

4.4.2 对于设置堵口的海堤工程，还应注意做好堵口段的地质勘察工作，深度应满足堵口设计的要求。

4.4.3 在某些淤泥质海岸及河口地区的水下地表，存在一层呈絮凝状、容重小而流动性近于液态的悬浮沉积体，习惯上被称为浮泥，其含水量大于或等于150%。浮泥层承载力极低，上部填料通常会把浮泥挤开，而不是压缩浮泥层使其固结排水产生压缩沉降，因此可将浮泥底面作为海堤的地基表面。浮泥层的厚度对工程量的计算影响较大，在进行地质勘察时应查明地表是否存在浮泥及其范围和厚度。

4.4.4 软土堤基上的海堤工后沉降通常较大，如旧堤填筑时间较短，其工后沉降尚未完成，进行海堤加固设计时还应预留旧堤未完成的沉降，故应调查软土堤基上的旧堤填筑材料和填筑时间。

5 设计潮(水)位的确定

5.1 设计潮(水)位的统计计算方法

5.1.1 频率分析确定设计潮(水)位的方法目前在海堤设计中已普遍采用,该方法概念明确,能够体现工程的等级和重要性。关于潮(水)位资料的最短年限,是参考国内有关规范并考虑我国沿海的实际情况拟定的。据验证,采用20年潮(水)位资料与采用50年以上长系列潮(水)位资料的计算结果,重现期50年的高潮(水)位值相差在0.2m以内。由于观测点各年潮(水)位值差别不是很大,为了能准确反映设计的低频潮(水)位值,使海堤的设计更为安全可靠,在进行潮(水)位分析时,要求调查历史上曾经出现的最高、最低潮(水)位值,并对资料的代表性进行分析。

需要指出的是,由于本规范在确定海堤工程堤顶高程时不要求进行风壅增水高度计算,因此,在进行设计潮(水)位分析计算时,要求所选用的潮(水)位资料应是包含风壅增水影响在内的资料。我国沿海的潮(水)位测站所测潮(水)位值一般已包含风壅增水影响,可以直接进行频率分析计算。此外,由于全球气候变暖,海平面上升问题越来越引起人们的关注。研究表明,近30年来我国沿海海平面总体呈波动上升趋势,平均上升速率为2.6mm/年,高于全球平均水平。考虑到海平面上升速率相对工程而言量值较小,且潮(水)位观测资料中已包含海平面上升值,因此,在设计潮(水)位频率分析时不再对海平面上升问题作专题研究。

5.1.2 设计潮(水)位包括设计高潮(水)位和设计低潮(水)位,潮(水)位频率分析采用的线型,目前一般采用皮尔逊-Ⅲ型分布或极值Ⅰ型分布。据验证,河口站潮(水)位资料,一般以皮尔逊-Ⅲ型拟合较好;海岸港口潮(水)位资料,极值Ⅰ型或皮尔逊-Ⅲ型适线均可采用。由于影响沿海潮汐的因素复杂，各地潮汐情况差异较大，每种线型也都有一定局限性，因此，在某些情况下，经过分析论证，也可以采用适合当地情况的线型进行潮（水）位频率分析计算。

5.1.3 本条参考《警戒潮位核定方法》GB/T 17839—2011 制订。

5.1.4 潮汐性质相似可通过潮（水）位过程线比较和高潮、低潮的相关比较来判断。采用该法的推算误差取决于两站之间的潮汐性质、潮差大小和受河流径流影响的相似程度。一般情况为：潮汐性质差别较大时相关不好，潮差相差太大时相关不好，不受径流影响的海岸点与河口点相关不好，同一河系一般相关较好，同是半日潮的海岸点间相关较好。只要满足条文中进行差比计算的条件，就可用短期资料进行差比求得设计潮（水）位。

5.1.5 对具有短期潮（水）位观测资料的工程点[其中包括含有增水的潮（水）位资料]，可采用短期潮位观测资料进行分析，短期潮（水）位观测资料应具备 3 个月以上的连续观测数据。观测结果与邻近地点的长期潮（水）位资料进行同步对比，如经分析论证后相关性较好且变化趋势一致，则可通过相关关系推算工程点的设计潮（水）位。

5.1.6 考虑到工程的重要性，要求对缺乏实测潮（水）位资料的 1 级和 2 级海堤工程设立临时潮（水）位观测站进行潮（水）位观测，并强调观测周期不应少于 1 年。当取得临时潮（水）位观测资料后，工程点的设计潮（水）位可采用 5.1.5 条的办法推算。

5.2 设计潮(水)位的确定

5.2.1 考虑到 1 级～3 级海堤工程的重要性，特规定其设计潮（水）位应按第 5.1 节的办法进行统计分析。由于不同海堤工程间存在差异以及沿海潮汐问题的复杂性，对一些特殊地区海堤工程的设计潮（水）位，不能采用简单的方法来进行处理，应作专题分析研究来加以论证。

5.2.2 由于我国沿海海岸线上均设有潮（水）位观测站，且各站都有经分析论证的设计潮(水)位结果，对于 4 级、5 级海堤工程，由于其工程级别较低，为方便设计，规定可根据海堤所在位置由临近潮(水)位测站设计潮(水)位结果内插确定设计潮(水)位。

5.2.3 位于河口区的海堤工程，其对应的设计潮(水)位值既有经潮(水)位测站频率分析计算的结果，也有经设计洪(潮)水面线分析计算的结果，但一般而言，两者的差别并不太大。水面线计算结果考虑了河道的地形因素，但由于计算假定及边界条件选择的特殊性，缺乏实测资料验证；频率分析计算结果是由实测资料分析得出的，资料有一定代表性，但由于资料系列年限长，未能很好地反映河道地形变化因素的影响，计算结果与实际相比存在一定的误差。为此，偏安全计，采用较高值作为设计潮(水)位值。

6 波浪计算

6.1 波浪和风速的设计标准

6.1.1 根据对我国东南沿海的调研情况，最高潮位往往与风暴潮增水有关，说明两种事件有一定的相关性，故推荐设计波浪和设计风速采用与设计高潮（水）位相同的重现期。对于国内部分地区，经过必要的分析论证后，也可因地制宜地采用其他设计标准。

6.1.2 设计波浪的波列累积频率标准主要反映波浪对不同类型建筑物的不同作用性质。对于直立式海堤，设计波高的累积频率采用1%，与原苏联标准的规定一致。

近年来用不规则波对斜坡堤进行模型试验的结果表明，不规则波的等值波高与波谱形式（宽谱与窄谱）、相对水深（$\overline{H}/d_{前}$，$\overline{H}$为平均波高，$d_{前}$为堤前水深）、护面块体的类型以及块体的失稳标准和失稳率等都有关，也受不规则波与规则波试验对比方式和资料分析方法的影响。条文中对斜坡式海堤的设计波高，一般采用$H_{13\%}$，而当$\overline{H}/d_{前}<0.3$时宜用$\overline{H}_{5\%}$的规定已考虑了上述因素。

6.1.3 工程计算中需进行不同累积频率波高换算，为此需利用波高的统计分布，本规范采用了格鲁霍夫斯基-维林斯基分布，其累积概率函数为：

$$F(H)=\left[-\frac{\pi}{4\left(1+\frac{H^{*}}{\sqrt{2\pi}}\right)}\left(\frac{H}{\overline{H}}\right)^{\frac{2}{1-H^{*}}}\right] \quad (1)$$

式中：H^{*}——反映水深影响的参数。

本规范表6.1.3是根据式(1)给出的。当$H^{*}=0$时，式(1)变为深水情况的瑞利分布。对波高统计特征值，本规范只采用累积

频率波高 H_F，另一类统计特征值，即部分大波均值 $H_{1/n}$（如 $H_{1/3}$、$H_{1/10}$ 等），本规范没有列入，但两种统计特征值是可以换算的，如 $H_{1/3} \approx H_{13\%}$，$H_{1/10} \approx H_{4\%}$ 等。

6.1.4 对不规则波周期，本规范采用平均周期表示，与国内有关规范一致。

6.2 风的统计和计算方法

6.2.1 大气中的气压差使得空气产生运动，称为风。我国近海风主要包括季风、寒潮、温带气旋和热带气旋。

季风的形成是由冬夏季海洋和陆地温度差异所致，在夏季由海洋吹向大陆，在冬季由大陆吹向海洋。我国是世界上著名的季风国家之一，每年 10 月至次年 3 月盛行偏北风，6 月以后盛行偏南风，4 月、5 月和 8 月、9 月为季风转换季节。

我国气象部门规定：使某地的日最低（或日平均）气温 24h 内降温幅度大于或等于 8℃，或 48h 内降温幅度大于或等于 10℃，或 72h 内降温幅度大于或等于 12℃，而且使该地日最低气温小于或等于 4℃的冷空气活动，称为寒潮。寒潮是我国冬季主要的天气过程之一，降温过程一般持续 3 天～5 天。寒潮路径较稳定，它发源于极地，经西伯利亚，主要从偏西方向进入我国，由北到南影响我国各地。

温带气旋，又叫锋面气旋，是中高纬度地区常见的天气系统，一年四季均可发生。温带气旋一般在西风带上形成，随西风气流自西向东移动，是影响我国北方地区的重要天气系统。

热带气旋是发生在热带或副热带洋面上的低压涡旋，是一种强大而深厚的热带天气系统。影响我国的热带气旋发生在西北太平洋和南海海域，路径主要有四类：①西移路径；②西北移路径；③转向路径；④特殊路径（如打转、蛇行、停滞、突变等）。热带气旋按以下方式分级：

超强台风：底层中心附近最大平均风速≥51.0m/s，即风力为 16 级及以上。

强台风：底层中心附近最大平均风速 41.5m/s～50.9m/s，即风力为 14 级～15 级。

台风：底层中心附近最大平均风速 32.7m/s～41.4m/s，即风力为 12 级～13 级。

强热带风暴：底层中心附近最大平均风速 24.5m/s～32.6m/s，即风力为 10 级～11 级。

热带风暴：底层中心附近最大平均风速 17.2m/s～24.4m/s，即风力为 8 级～9 级。

热带低压：底层中心附近最大平均风速 10.8m/s～17.1m/s，即风力为 6 级～7 级。

风的特征常用风速和风向两个量表示，风速是空气在单位时间内所流过的水平距离，单位为 m/s；风向指风吹来的方向，一般用 16 个方位表示。在我国，风的观测一般采用风速仪，当无风速仪时，可通过风力等级表目测风速，见表 2。

表 2　风力等级表

风级	风名	风速（m/s）	陆地物象	海面波浪	浪高（m）
0	静风	0～0.2	烟直上	平静如镜	0
1	软风	0.3～1.5	烟示风向	无浪：波纹柔和，如鳞状，波峰不起白沫	0.1
2	轻风	1.6～3.3	感觉有风	小浪：小波相隔仍短，但波浪显著；波峰似玻璃，光滑而不破碎	0.2
3	微风	3.4～5.4	旌旗展开	小至中浪：小波较大，波峰开始破碎，波峰中间有白头浪	0.6
4	和风	5.5～7.9	吹起尘土	中浪：小波渐高，形状开始拖长，白头浪颇频密	1.0
5	清风	8.0～10.7	小树摇摆	中至大浪：中浪，形状明显拖长，白头浪更多，中间有浪花飞溅	2.0

续表 2

风级	风名	风速(m/s)	陆地物象	海面波浪	浪高(m)
6	强风	10.8～13.8	电线有声	大浪:大浪出现,四周都是白头浪,浪花颇大	3.0
7	疾风	13.9～17.1	步行困难	大浪至非常大浪:海浪突涌堆叠,碎浪之白沫,随风吹成条纹状	4.0
8	大风	17.2～20.7	折毁树枝	非常大浪至巨浪:接近高浪,浪峰碎成浪花,白沫被风吹成明显条纹状	5.5
9	烈风	20.8～24.4	小损房屋	巨浪:高浪,泡沫浓密;浪峰卷曲倒悬,颇多白沫	7.0
10	狂风	24.5～28.4	拔起树木	非常巨浪:非常高浪。海面变成白茫茫,波涛冲击,能见度减低	9.0
11	暴风	28.5～32.6	损毁普遍	非常巨浪至极巨浪:波涛澎湃,浪高可以遮掩中型船只;白沫被风吹成长片于空中摆动,遍及海面,能见度减低	11.5
12	飓风	≥32.7	摧毁巨大	极巨浪:海面空气中充满浪花及白沫,全海皆白;巨浪如江倾河泻,能见度大为减低	14.0

注:本表所列风速是指平地上离地 10m 处的风速值。

风速采用 10m 高度处的值,这与国内外相关规范一致。考虑到 20 世纪 70 年代以后,国内气象站逐渐采用自记风速仪,具备了逐时 10min 平均风速的记录,因此,本规范基础风速资料采用逐时观测值。对于不符合以上标准的风速资料,需要通过适当的换算办法将其转变为标准风速资料来进行统计分析。当风速观测高度不符合标准风速要求时,可通过高度换算将其订正为标准风速,风速高度换算宜采用指数公式:

$$V=V_z\left(\frac{z}{z_z}\right)^a \tag{2}$$

式中：V——需求的 z 高度处的风速；

V_z——已知 z_z 高度处的风速；

z——需要订正的高度；

z_z——已知的测风高度（测风传感器离地面的高度）；

a——风随高度变化指数，其取值大小按下垫面特征确定。

由于观测设备的原因，20 世纪 70 年代以前，各地风速仅有 1 日 3 次、4 次的定时观测资料，自 20 世纪 70 年代以后，各气象台站才开始陆续使用自计风速仪进行逐时风速观测。在进行风速统计时，观测模式不一致也应进行相应转换，应将风速资料统一换算为标准风速值。

6.2.2 海堤工程设计中，对于风速的分析，不同的规范略有差异。浙江省、广东省的有关规范要求将实测的 16 个风向方位的风速归并为 8 个方位组进行分析；福建省有关规范也要求风速按建筑物受风面分方向选取；《堤防工程设计规范》GB 50286—2013 规定计算风浪的主风向宜在计算堤段处的向岸风的方位角中选定，其允许偏差为±22.5°；《碾压式土石坝设计规范》SL 274—2001 规定风向宜按水域计算点处 8 个方位角确定，其允许偏差为 22.5°。从风推浪的机理来看，采用分方向的风速成果进行海堤工程设计较为合理，它能够较准确地反映某一方向的风在该方向风区长度和水深下所产生的浪高和波浪爬高大小，而且从波浪爬高来看，真正起作用的还是堤的法向风速分量。因此，在进行风速分析时，本规范采用分方向来进行统计分析。为了避免部分站点 16 个方位风向组中某一风向组的年最大风速缺失而影响分析结果，参照浙江省、广东省的有关规范和《碾压式土石坝设计规范》SL 274—2001 的做法，频率计算时将实测的 16 个方位风向的风速归并为 8 个方位组进行分析。

由于海堤设计关注的是设计主风向及其左右 22.5°、45°方位角的设计风速，因此，在计算不同重现期的设计风速时，要求计算设计主风向及其左右 22.5°、45°方位角的设计风速。

6.2.3 根据气候统计理论和世界气象组织（WMO）的规定，气象要素的多年平均（即气候平均值）和概率计算（如重现期设计风速计算）所采用的基础资料年限长度不应少于 30 年。考虑到我国沿海气象站的实际情况，为避免因资料年限不够而影响风的统计分析，本规范规定风的基础资料年限不宜少于 30 年。

6.2.4 对于内陆长期风速观测点，由于观测点距海边有一定距离，其测风环境与海岸边的风况差异较大，因此，在选用内陆长期风速观测资料进行设计风速计算时，应考虑风随离海岸的距离和下垫面特征而变化的影响。

6.2.5 采用短期测风资料进行统计分析时，其观测资料应在 1 年以上，这是气象部门进行风速相关分析时对临时观测资料的最低要求。1 年的测风资料不能满足频率分析要求，需要进行适当的延长订正，可选取附近长期气象站同步观测资料，在满足相关检验的条件下，采用相关比值法，将工程所在地短期测风序列延长订正到规定年限，再进行相关的风速计算。

相关比值法如下：

被订正测点风速 y 与参照观测点风速 x 之间构成以下关系式：

$$\frac{y}{x}=a-bx=k(x) \tag{3}$$

式中：a、b——经验系数。

试验观测分析显示，当 x 达到 4m/s～5m/s 以上时，$k(x)$ 即趋于常数。由于工程设计风速均为大风，所以实际应用时可直接将 $k(x)$ 取为常数 k，即式(3)简化为：$\frac{y}{x}=k$。

考虑到海堤工程设计主要关注大风影响，因此在进行风速相关检验和订正计算时，应主要选取较大风速资料序列。

6.2.6 风速的概率分布曲线随测风环境和天气类型而有所不同，

根据气象部门的实际观测研究，极值Ⅰ型分布曲线可以较好地拟合大风的小概率事件，由此计算的风速也较安全，因而，在此推荐极值Ⅰ型频率分析方法。但是，如果利用现场实测资料，经过专门分析论证，也可以采用其他适合的线型进行设计风速频率分析计算，如一些地区采用皮尔逊-Ⅲ型分布曲线进行风速频率分析。此外，对于各地已发布经审定的风速成果的，设计时可以采用该成果。

6.3 波浪的统计和计算方法

6.3.1 频率分析取样时，应注意各年需使用同一波列累积频率的波浪要素。

目前大多数波浪实测资料为每日4次定时观测，没有晚上的数据。另外在台风等恶劣天气状况下，也可能造成缺测。若根据调查或从天气图分析，最大波浪发生在晚上或者在白天有缺测的情况，则一般可用天气图进行计算，以补充已有的观测数据。

6.3.2 因为目前波向的观测并不是很准确，在选择年最大波高时，可把主波向左右各一个方位22.5°的资料包括在内。另一方面，通常认为在与主波向成22.5°方向上传播的波高值可为主波向上波高值的0.9倍以上。

6.3.3 对于波浪的频率分析，国内有关单位曾用多种频率曲线对沿海13个港口或台站不同方向的资料进行了计算。结果表明皮尔逊-Ⅲ型曲线在大多数情况下均能与经验点配合良好。但这种线型在计算时参数调整存在一定任意性，特别是在出现少数特大值时更为明显。近年来研究设计单位都在探讨采用更为合理的频率线型，根据交通部第一航务工程勘察设计院对我国沿海观测水深在6m～32m、资料年数在20年以上共11个台站测波资料的分析，绝大多数的波高和周期均较好地服从极值Ⅰ型分布。

6.3.4 本条介绍的计算方法只能供参考使用。使用本方法时，要求实测波浪资料中一定要包含有台风大浪或寒潮大风等引起的大浪资料,这样得出的结果才较为准确。

6.3.5 本规范所指的海湾和河口区,是指水域内有岛屿或陆地阻挡,或水域狭窄不规则,形成半封闭且水域波浪以风浪为主的海域。

风浪要素计算方法采用莆田试验站方法。该法在沿海堤防设计中已得到广泛应用,《碾压式土石坝设计规范》SL 274—2001 等也采用该法。近年来,国内一些测波资料(包括浙江 5 个沿海岸站和 4 个沿海岛站、长江口以及一些内陆湖泊、水库等)验证表明,该法符合程度还是比较好的。

按该法计算时,由已知的风速 V、风区长度 F 和水深 d,可按本规范附录 C 式(C.0.4-1)和式(C.0.4-2)确定稳定状态的风浪因素 $\overline{H}$、$\overline{T}$。

本规范所指的开敞式海岸,是指面向大海,以受外海涌浪或混合浪影响为主的海岸线。

工程所在地附近或外海已有的波浪资料是指工程附近的波浪站的实测波浪资料或者外海通过台风浪推算得到的波浪要素。

6.4 波浪浅水变形计算

6.4.1 波浪向近岸浅水区传播,其波高、波长、波向均要发生较大改变,故应进行波浪浅水变形计算。

6.4.6 条文中的图 6.4.6 综合了美国和日本对规则波模型试验的结果。当 $i=1/50$ 时,$(H_b/d_b)_{max}=0.78$,与孤立波的理论结果较接近。

根据大连理工大学对不规则波破碎指标的研究,在不规则波条件下仅为大波破碎,发生破碎的大波的波高 H_b 及其相应的深水波长 L_0 与水深 d 间的关系仍符合规则波时的规律,但不规则波条件下的破碎波高约为规则波破碎波高的 0.88 倍。该结果是在 1/50 底坡的条件下求得的。不规则波时 L_0 取为 $1.17\overline{T}^2$,也是根据不规则波试验结果得出的。

对于海底坡度很缓的水域（$i<1/200$），本条主要根据国外的 Nelson 公式，并对系数稍作调整。

使用本条时，对于坡度 $1/200<i<1/50$ 的海域，比值 H_b/d_b 的最大值可取为 0.69。

6.5 波浪爬高计算

6.5.1 波浪爬高计算应采用不规则波要素为计算条件。计算时应针对不同的计算要求采用不同波高累积频率计算。

波浪爬高计算公式中的波浪要素条件是指海堤堤脚前的波浪要素，一般可取堤脚前约 1/2 波长处的波浪要素作为计算参数。当堤脚前滩涂坡度较陡时，1/2 波长处的波浪特性不能代表堤脚前的波浪特性，其波浪在向海堤堤脚传播时还会产生较大变形，因此，应取靠近海堤堤脚的波浪要素作为爬高的计算参数。

6.5.2 海堤断面结构型式是多种多样的，而波浪爬高的计算公式一般都是针对某一特定断面结构型式。因此，在具体计算时，对海堤的断面结构型式做合理的概化并选用相应的计算方法和计算公式是波浪爬高计算的关键，应给予足够的重视。对采用四脚空心块体、栅栏板等加糙护面结构的斜坡堤，波浪爬高可按本规范第 E.0.1 条确定。

6.5.3 目前比较成熟的波浪爬高计算公式大多数是针对断面几何外形相对较简单的海堤，对于断面型式复杂的海堤，由于影响波浪爬高的因素较多，计算方法还不够成熟，故本条对重要海堤作了宜结合模型试验确定波浪爬高值的规定。

6.5.4 根据经验，堤前滩地种植防浪林可有效地消减波浪爬高，消浪保堤效果较好。因此，对堤前有条件种植防浪林的海堤，可考虑植树消浪。

6.5.5 插砌条石平面加糙率是指条石凸起加糙面积与坡面总面积之比，本条主要是根据河海大学的试验成果制订的。

6.6 越浪量计算

6.6.1 海堤的越浪量是指1m单位宽度海堤上每秒钟波浪翻越海堤的水量，其单位为[$m^3/(s \cdot m)$]。海堤的越浪量以平均波高作为计算基础，相应地，允许越浪量也以平均波高为基础。因此，海堤的越浪量和允许越浪量具有时间平均的概念。

"允许越浪，固堤强坡"的海堤设计理念目前得到了业界的普遍认可，特别是对于建在软弱地基上的海堤或者有景观要求的海堤，在保证安全的前提下按允许越浪设计是合适的；对于其他的海堤，在充分论证安全的基础上，也可按允许越浪设计。按允许部分越浪标准设计的海堤，其堤顶面、内坡及坡脚均应进行防护并按防冲结构要求进行护面设计。护面结构型式应做到安全可靠，并应留有适当的安全裕度。

浙江省目前的1级～3级海堤工程，其堤顶宽度一般大于5m，背海侧采用的是40cm厚干砌石护面，其建设时采用的允许越浪量为$0.05m^3/(s \cdot m)$。

本条提供的海堤允许越浪量是参考日本和荷兰的有关研究成果以及广东省水利水电科学研究院物理模型试验成果并结合我国实际情况制订的。

6.6.2 海堤越浪量与堤前波浪要素、堤前水深、堤身高度、堤身断面形状、护面结构型式以及风场要素等因素有关。本规范附录F给出的海堤越浪量计算公式适合于单一坡度型式的海堤，对于其他断面结构型式的海堤，宜通过模型试验确定。

考虑到海堤越浪量的计算方法和计算公式比较单一且精度有限，难以适应复杂断面结构型式的海堤。从安全和经济的角度考虑，对重要海堤应结合模型试验确定越浪量。特别是当海堤的越浪量成为海堤断面结构设计的控制因素时，应对越浪量进行必要的专题研究。

6.6.3 从目前国内外的研究情况看，海堤允许越浪量的确定和海堤越浪量的计算方法仍然不够准确，为安全起见，本条规定对1级～3级或有重要防护对象的海堤应结合模型试验确定允许越浪量。

6.7 波浪作用力计算

6.7.1、6.7.2 对于陡墙式护面结构海堤和斜坡式采用混凝土板或栅栏板作护面层的海堤，在进行强度或稳定设计时需考虑波浪作用力，本规范附录G给出了几种常用护面型式的波浪力计算方法，供设计人员参考。

附录G中计算波浪作用力的公式均是在单一坡度且海堤不允许越浪的条件下得出的。

6.7.3 从目前国内外的研究情况看，海堤波浪作用力的计算不够成熟，为安全起见，本条规定对1级～3级或有重要防护对象的海堤宜结合模型试验确定波浪作用力。按允许部分越浪设计的海堤，其所受波浪作用力会有所增大，波浪作用力也宜通过模型试验确定。

7 堤线布置与堤型选择

7.1 堤线布置

7.1.1 本条列举了堤线布置中需要考虑的多种主要因素，这些因素在不同的地点对堤线选择有不同的影响，需要综合考虑。

7.1.2 堤线走向宜选取对防浪有利的方向，避开强风暴潮的正面袭击，以减少筑堤难度或对海堤及建筑物破坏。无法避免时，应采取必要的消浪措施。

入海口附近的堤线应考虑入海河道的摆动范围及备用流路，避免影响其管理使用。凹角波能集中，因此堤线的迎浪向不应布置成凹形，如由于地形条件无法避免，凹角宜大于150°。

7.2 堤型选择

7.2.1 本条列举了一些在堤型选择方面需要考虑的主要因素及一般选择原则。各地的具体情况不同，起主导作用的因素也不同。在堤型选择时，应以主导因素为主，兼顾其他因素，并结合本地的实际情况选择。

7.2.2 海堤分类方法较多，本条根据断面外形将海堤分为斜坡式、陡墙式和混合式三种基本型式。这三种断面型式各地使用较多，在设计、施工、管理等方面都有比较丰富的经验。三种海堤基本断面各具特点，设计关注重点是以地基强度、不均匀沉降、波浪消能等为主。对于其他的断面型式，各地可结合实际情况选用。

地质条件较差、堤身相对较高的堤段，海堤断面宜采用斜坡式。斜坡式海堤临、背海侧边坡坡度较缓，堤身由土堤和护面组成，边坡护面砌体依附于堤身土体。堤基与地基接触面积大，地基应力较均匀，沉降差较小。对地基土层承载力的要求不高，适合于软土地基。临海侧坡面有充足的地方布设消浪设施，能消散部分波浪能量。护面结构及堤身施工技术简单，维修容易。但为满足堤身安全稳定，堤基占地面积较大，堤身填筑材料需求较多。当临海侧坡度较缓时，计算的波浪爬高值较大，相应堤身较高。其设计关注重点为堤基不均匀沉降变形、护面结构与堤身土体的整体结合强度和护面结构的整体稳定及抗波浪压力的能力。

地基条件较好、滩面较高的堤段，或虽有软弱土层存在，但经地基加固处理后在经济上合理的堤段，海堤断面可选择陡墙式。陡墙式海堤断面临海边坡坡度陡直或直立，堤身由重力式防护外墙及墙后土堤所组成，堤基与地基接触面积小，地基应力较集中。波浪爬高值小于斜坡式。堤顶防浪墙结合外墙体易建成反弧形式，能有效地阻止或削弱波浪翻越堤顶。堤身断面较小，工程量相对较小。因重力式防护外墙与墙后填料的材料性质不同，容易引起墙与墙后填料的沉降差增大，产生不利的后果。由于临海边坡坡度陡直或直立，波浪作用力较大，波浪上壅回落易产生墙角淘刷，需要有保护措施。其设计关注重点为墙与墙后填料的稳定、两者之间的不均匀沉降变形及波浪上壅回落引起的墙角淘刷等。堤基对地基土层承载力的要求高于斜坡式海堤。采用斜坡式海堤还是堤基处理后采用陡墙式海堤，应进行经济比较。

地质条件较差、水深大、受风浪影响较大的堤段，海堤断面宜选择混合式。混合式海堤临海侧边坡为变坡比结构，是斜坡式与陡墙式的结合型式。若断面组合得当，兼有两者的优点。带平台的复式断面，设置平台可起到削减波浪爬高及稳定堤基的作用，宜合理布置平台面的高程及平台的宽度。对重要的海堤，其削浪平台的高程及平台的尺寸，应经试验确定。设计关注重点为平台面与后墙的转折处承受波浪冲击的能力及波浪对平台的淘刷。

7.2.3 同一堤线中，根据各堤段具体情况，可采用不同的断面型式。但不同的断面型式的接合部易于出现质量问题，因此需重视结合部位的衔接处理。

8 堤身设计

8.1 一般规定

8.1.1 海堤堤线长，堤身设计要根据不同的波浪条件、地形地质、筑堤材料和堤顶高程，分段对可选择堤身断面进行方案比较。防护标准不同，堤顶高程就不同，设计要求的堤身断面也不同，对这一类的不同，应做好不同断面的衔接。

8.1.2 改建的海堤一般是原堤设计标准不够或遭损毁，需要加高、培厚。无论是临海侧还是背海侧，均需实施工程措施，故设计时应按新堤设计，本条指的协调主要指与相邻堤段的结构型式应相互协调。

8.1.3 现代设计理念应体现人性化，即建筑通过环境作为媒体，使人能自然地同建筑融洽相处。所以对于保护城市(镇)的海堤，应结合市政规划，在堤身上设置亲水平台、栏杆、公园椅、花坛、草地等，注重生态保护和环境美化。

8.1.4 安全可靠是堤身结构能抗御潮(洪)、台风的前提条件，便于管理是堤身结构保持正常应用的必需条件，要处理好两者的关系，体现在选用材料要充分利用当地材料，施工维修要方便，保证用地与安全的统一。

8.1.5 堤身设计除包括常规设计内容如：筑堤材料及填筑标准、堤顶高程、堤身断面、护面结构、消浪措施、岸滩防护等方面外，应根据海堤所处的位置，结合周围环境有针对性地重点考虑生态和景观要求。

8.1.6 有抗震要求的海堤，要求符合现行行业标准《水工建筑物抗震设计规范》SL 203 的主要宗旨是强调在结构设计时考虑必要的结构构造措施以及堤身填料的抗液化要求。

8.2 筑堤材料及填筑标准

8.2.1 受土料来源及技术经济限制，海堤很难大量地采用优质山土。当地材料，如淤泥、海边滩地丰富的粉细砂、近岸开山所形成的无级配石渣（开山石）成了海堤堤身填料的主流材料，本规范并不限制其使用，应因地制宜地选用堤身材料。

8.2.2 采用淤泥、淤泥质土作为堤身材料是为了充分利用当地材料，这类土属于相对不透水材料，防渗性能好、黏性大、水下不易流失。但其抗剪强度低、固结时间长，填筑时宜与砂混合抛投或分层抛投（层砂层土），以提高土料的抗剪强度并加速固结。分层厚度一般取 0.2m～0.5m，并应留足培土间歇时间，一般下层填筑完间隔一定时间后再填上一层。

近年来施工设备不断更新，满足大断面施工能力的机械大量地应用于海堤的施工中，应综合考虑填筑材料、施工方法和地基稳定各因素，以多年平均潮位为界，分水上、水下部分，合理确定分层厚度。

采用淤泥及淤泥质土类堤身材料时，本规范要求论证堤身整体稳定保证措施。

8.2.3 对于粉细砂及石渣类堤身材料，前者不具备防渗性能，后者级配差，相对孔隙率大，本规范均要求提出堤身渗透稳定的保证措施。

粒径大于 0.075mm 的颗粒其含量在 50%～75%间的砂称为粉细砂，俗称牛皮砂。粉细砂在干燥状态下是一种松散体，基本无黏聚力。在干燥状态下很难压实，碾压后仍然处于松散状态。但其在注入水后砂体本体强度明显提升，且稳定性很好，水密后及时带水碾压，可碾压至无明显压痕，进行压实度等技术指标检测。在填筑之前应对堤基顶面铺筑 50cm 厚的黏性土隔离封闭层，待该层土体成型板结有一定强度后，在该土顶面铺筑一层 50cm 厚粉细砂并贯通整个施工断面，以利于粉细砂在水密后及碾压成型后内部水体的自然排出。在粉细砂及其底部 50cm 黏性土的高度范围内采用浆砌石进行防护处理，防止堤基边部粉细砂的流失，保证堤坡包边黏性土的施工质量和施工安全。典型粉细砂料填筑断面示意如图 1 所示。

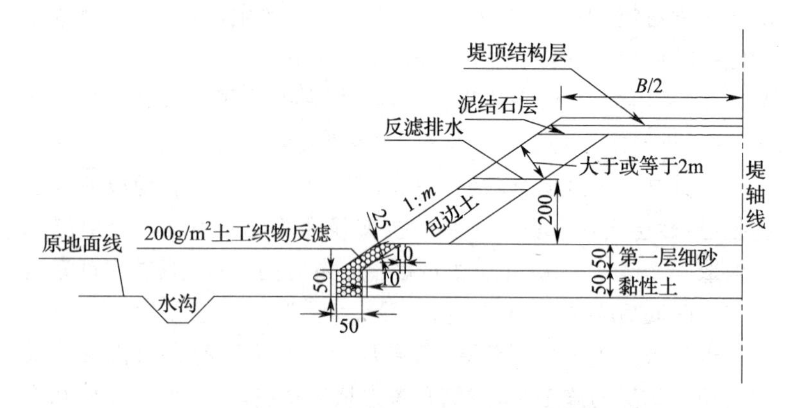

图 1　粉细砂料填筑断面示意图(制图单位:cm)

石渣的定义对于不同的行业叫法各异，对于土石方工程而言，认为石料场开采后，相对成材的石料而言，无商业价值用途的石料均统称为石渣的定义比较贴切。近年来优质黏土资源日益缺乏，沿海各省份采用石渣作为海堤堤身填料的工程实例较多，工程实施时均要在海堤的临海侧堤坡设置防渗(闭气)措施，可以采用类似图 1 的处理方法作为石渣堤身填料的堤身渗透稳定的保证措施。

8.2.4　堤身土料填筑前，应通过天然建筑材料调查取原状土进行试验。土的指标在条文规定的范围时，压实度容易得到满足，填筑质量好。

黏性土堤填筑的含水量指标，应考虑填筑料的天然含水量、施工季节等条件，尽量接近最优含水量。

本条款的要求同现行国家标准《堤防工程设计规范》GB 50286。

8.2.5 石渣作为堤身填料是近年围海造地的常用材料，控制空隙率在适当范围内，有利于防止过大的沉陷和湿陷裂缝。一般规定其压实空隙率为 23%～28%左右(压实平均干表观密度为 $2.04t/m^3$～$2.24t/m^3$)以及相应的碾压参数。

控制孔隙率的指标是通过现场对石渣的碾压施工参数来实现的。施工初期，填筑标准应通过碾压试验复核和修正，确定相应的碾压施工参数。施工过程中，应控制填筑料的级配范围，采用碾压参数(碾重、行车速率、铺料厚度、加水量、碾压遍数)和孔隙率作为施工控制标准。对于不同料场筑堤料，均需要进行碾压试验，适时调整孔隙率。

该类材料填筑的堤身，应采取防渗措施，经济的方式通常为在临海侧填筑黏土斜墙，高程要满足本规范第 8.4.10 条的规定。

8.2.6 为提高充砂管袋、砂肋软体排施工速度，加速管袋内粉、细砂固结，通过控制材料的黏粒含量，使排水迅速。含泥量指标主要根据管袋充填料的颗粒级配的不同，分析确定。通常粒径粗的填料，含泥量可稍大，粒径细的填料，含泥量应小。

该类材料填筑的堤身，应采取防渗措施，经济的方式通常为在临海测填筑黏土斜墙，高程要满足本规范第 8.4.10 条的规定。

于 2005 年 8 月竣工的上海化学工业区圈围工程，在上海金山漕泾至奉贤柘林杭州湾北岸滩涂上，圈围面积 $13km^2$，围堤总长 13km。工程针对长江口杭州湾的自然条件，因地制宜，大规模采用水力吹填管袋筑堤并采用该工艺堵口合龙大堤结构，主堤与堤前顺坝有机结合，实现消浪、降低堤顶高程、保滩护脚、生态湿地多功能一体化布局，体现了最佳的经济性和可实施性。

8.2.7 本条参考现行行业标准《滩海斜坡式砂石人工岛结构设计与施工技术规范》SY/T 4097 的有关条文，对海堤结构砌筑石料的强度进行规定，以保证结构的整体强度。

8.2.8 近年来部分省(自治区、直辖市)有的海堤已采用海砂作为混凝土骨料，参考现行行业标准《海港工程混凝土结构防腐蚀技术规范》JTJ 275 的有关条文，其中明确：当受条件限制不得不采用海砂时，规定钢筋混凝土内氯离子的含量不大于水泥质量的 0.07%，鉴于海堤工程堤线长，氯离子含量的现场控制难度大，容易失控，本规范限制海砂用作钢筋混凝土骨料，而要求海砂作为素混凝土细骨料的工程应做专题论证。

8.2.9 本条对素混凝土和钢筋混凝土强度（等级）的要求与现行行业标准《水工钢筋混凝土结构设计规范》SL 191 的要求基本一致。抗侵蚀混凝土一般通过混凝土成品料中外掺矿粉或混凝土表面涂抹抗侵蚀层形成。外掺矿粉的抗侵蚀混凝土施工时要严格控制水灰比，防止开裂。

8.2.10 本规范所指的黏性土不包括淤泥及淤泥质土。黏性土填筑设计压实度定义为：

$$P_{ds}=\frac{\rho_{ds}}{\rho_{d\cdot max}} \tag{4}$$

式中：P_{ds}——设计压实度；

ρ_{ds}——设计压实干密度（g/cm^3）；

$\rho_{d\cdot max}$——标准击实试验最大干密度（g/m^3）。

标准击实试验按现行国家标准《土工试验方法标准》GB/T 50123中规定的轻型击实试验方法进行，相当于国际上采用的普氏标准击实试验。

现行行业标准《碾压式土石坝设计规范》SL 274 中规定，对黏性土的填筑压实度标准：1 级、2 级坝和高坝的压实度应为 98%～100%；3 级中、低坝及 3 级以下的中坝压实度应为 96%～98%。该规范对砂砾料的相对密度要求不低于 0.75，砂的相对密度要求不低于 0.7。

在我国，大量堤防工程是采用压实法填筑的。考虑到我国各地的实际施工条件和经验，针对各级堤防的重要性，本规范对黏性土筑堤的压实度作出了适当的规定。

8.2.11 相对密度试验按现行国家标准《土工试验方法标准》GB/T 50123 中规定的方法进行。

采用砂作为堤身材料的堤段，一般先在堤身内外两侧用冲灌袋叠加成型，堤身内部采用机械吹砂冲积而成，此种施工方法的特点为机械化施工程度高。砂质堤的填筑质量由砂料密实度控制，一般砂料填筑相对密度不小于 0.65 时，填料的相应密实度已在中密至密实之间。

该类材料填筑的堤身应采取防渗措施，经济的方式通常为在临海侧填筑黏土斜墙，高程要满足本规范第 8.4.10 条的规定。

8.2.12 溃口复堵、港汊堵口、水中筑堤、软弱地基上的土堤及冻土填筑的土堤，其设计、施工具有地方特色，故强调参照类似已建工程，进行分析后决定填筑密度。

8.2.13 本条所指水中填筑和无法碾压的海堤主要指海堤堤基位于海滩淤泥层上，淤泥层较厚，而且厚度变化大，物理力学性质指标低，用常规的施工方法不能达到成堤目的的一类堤。

筑堤常用的方法有：吹填土工管袋、抛石挤淤、水下爆炸挤淤等。

土工管袋筑堤技术是采用聚丙烯、聚乙烯土工布缝制成袋体，再用泥浆泵将泥浆充入袋体自然固结排水成堤。适用于地基承载力较高的中高滩部位，并要求冲填土体有较好的渗透性，易于排水固结。通常的筑堤方式是在堤身背海侧和临海侧充填土工管袋棱体，形成挡水体，再进行堤身土的吹填、施工。充泥管袋布选用土工布，经纬密度为 14×16 或 14×14，质量大于 $100g/m^2$。管袋的保沙率取决于袋布的有效孔径 O_{95}，应当满足 $O_{95} \leqslant d_{85}$。袋布自身渗透系数应大于冲填土料的渗透系数。管袋最佳的长宽比 $L/B=2.1\sim3.2$。为保证袋体的稳定性，一般在袋位两侧预先打设毛竹桩，竹桩间用横档、铅丝互相连接拉紧，在桩间铺设土工袋，再行灌泥冲填。管袋充填度控制在适宜的水平上，充填袋分层放置，上下层错缝堆叠，排列有序，每层袋体厚度控制在 0.4m～

0.5m，如果一次充填达不到理想厚度，可采用二次充填，但每层必须在一次潮汐过程中完成，并且上部充填必须在下部袋子滤水完毕后进行。充填袋体充填完毕后应及时做好保护，保护采用铺设反滤布、压袋装碎石或块石，防止袋体破损导致砂土流失。充填管袋固结后容重需达到 16.0kN/m^3。

抛石挤淤法就是通过向流塑状的高灵敏度的淤泥表面大量集中抛填石料，依靠填筑体的自重，挤开淤泥，然后在抛填石上利用强夯的动力特性使其密实并进一步挤淤，最终提高地基强度，降低压缩系数，达到工程需要的一种强制置换饱和软土地基的地基处理法。该法一般适用于厚为 3m～4m 的软土层以及表层无硬壳、软土的液性指数大、层厚较薄、石填料能沉达下卧硬层的情况。施工时，抛石顺序应自堤轴线中部开始，然后逐次向两旁展开，使淤泥向两侧挤出。当抛入的石填料露出水面后，用碾压设备压实，然后在其上铺设反滤层再行填土。当下卧岩层面具有明显的横向坡度时，抛石应从下卧层高的一侧向低的一侧扩展，并且在低的一侧适当高度范围内多抛填一些，以增加其稳定性。为了达到挤淤效果，在推填挤淤时一次填石厚度要足够大。推填挤淤时应按顺序依次回填，推填的边界要尽量平顺，不要死角，以减少淤泥滑动的阻力。

对于 5m 以上的深厚淤泥或淤泥质土层，则必须辅以爆破或强夯等措施，才可使填筑体下沉到下层较硬的持力层。对于 10m 以上的深厚淤泥或淤泥质土，即使采用强夯等措施也很难使填筑体下沉到下层坚硬的持力层上。此时就必须采用水下爆破挤淤处理地基。该法基本原理是在软基一定位置的淤泥内埋置药包，药包爆炸将淤泥向四周挤出并向上抛掷形成爆坑，抛石体在爆炸空腔负压和重力作用下定向滑移落入爆坑，瞬时实现泥石置换。同时，药包爆炸产生的冲击波和振动还使爆源附近一定范围内的淤泥受到强烈扰动，物理力学性能参数急剧下降，承载能力迅速减弱至几乎完全失去，抛石体在自重作用下进一步滑移或下沉，使抛填块石填补到爆坑中，因此它是一种置换法，即将淤泥置换成块石、泥、砂的混合体。通过优化设计爆破参数，置换淤泥最大厚度可达38m。爆破挤淤时要合理确定爆破参数：如炸药量计算、药包埋深、药包间距、群药包布药宽度。爆破挤淤施工过程为：用汽车与推土机抛填石料达到爆炸处理的堤顶高程和拟抛填断面宽度。在堤头抛填体前方"泥-石"交界面一定距离处，利用装药机械按设计位置将群药包埋于淤泥中，后引爆炸药，堤头抛石体向前方滑移跨落，形成"爆炸石舌"。随后进行下一循环抛填，此时由于淤泥被强烈扰动后，强度大大降低，可出现多次"抛填一定向滑移下沉"循环。当抛填达到设计断面时，进行下一循环装药放炮。以后的过程就是"抛填—装药—引爆"的重复循环，一次循环进尺为5m～7m，依淤泥性质和现场试验而定。在抛石堤进尺达到50m以上时，进行两侧埋药爆炸处理。经两侧爆炸处理后，堤宽达到设计宽度，两侧抛石堤落底宽度增加，达到设计断面，并基本落底于下卧持力层上，日趋稳定。挤淤后应进行质量检查。一般常用的方法有如下：

(1)体积平衡法：一般在施工期采用，适用于具备抛填计算条件，抛填石料流失量较小的工程。根据实测方量及断面测量资料推算置换范围及深度。

(2)钻孔探测法：适用于一般性工程。在抛石堤横断面上布置钻孔，断面间距宜100m～500m，不少于3个断面；每断面布置钻孔1个～3个，全断面布置3个钻孔的断面数不少于总断面的一半。钻孔应揭示抛填体厚度、混合层厚度，并深入下卧层不少于2m。

(3)物探法：适用于一般性工程，与钻孔探测法配合使用。

水下爆破挤淤处理地基应进行爆破安全监测和安全距离设置，在重要建(构)筑物附近进行爆破时，必须进行爆破震动监测。要计算出不同药量情况下，不同安全允许振速的安全允许距离。

8.3 堤顶高程

8.3.1 堤顶高程是指海堤沉降稳定后的堤顶高程。沉降稳定，应从理论计算和原型观测两个方面来理解。理论计算认为，固结度大于70%的土体，固结引起的沉降大部分已基本完成。根据工程经验，当堤身土体填筑后观测沉降量小于8mm/月时，一般认为沉降也已基本稳定。堤顶高程应在对潮（洪）水位和波浪资料以及海堤沉降量等进行计算分析的基础上确定。因为海堤堤线长，自然条件、堤的走向变化复杂，按公式计算堤顶高程时，各堤段的计算成果变幅大，直接使用困难。因此，可采用按堤的等级、波浪强度、材料及堤段特性，分段定出一个超高值，作为设计值。

8.3.2 按允许部分越浪设计的海堤，当计算越浪量超过表6.6.1所规定的允许值时，应通过加高堤身或者采用设置平台、人工消浪块体、消浪堤和防浪林等措施减小越浪量，满足不超过允许越浪量的要求。

当海堤的计算越浪量超过海堤允许越浪量时，必须进行调整。一般有两种调整方法。一是通过加高堤身减少越浪量；二是通过对堤顶、背海侧坡面加强防冲防护以提高海堤允许越浪量。当海堤堤前波浪较大，通过这两种方法均难以满足要求时，也可采用人工消浪措施减小海堤堤前波浪，控制越浪量。

8.3.3 考虑到波浪的冲击力较大及对堤顶防浪墙可能造成的破坏，为充分保证咸潮在设计条件下不直接漫入海堤的防护区，规定不计防浪墙的堤顶面应达到一定的高程是必要的。当波浪较大时，堤顶面超过设计高潮位的高度由$0.5H_{1\%}$控制。

8.3.4 我国沿海城市的沿海堤防一般都有景观要求，为协调城市的总体规划要求，本条放松了对城市景观要求高的海堤堤顶高程的限制，主要是考虑景观区对周围环境及周边高程协调的影响大，而且一般城区堤身结构比较坚固、排水系统较完善，即使部分高程要求低于2m，仍不至造成较大的灾害。

根据浙江省水利厅提供的统计数据：浙东 383 条 824 公里 20 年一遇的海塘中，有 165 条 385 公里海塘的防浪墙与设计潮位间高程差小于 2.0m，其中 55 条 133 公里小于 1.5m，而且上述海堤已安全运行数十年。

8.3.5 能够执行本条的城市海堤，实际上海堤与城市道路已融为一体，并且纳入城市整体规划，其使用功能既要满足城区交通需要，又必须达到抵御风暴潮的袭击的要求。这类海堤堤、路没有明显的界限。不同级别的路、堤设计洪水频率差别见表 3。

表 3 设计洪水频率及工程级别对比表

对比项目	标准	档次					
防潮(洪)标准[重现期(年)]	本规范	≥100	—	100～50	50～30	30～20	＜20
	《公路线路设计规范》JTG D20—2006	100	100	—	50	25	具体情况定
工程的级别	本规范	1	1	2	3	4	5
	《公路线路设计规范》JTG D20—2006	高速公路	一级公路	—	二级公路	三级公路	四级公路

由表 3 可知，高速公路、一级公路的设计洪水标准、级别，两部规范基本一致，二级公路对应 3 级海堤，三级公路对应 4 级海堤，四级公路对应 5 级海堤。遇到路、堤结合时，应遵循偏安全的原则，选择公路和海堤要求中较高级别的标准设计。

根据上述原则设计，堤(路)基高程、压实度、整体稳定、排水设计等方面的要求可以满足其作为海堤使用所需要的堤身自身安全及排水要求，又可满足交通需求。

本条仅对越浪量要求放松，前提条件是道路排水系统已经考虑了计算出的越浪量进入城区排水系统之中。

现行行业标准《海港总平面设计规范》TJT 211 的相关条文规

定,码头的前沿高程分有掩护的和开敞式计的两种情况计算,一般不考虑上部结构直接承受波浪力的作用,所以要求较高,本条规定既保证了海堤的高程要求,又与不同行业的要求能协调。

8.3.6 海堤竣工后还会发生固结沉降,为保证设计高程,在设计时需预留沉降量。沉降量包括堤身沉降量和堤基沉降量,根据经验,一般压实较好的海堤,堤身沉降量约为堤高的3%~5%,一般在筑堤竣工验收后5年~10年沉降基本完成。

对于堤身较高、建筑在软基之上、无法压实或压实较差的土堤,沉降过程较长且沉降量较大,故对这些条件下的海堤要求按本规范有关规定计算沉降量。

根据沿海软基上修筑海堤的经验,困惑业主、设计、监理、施工各方的问题主要集中在施工期沉降量、工后沉降量如何界定。一般认为,沉降量是指在剔除软土地基浮泥层后的地层上,由于设计的结构断面荷载作用引起的海堤堤顶高程发生的垂直变位。要求工程测量时,堤线的纵断面测量应采取人工触探,测杆人力不能下沉的深度才可认定为浮泥层底面,并在纵断面图上标出浮泥层底线。在设计图纸上应明确施工期的预留沉降量和工后沉降量,设计图轮廓尺寸标注的应该是考虑了施工期预留沉降量和工后沉降量的最终断面。完工验收时,堤顶高程高于设计图高程加工后沉降量的高程时,应该认定施工满足设计堤顶高程要求,这样才可以理顺各家关系。

海堤建成后短期内是不可能加高培厚的,因此,工后沉降量的计算时间应以10年来要求。

对于存在区域地面沉降及外海海平面升高的地区,堤顶高程应考虑10年间地面的沉降总量。该类问题在上海市比较突出,沉降计算时应考虑区域性地面沉降量。

设计考虑的堤沉降系数应在沉降分析的基础上,参考邻近类似已建工程的同类参数确定。近年来,浙江省陆续完工了一些软基上的围海工程,沉降系数较大,有的堤段据称达到72%~80%。

8.4 堤 身 断 面

8.4.1 断面设计，先初选断面型式，参照已建类似工程经验，拟定边坡，根据波浪要素及海堤等级，确定堤顶高程，经过稳定计算，反复调整尺寸，最终确定合理的断面。

1 斜坡式断面海堤可用于任何地基上，且施工比较简单，易于设置各种消浪措施，是较经济的堤型。但当堤身较高时，堤身材料用量大，导致投资加大。

稳定计算，应考虑护坡材料的作用。典型的斜坡式断面堤如图2所示。断面高度大于6m时，背海侧坡宜设置马道，可增加断面的稳定性。风浪作用强烈的堤段，设置消浪平台对消浪有利，波浪经消浪平台后，爬高衰减迅速，减轻了堤顶防浪的压力，也是越浪设计的一项有效措施。由浙江省水利厅提供的经验表明：根据港工经验，消浪平台高程在设计潮（水）位上下0.5倍设计波高均有较好的消浪效果。从方便施工进度的角度出发，消浪平台宽度建议不小于5m。设计波高采取的波列累积频率按本规范表6.1.2的相应内容选取。

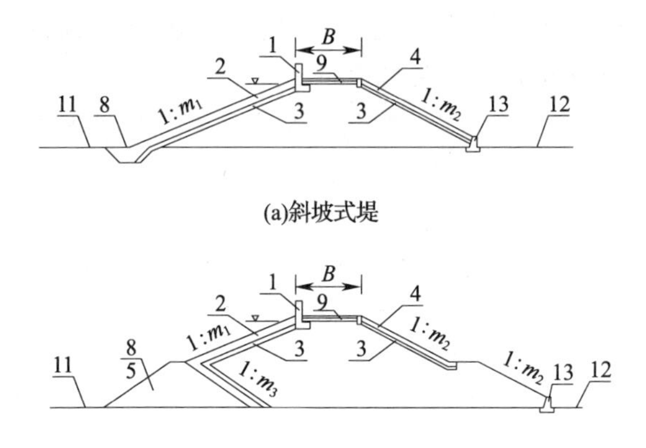

(a)斜坡式堤

(b)有堆石棱体及马道的斜坡式堤

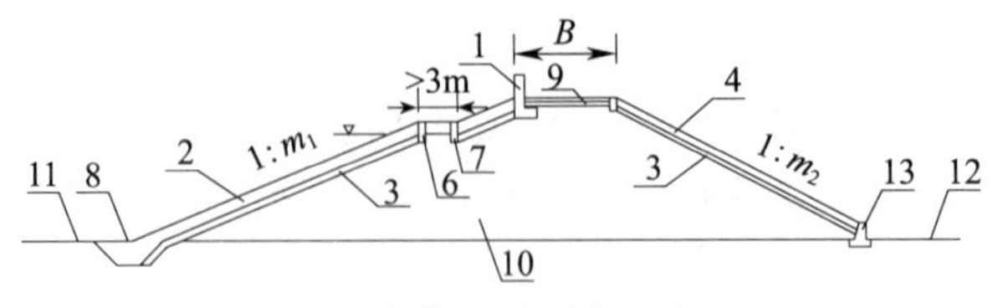

(c)有消浪平台的斜坡堤

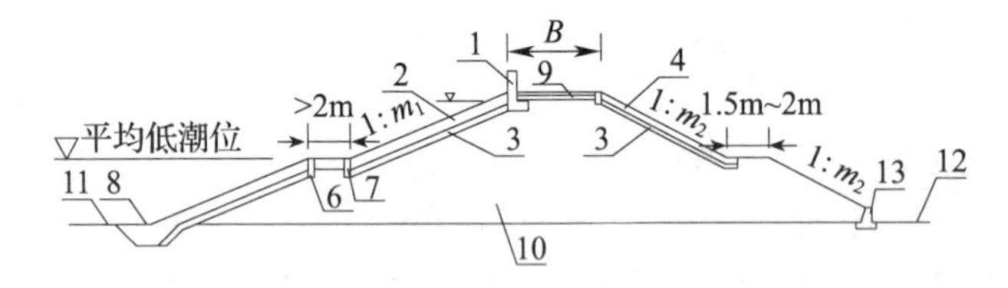

(d)在平均低潮位处设置平台的斜坡式堤

图 2　斜坡式断面堤

1—防浪墙；2—临海侧护坡；3—反滤；4—背海侧护坡；

5—棱体；6—平台外转角；7—平台内转角；8—护脚；

9—堤顶；10—填土；11—前滩；12—后滩；13—矮挡墙

广东省东莞市根据多年海堤建设积累的实践经验，探索出一种当地通用的堤型。就是不论堤身高矮，均在临海侧设置宽度不超过 2m 的消浪平台，如沙田镇海堤、麻涌镇华阳岛防护堤(珠江河口)、沙角 A 电厂煤码头防护堤等。

2　陡墙式断面海堤，可解决临海侧水位不断变动引起的前坡失稳问题，减少工程用地。但波浪遇陡墙时几乎全部反射，引起海堤附近波高加大，当堤前水深小于波浪的破碎水深时，波浪将破碎，对海堤产生很大的动水压力。这些有利和不利的因素，并不妨碍其作为海堤设计最普遍的一种断面型式。砌筑质量好的墙体，可以经受各种风浪的袭击而不损坏。也有工程采用悬臂式、扶壁式挡潮的陡墙式断面堤。典型陡墙式断面堤如图 3 所示。

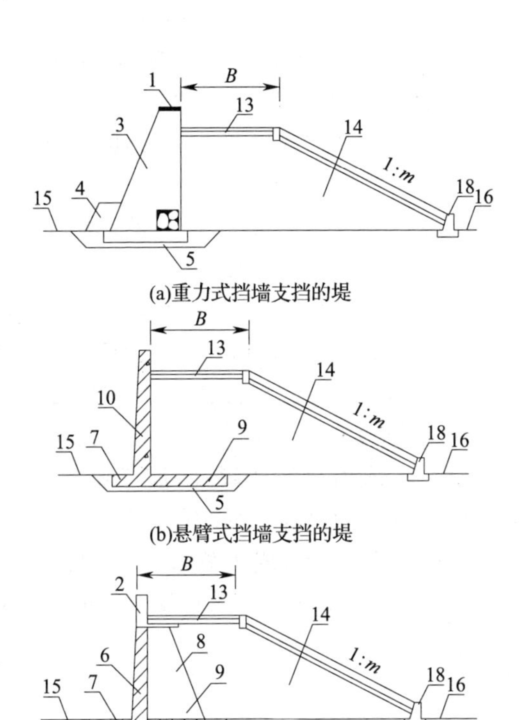

(a)重力式挡墙支挡的堤

(b)悬臂式挡墙支挡的堤

(c)扶壁式挡墙支挡的堤

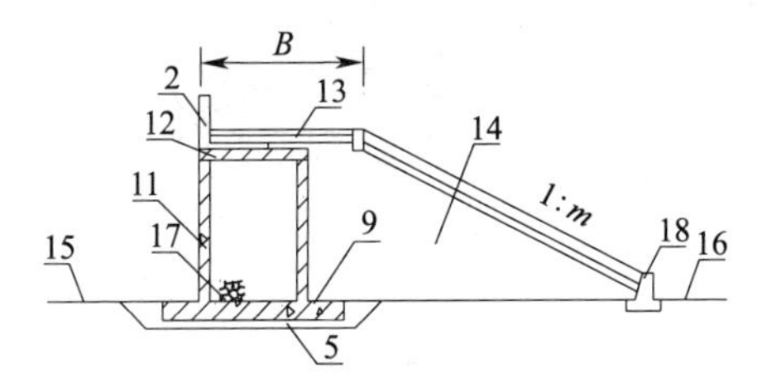

(d)空箱式挡墙支挡的堤

图 3　陡墙式断面堤

1—压顶；2—防浪墙；3—墙身；4—护底；5—基床；
6—立板；7—趾板；8—扶壁；9—底板；10—悬臂；11—外壁；
12—顶板；13—堤顶；14—填土；15—前滩；16—后滩；17—抛石；18—矮挡墙

波浪遇陡墙时几乎全部反射，引起海堤附近波高加大，当堤前水深小于波浪的破碎水深时，波浪将破碎，产生的动水压力对堤基的影响大，往复的作用力将导致墙基冲刷，这时，护脚措施尤为重要。

3 根据断面的现状及加固要求，将斜坡式堤和陡墙式堤的不同断面型式予以组合，形成混合式断面堤，它综合了两者的优点，并可根据实际地形，优化组合，也是分阶段多次加固形成的堤身断面最普遍的一种堤身断面型式。它既有较好的消浪性能，又能较好地适应各种地基变形的需要，堤身、堤基整体稳定性好。对原有斜坡式堤断面，可在不改变原有临海侧护坡的前提下，加高培厚背海侧坡，堤脚后移，成为斜坡式堤-斜坡式堤。为减少背海侧坡坡脚后移占地，可在原临海侧护坡面上增设消浪平台，并用陡墙式挡墙支挡二阶堤身土体，成为斜坡式堤-陡墙式堤断面型式。对原有陡墙断面，可在不改变原有陡墙的前提下，墙顶增设二阶斜坡或陡墙，这样即组合成了陡墙式堤-斜坡式堤、陡墙式堤-陡墙式堤。

典型混合式断面堤如图4所示。

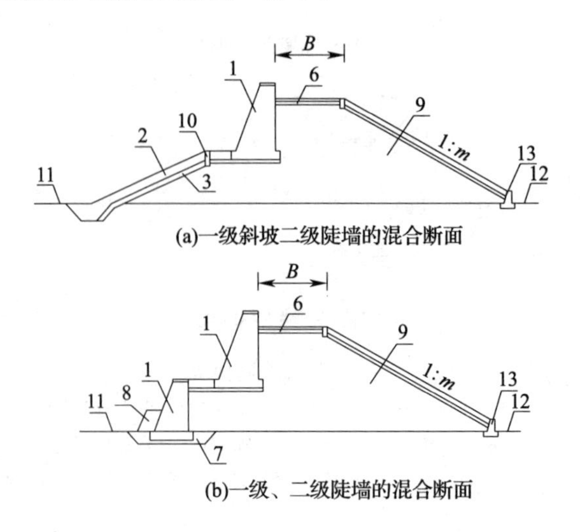

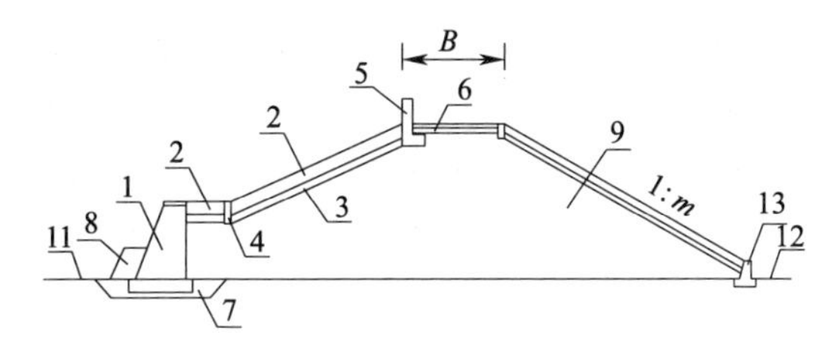

(c)一级陡墙、二级斜坡的混合断面

图 4　混合式断面堤

1—陡墙；2—临海侧护坡；3—反滤；4—平台内转角；5—防浪墙；6—堤顶；7—基床；8—护脚；9—填土；10—平台外转角；11—前滩；12—后滩；13—矮挡墙

8.4.2 堤顶的宽度主要由稳定和管理要求决定。路堤结合的海堤宽度应按公路设计要求确定，因为不同等级的公路，车流量、荷载等级及满足通车、会车的要求也不同。考虑越浪冲刷和适当的裕度，采用较宽的堤顶较为有利。

堤顶宽度主要要满足结构稳定和交通要求，在满足堤身稳定的前提下，对堤后有专门交通道路的堤，堤顶宽度可不受此限制。

3 级～5 级的海堤中，3 级海堤的重要性应与 4 级、5 级海堤有所区别，考虑车辆交汇等因素，堤顶宽度宜适当加宽。

近年来，在满足堤身稳定的前提下，上海地区兴建了一些级别高但宽度为 5m 的堤，建成后运行情况良好。

本条堤顶宽度要求与堤防设计规范的相应条款相比有所放松，主要考虑海堤一般建在软土地基上，由于结构及地基承载力要求，堤身断面要轻巧，护面强度要高。故不宜对堤顶宽度限制过死，以满足稳定要求为最终标准。

有关堤顶宽度的技术要求同相关规范的对比列入表 4 中。

表 4　堤顶宽度对比表(m)

堤防工程的级别	1	2	3	4、5
本规范	≥5	≥4	≥3	
《滩涂治理工程技术规范》SL 389	≥7.5	≥5.5	≥4.5	≥3.5
《堤防工程设计规范》GB 50286	≥8	≥6	≥3	

8.4.3 堤顶结构主要包括防浪墙、堤顶路面、错车道、上堤路、人行道口五大部分。

1 防浪墙一般位于堤顶外侧，必要时也可在堤顶外侧稍后位置或在堤顶内侧设置，但需经过论证。防浪墙的基本型式有重力式和悬臂式，由于陡墙式挡墙对消波不利，波浪遇墙破碎后，水体沿墙面上爬形成水柱（或水舌），因此，防浪墙面有时做成反弧面，以减小波浪反射，使冲击水流回转。反弧曲率半径应经分析后选定，且结构应可靠。防浪墙底部埋深应大于 0.5m，并应进行稳定计算。当底部埋深大于 1m 时，可考虑静止土压力的作用。常用的防浪墙代表性断面如图 5 所示。

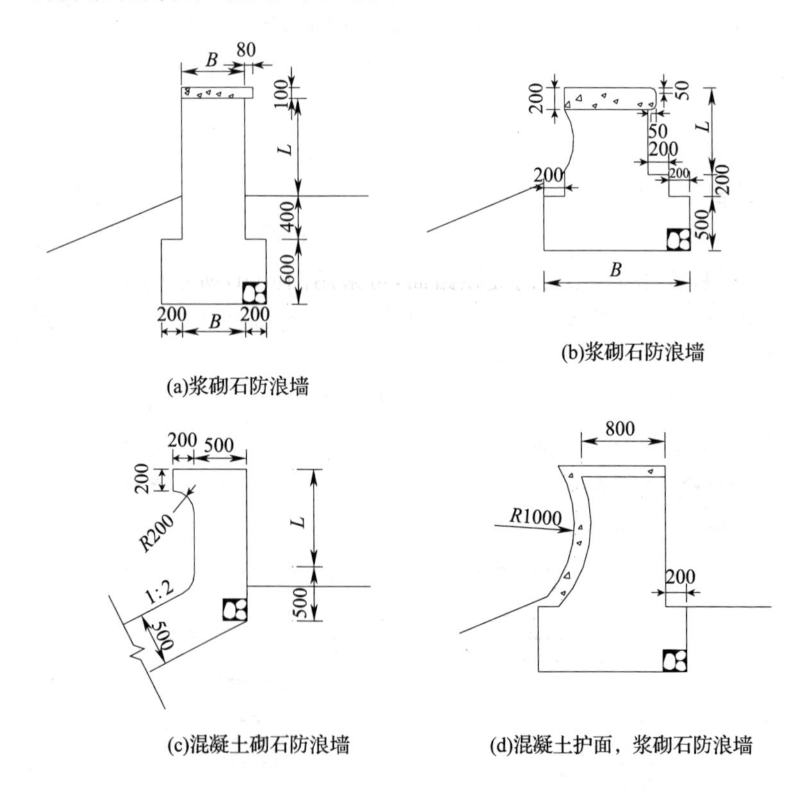

(a)浆砌石防浪墙

(b)浆砌石防浪墙

(c)混凝土砌石防浪墙

(d)混凝土护面，浆砌石防浪墙

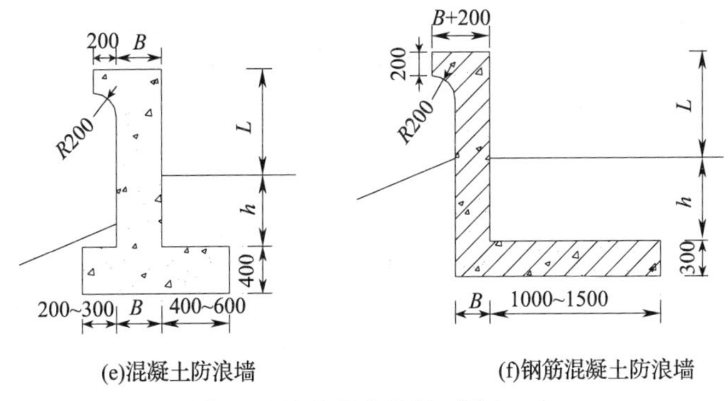

(e)混凝土防浪墙　　(f)钢筋混凝土防浪墙

图 5　防浪墙代表性断面图(mm)

根据上海市的经验,采用深弧型和引导式反浪墙结构型式作为防浪墙,堤顶高程可降低 0.5m 以上。

防浪墙高度宜高于堤顶 0.8m～1m,不宜超过 1.2m,可采用浆砌石、混凝土结构,如果采用浆砌石砌筑,墙体宽度一般为 0.6m～1m。

2　堤顶路面应能满足防潮管理的要求,根据不同的护面材料,设置排水路拱,防止积水。一般堤顶路面可采用图 6(a)～图 6(c)的路面结构。路堤结合的堤顶路面,可采用图 6(d)所示的路面结构。路表面横向做成直线形路拱,以利迅速排除路表积水。

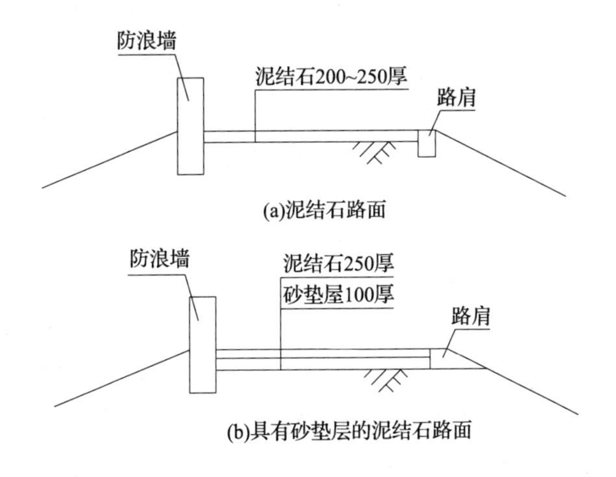

(a)泥结石路面

(b)具有砂垫层的泥结石路面

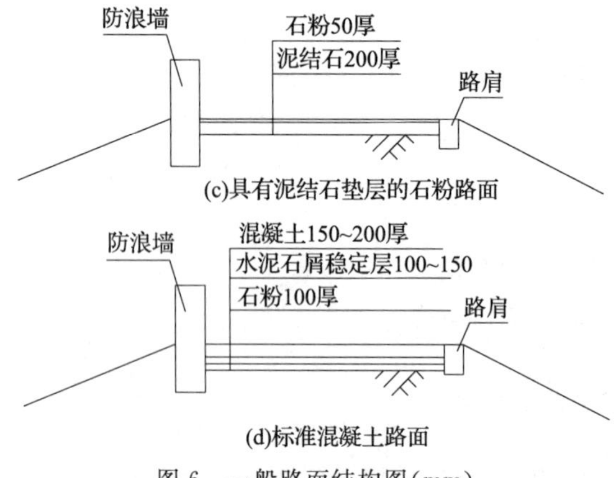

图 6　一般路面结构图(mm)

3　错车道一般用在级别比较低的堤线上,应根据周围环境与上堤路的设置兼顾考虑,有上堤路的堤段可取消错车道的设置。

错车道的布置如图 7 所示。

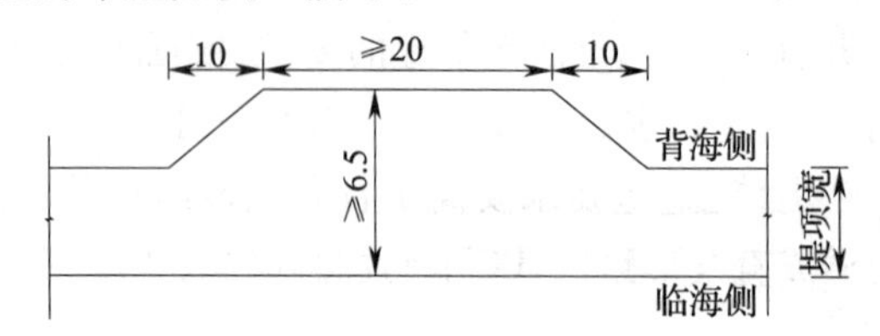

图 7　错车道平面布置图(m)

4　堤顶防浪墙上开口一般有两类用途,即通车或行人。开口的设置数量应严格控制,并且要严格管理。一次管理失误,将会导致堤防决口,特别是按不允许越浪设计的堤围,堤顶及后坡的防护标准不高,稍有波浪拍击,即导致堤身土体流失,引起决口。

开口用作人行道口时,口宽 1m～1.2m,开口两侧防浪墙应预留装配式简易木闸门门槽,宽度 8cm～10cm。可采用装配式简易木闸门,门槽布置如图 8 所示。装配式木闸门非台风期间应妥善管理,集中贮放,有台风预告时,应及时安装,门后用砂、土包堵塞,也可采用屏风式防浪措施。

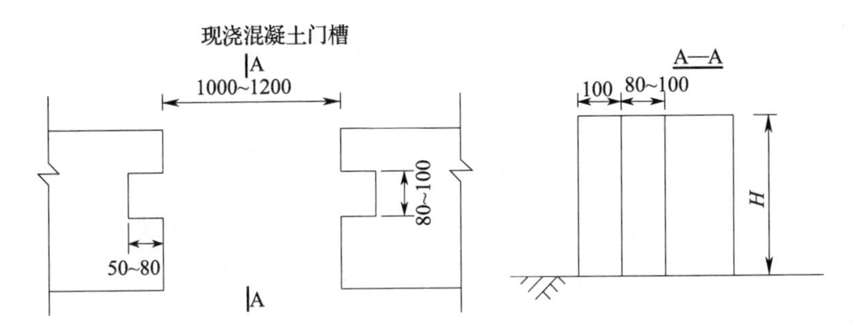

图 8 装配式简易木闸门门槽布置图(mm)

根据防潮、管理和群众生产的需要,应在适当位置设置上堤坡道。上堤坡道的位置宜设在海堤的背海侧,可采用加铺转角式交叉型式,道宽不小于 3m,最大纵坡不宜大于 8%。当交叉角为 45°～90°之间时,圆曲线半径相应为 27m～10m。转角式上堤坡道应设置路拱横坡,将交叉处的降雨排出堤外。

宜在背海侧坡面设置上堤步级,设置间距 500m～1000m。设计时宜将堤顶纵坡从步级设置位中部分界,往步级设置位倾斜。

8.4.4 背海侧的交通道要求要高于背海侧最高水位一定距离,以避免地下毛细水作用,浸没路基。强调交通道与反压平台结合,主要是增加堤身稳定性因素,宽厚的背海侧坡也可避免或减少溃堤威胁。

8.4.6 对于用砂料作为堤身材料的堤段,填筑标准除按本规范第 8.2.6 条确定外,临海侧和背海侧应采取有效的反滤措施。在护坡材料与堤身土体之间应设置有一定级配的反滤层作为护面块体的铺垫。反滤层由碎石、砂或土工织物组成。开采块石时的自然级配石渣也可用作反滤层材料。但石渣中片石长边应控制在 10cm 以下,含泥量不超过 5%。一般临海侧反滤采用碎石、砂或土工织物,背海侧反滤可采用自然级配石渣、土工织物。

土工织物的孔径要求既要保土、保砂,又要充分透水,还要防止孔眼淤堵失效，且强度应能满足施工时不扯破，不顶破。应按国家现行标准《水利水电工程土工合成材料应用技术规范》SL/T 225 等标准设计。

8.4.7 护脚的作用为支承护面结构和防止波浪淘脚。前者要求护脚对护面有足够的支承力，后者要能防止底脚被淘刷，或发生淘刷时，仍有足够的能力支承护面结构。图 8 所示的四种护脚型式可以适用于不同的堤段位置。图 9(a)所示为直接在堤脚滩涂上挖槽设置护脚。图 9(b)所示为风浪很大的堤段采用浆砌条石砌筑后抛石镇压的护脚型式，图 9(c)、图 9(d)所示为抛石棱体护脚和坐落在抛石基床上的浆砌条石护脚。实际施工时，护脚往往在成堤前首先施工，淤泥质堤基上的护脚外轮廓并不鲜明，通常在堤身施工完毕后要对护脚的块石进行理砌，以达到护脚的目的。图 9(a)型护脚通常用于不直接临海的堤脚。图 9(b)、图 9(d)型护脚通常用于波浪作用强烈的堤脚。图 9(c)型护脚通常用于直接临海，但波浪作用一般的堤脚。

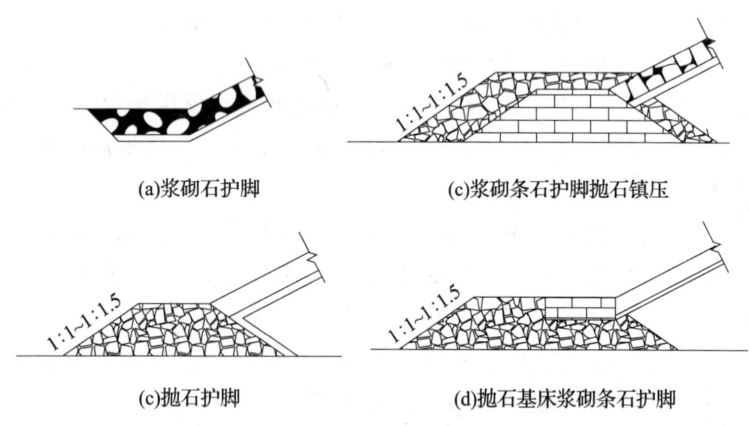

图 9　护脚大样图

8.4.8 海堤边坡主要根据稳定要求拟定，与断面型式、结构、筑堤材料、波浪作用情况、地基土质、堤高、施工条件及运用条件等因素有关。一般可先参照已建类似工程的经验初步拟定边坡，然后进行稳定计算和风浪爬高计算，根据计算结果，再进行调整，以确定合理的海堤边坡和断面。

临海侧坡度为 1：1.5～1：2.0 左右时，波浪爬高值较大，使堤顶设计高程增高，但放缓边坡也会使工程量增加。对斜坡式断面，一般临海侧坡比缓于背海侧坡比，堤身填料为黏性较大的土时，宜选用较缓的坡；为含砂量较大的土时，选用较陡的坡。

稳定计算包括整体稳定和边坡内部稳定两部分。整体稳定依据第 10.2 节的规定计算，边坡内部稳定按附录 K 计算。

8.4.9 坡面排水系统要结合护面的防冲考虑坡面流水通畅。排水分为堤身内部排水和堤身表面排水。内部排水应结合反滤层通过排水管将水引出坡面。堤身表面排水分为漫坡排水和汇水沟集中排放两种形式。一般堤身高度小于 4m 的平直段堤围，漫坡排水不会引起集中冲刷，但无工程护坡的曲线段则应设置适量的竖向排水沟，以通过其引走堤表水流，防止水流冲刷坡面。这些竖向排水沟均设置在陡坡上，属于急流槽，因此，沟内应砂浆抹面。坡面竖向排水沟一般每隔 50m～100m 设置一条，并应与平行堤轴向的排水沟连通。排水沟底宽与深度约为 0.4m～0.6m。海堤受雨水冲刷严重时，排水沟可采用预制混凝土或块石砌筑，断面型式有梯形、矩形。采用梯形断面时，边坡一般为 1：1～1：1.5，底宽不宜小于 0.4m，平行堤轴线的排水沟纵向坡降不宜小于 0.5%，按允许越浪设计的海堤，应在背海侧坡脚设置汇流系统，汇水沟断面尺寸根据越浪水量大小及汇水面积计算确定，计算见本规范附录 L。其尺寸与底坡坡度应由计算或结合已有工程的经验确定。对于 4m～6m 高的无抗冲护面的土质海堤，也有将护坡与排水结合在一起，采用连拱护坡表面留引流导墙的排水结构。

8.4.10 对用非黏性土填筑的堤身，为保证高潮位时堤身的渗透稳定,故对防渗墙顶高程作出规定。对重要的海堤,对防渗土体薄弱部位应进行渗透稳定验算,并要求渗透水流逸出处的任一点上土层重量应大于作用于该点上的水压力。

8.5 护面结构

8.5.1 海堤护面主要作用是防止风、波浪、越浪水体及降雨对堤表的冲蚀破坏。由于地形及自然条件复杂多变,且堤线长,工程量大,因此护面结构应尽量适应上述特点。护面型式应根据堤段的不同地形,与堤段周围环境相协调。

8.5.2 凸、凹岸堤段通常为险段,护面结构应有别于一般堤段。

8.5.3 为消除不均匀沉降对护面结构造成的裂缝,应在刚度适度的单元边缘设置沉降缝。温度变化时,护面结构各部位升、降温时变形不一致,将引起结构裂缝,同样应设置伸缩缝。对护坡结构,厚度方向的尺寸相对于平面方向的尺寸而言较小,因此伸缩主要表现为平面方向的伸缩;挡墙结构为平面应变状态,温度变化时,表现为沿长度的变形受到约束。因此,这两种结构的沉降缝和伸缩缝可合并设置,间距为 8m～12m,缝宽 10mm～20mm,缝内宜设置沥青松木板。为保证堤顶护面混凝土结构的平整度,要求堤身填土的沉降、固结量已基本完成,此时的护面结构不再留沉降缝,而只留伸缩缝。路面设计的术语为胀缝、缩缝。胀缝一般设在堤轴线平面曲线曲率变化的起止部位;直线段较长时,可每 200m 设一条,缝间通过可以伸缩的拉力杆(钢筋)连接。缩缝一般 4m～6m 设置一条,采取诱导切割方式,在护面上切割深 3cm～5cm、宽 3mm～8mm 的假缝形式;当护面板收缩时,将沿此最薄弱断面有规则地自行断裂。缝间填灌沥青类材料。

8.5.4 斜坡式海堤迎潮面护面型式说明如下:

1 干砌石护坡型式为海堤临海侧护坡的常见型式,特别是当地有便宜的石料,且波浪不大时,该护坡型式更具优越性,结构如

图 10 所示。该护坡型式的特点是能适应堤身的沉降变形，施工简单，容易维修，但整体性差，抗风浪能力弱。

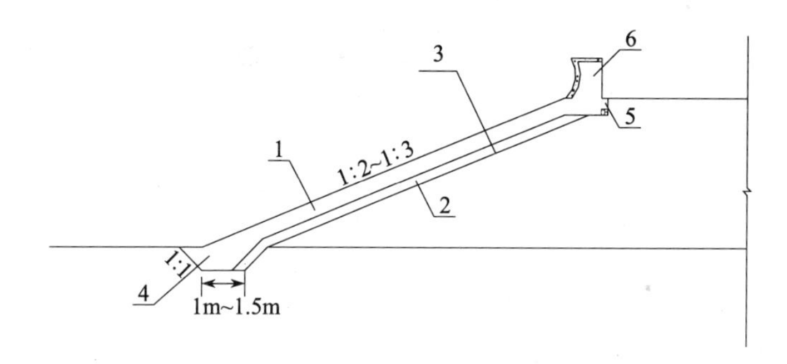

图 10　干砌石护坡结构示意图

1—干砌块石，厚大于 40cm；2—反滤垫层砂、碎石，厚 30cm；或石渣，厚 50cm；3—土工布，质量大于 $300g/m^2$；4—护脚；5—防浪墙基础(护坡封顶)；6—防浪墙

护面是护坡的主体，块石应根据计算厚度来选择有规则的石料，并应做好反滤垫层。护面块石主要承受上奔波浪的冲击、掀动和浮托，承受回落水流拖拽及渗流动水压力的顶托，在波浪的交替作用下，坡面砌石易松动、变形失稳，设计时以控制砌石厚度为主。

护坡砌石的始末处及建筑物的交接处往往是护坡的薄弱环节，采取封边措施的主要作用是防止破波水流打击而导致的护面结构失稳，护坡顶应选用大块石封顶。堤顶设置防浪墙时，封顶应结合成防浪墙的底部。

为保证砌体厚度和嵌固力，在波浪作用强烈的堤段，采用长 60cm 左右的条石竖砌护面。封边处应加宽加深干砌石厚度，一般宽约为 1.5m～2.5m，深约为 0.6m～1m。

2　框格边长 2m～8m，混凝土或浆砌石框格固定干砌石底同样要做好反滤垫层。封边护脚要求同干砌石护坡。混凝土或浆砌石框格固定干砌石护坡坡面布置示意图如图 11 所示。

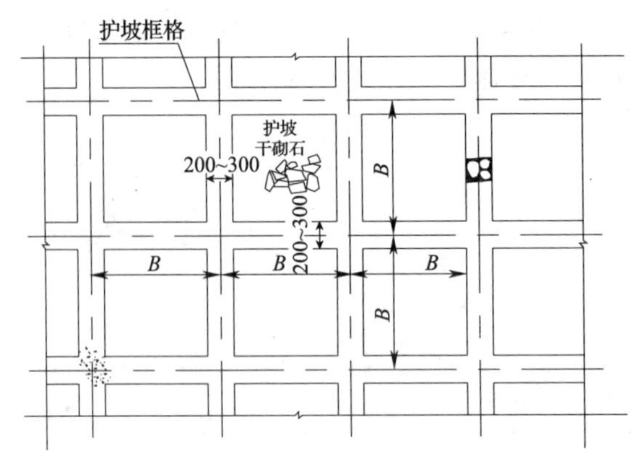

图 11　混凝土或浆砌石框格固定干砌石护坡坡面布置示意图(mm)

3　混凝土、浆砌或灌砌石护坡具有较好的整体性,外表美观,抗波浪能力较强,管理方便。但适应变形能力差,当岸坡发生不均匀沉陷时,砌缝容易出现裂缝。应在堤身土体充分固结,基础沉降已基本完成,且土坡基本稳定后施工。经稳定厚度计算,确定护面厚度。混凝土灌砌石,虽然造价稍高于浆砌石,但是砌筑质量要优于浆砌石,宜用不低于M10的水泥砂浆或C20混凝土灌砌,并应按第8.5.3条的规定设置沉降缝。反滤垫层厚度30cm～40cm,反滤垫层底面可根据需要铺设土工织物或砂。浆砌(混凝土灌砌)块石护坡结构如图12所示。

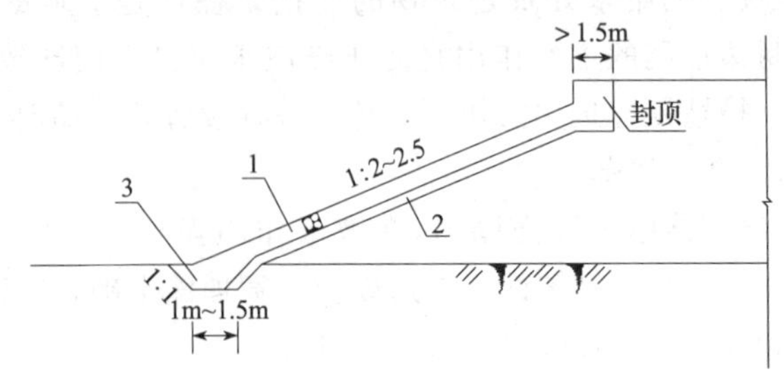

图 12　浆砌(混凝土砌)块石护坡结构示意图

1—M7砂浆或C15混凝土灌砌块石,厚30cm～40cm;
2—反滤垫层,厚30cm～40cm;3—护脚;4—封顶

4　不直接临海的堤段,要考虑堤岸的生态恢复效应。非风暴潮时,临迎海侧护面应与堤身一体,成为海边的一道靓丽的自然风

景线。临海侧护面可采用底部无砂混凝土或干砌石，上部植草或立体土工格栅并植草的工程措施与植物措施相结合的护坡型式。立体土工格栅与无砂混凝土、干砌石之间应有连接措施，保证抗滑稳定和整体性。

无砂混凝土或干砌石间的孔隙，不得妨碍上部植草后草根的继续扩展，以形成稳定的工程、植物两种型式的复合护坡体。底部干砌石、上部立体土工格栅并植草的工程措施与植物措施相结合的护坡型式主要针对波浪较大的堤段，立体土工格栅可以使迎海侧护面的整体性能更好。无砂混凝土厚度应满足坡面内部稳定的要求。设计计算方法见本规范附录 K。同时，厚度不宜小于 200mm，混凝土强度等级不宜低于 C20。

6 预制混凝土异形块体的典型代表是四脚空心块、扭工字块及扭王字块体，其稳定重量、护面层厚度及混凝土量按本标准附录 J.0.6 计算确定。块石垫层厚度为 40cm，重量可按本标准附录 J.0.5 计算，取单个块石稳定重量的 1/20～1/10，不得轻于 1/40，块石粒径不小于四脚空心块的最大空隙。

对工程所在区域石料缺乏，而波浪较大的堤段，可采用消浪性能好，稳定性好的四脚空心混凝土块体护坡。该护坡型式为透空结构，因此块石垫层及反滤垫层的设置非常重要。其他型式的人工混凝土块体造价昂贵，应经工程经济比较后，合理选用。安放预制混凝土异型块体护坡型式如图 13 所示。

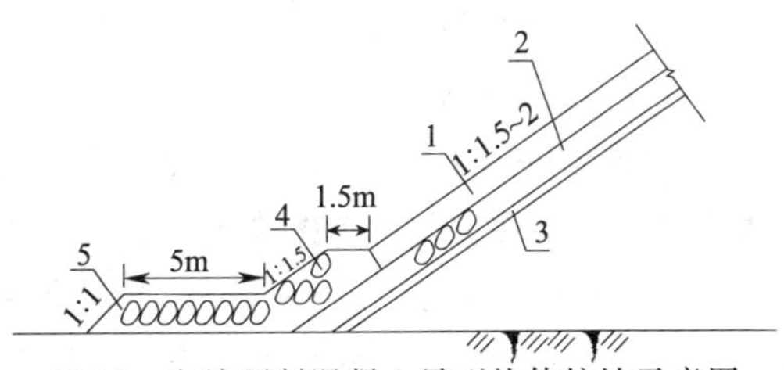

图 13 安放预制混凝土异型块体护坡示意图

1—预制混凝土异型块体；2—块石垫层，块石重 80kg～100kg，厚 40cm；3—碎石反滤垫层，厚 30cm；4—抛石棱体块，块石重 200kg～300kg，5—护脚块石铺盖

7 反滤层的作用可防止波浪和地下渗流将堤身土从堤身缝隙中带走。海堤要长期承受波浪荷载的作用，具有瞬时脉动性。由于砂是非黏性材料，成堤后通常需对堤身表面进行防护。如护面与堤身的过渡反滤措施做得不好，堤身填料会被回浪吸走，很容易引起托空，波浪反复作用时导致护面破坏。

8.5.5 图14中给出了4种陡墙式临海侧挡墙结构型式，供参考。

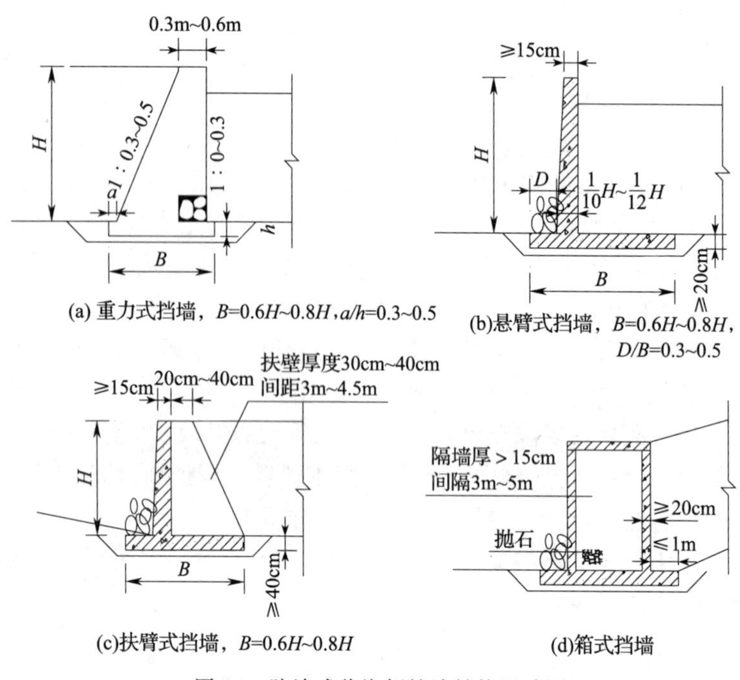

图14 陡墙式临海侧挡墙结构尺寸图

由于挡墙一般建在有海水浸没的软土地区，地基条件差，施工时一般不设置施工围堰来筑墙，通常在抛石基床上修建挡墙，并在基底抛厚度为50cm～100cm的砂石垫层以改善挡墙底的地基应力。为加大墙后填土的内摩擦角，减小土压力，采取在墙后一定范围回填砂或石碴，并在填土与砂、石交界面上做好反滤层的措施。避免墙体裂缝的主要措施是设置沉降伸缩缝。墙体临海侧设置排水孔是为了有效地避免墙前、后产生渗透压力。

挡墙保证有一定的埋深是保证结构稳定的措施，挡墙较高时取大值，反之取小值，基础埋置深度应从坡脚地形起算。

箱式挡墙对软基的适应性强，自重轻，箱内可抛填块石或土，为有效地维持墙体稳定，可在箱壁设排水孔和排气孔，使前墙内、外水位相等。箱间隔应对称布置，顶部设顶盖。此型式适宜用于基础差，但又与城区景观结合的堤段，它可以通过一些箱顶的小附件，设置花槽、栏杆、公园椅，将堤顶辟为人行道及观景平台。

陡墙式挡墙在原有堤身基础上加高堤围时，可在原有堤上部修筑二阶重力式挡墙，形成混合式堤身断面。为增加挡墙的抗滑稳定性，宜将基底做成逆坡或增加齿坎，顶部与堤顶防浪墙结合，并做混凝土压顶。

悬臂式挡墙一般采用钢筋混凝土结构，基础埋置深度为0.8m～1m。

当墙高在9m以上时，采用扶臂式挡墙要较悬臂式挡墙更经济、合理。

8.5.6 混合式断面海堤是逐年加高的海堤最常见的型式。由于断面上有消浪平台，减小了波浪的爬高，该断面型式较为灵活。由于平台外转角处受波浪作用强烈，要求顶部做混凝土压顶，压顶可兼作路堤结合时亲水平台的栏杆座，平台内转角受回浪冲刷，也宜做混凝土压顶，此压顶即可作为亲水平台后部的花槽基座或人们观景小憩的公园椅的基座。平台面应留足通气孔。堤顶防浪墙可以通过结构变换，使其成为花槽，既可防浪，又可兼顾景观植物种植。总之，混合式断面海堤应为设计者最可施展其想象力和实现多功能的可重塑断面型式。

临海侧多年平均低潮位以上的消浪平台及反压平台内外转角处宜根据风浪条件采取高一个等级的结构措施加以保护。如坡面是干砌石时，上述部位应砌筑浆砌石框格。如坡面是浆砌石时，上述部位应浇筑混凝土梁。

8.5.7 按现行堤防设计规范要求，堤顶一般兼作防汛道路，平时不通车，应采用工程措施防护。堤顶护面防护以后，堤顶成为台风期间及平时堤段维护管理的主要通道，堤身作为路基，除了有压实度要求外，尚要求基础的固结沉降基本完成。

不允许越浪的海堤，堤顶护面采用混凝土，为刚性护面。建成后，维护工作量小，但一次性投资大，堤身出现结构隐患不易发现。碎石、石粉、泥结石护面，为柔性护面，一次性投资小，能够顺应堤身的沉降变形，但容易损坏，平时维护工作量大。允许部分越浪的堤顶防护有强度要求。刚性护面有混凝土护面，柔性护面有沥青路面，两者均要求设置完善的排水系统。采用混凝土护面对设备要求、施工的难易程度及耐久性方面，要优于沥青路面。对于沉降比较大的海堤，大多采用沥青混凝土护面，主要是利用沥青这种柔性材料能适应沉降的特点，故本规范只是要求不宜，并不严格规定。

堤顶通车不是指台风期及海堤管理期通车，而是指路堤作为城镇间相互连通，且达到一定标准的路面等级概念上的通车，路面交通是堤段的重要功能，应根据交通等级，作出相应的设计。

8.5.8 背海侧坡面的现代设计理念强调生态设计，因此按不允许越浪设计的海堤，优先采用植物措施防护；对按部分允许越浪设计的堤段，应通过越浪量计算，尽量使海水在堤顶汇集，通过排水沟排向后坡脚，使背海侧仍能采用植物措施防护。堤前水深较大且为主风向，越浪量较大时，可采用工程措施防护。

1 按照筑堤标准碾压的堤身，土体致密，无腐蚀质，很难保证植物成活，因此加铺一定厚度的腐质类土以提高成活率，并为其繁殖提供较丰富的营养积蓄地。

越过防浪墙的浪花，与堤顶或后坡碰撞后流速衰减迅速，故后坡的防护主要以能承受垂直于坡面的冲击力为主，无波浪的回流水流的拖拽力，因此护面设置原则应为透水、消能。在保证良好的反滤垫层的基础上，按其造价高低排序，应为干砌石砂浆勾缝、预制混凝土板勾缝、浆砌石。

2 采用何种护面型式主要从波浪破碎后的流速来考虑，几种护面材料的抗冲流速见表5。

表5 护面材料的允许不冲流速

护面材料	不冲流速(m/s)
现浇混凝土	5～6.5
浆砌石	2.5～5
干砌石	2～4

背海侧坡脚宜设置高1m左右的重力式浆砌石矮挡墙，以防止背海侧坡脚雨水冲刷，造成堤身土料流失。矮挡墙既可保护堤脚，又使工程界限明确，增加美观。

背海侧坡面防护的一般型式如图15所示。

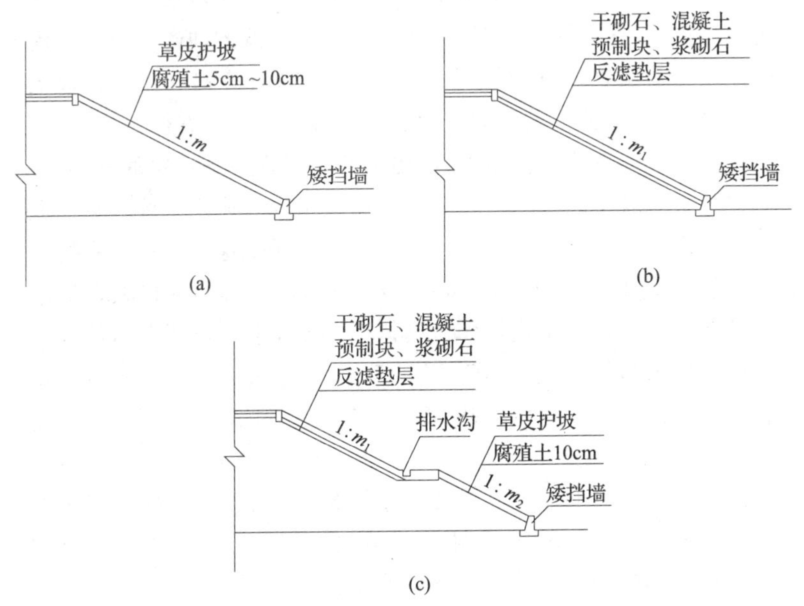

图15 背海侧坡面防护的一般型式

3 背海侧护脚措施的作用为防止堤脚土体流失。要求结构能防止底脚被淘刷，或发生淘刷时，仍有足够的能力支承堤身填土。第8.4.7条的条文说明内推荐的四种护脚型式同样可以用于背海测堤脚。

8.5.9 采用干砌块石或浆砌块石砌筑的旧海堤护坡，经过海浪多年冲击后，整体性降低，抗海浪冲击能力减弱，在海堤加固扩建时，宜对其进行加固处理。加固方法应结合原有护面的损害程度等因素综合确定。

用预制混凝土异形块体加固护面具有施工方便、适应堤身变形能力强、削减波浪爬高效果好的优点，对于斜坡式护面可优先考虑。

在原护面上浇筑混凝土板的加固措施具有抗海浪冲击能力强、施工方便的优点，但应注意堤脚保护，避免被波浪掏空后面板悬空。采用砂心填筑的堤段不宜采用混凝土护面。混凝土护面下的砂心堤段，在波浪破碎时，自波峰抛出的水流的冲击对板产生周期性动力荷载，引起护面下砂土的运动。当波浪爬升和自斜坡上下落时，护面构件上的压力交换也引起砂土运动。在波浪作用下，混凝土面板即使止水做得够好，也避免不了板下部填料的移动，最终导致板底脱空，在波浪作用下，板面被击碎。采用整体式钢筋混凝土护面板应小于20m设置一条温度(沉降)缝。装配式混凝土或钢筋混凝土板也可采用5m×5m、10m×10m的方格板。混凝土护面应伸入镇压层或护脚抛石体0.5m以下。也可在沿护面坡向设置阶梯型护面，以提高护面的消波性能，降低反冲波流的速度和冲刷作用。对淤泥质堤基，堤身土体充分固结后，当迎潮面封闭时，可不留排水孔。

混凝土护坡的消浪效果要差于干砌石和浆砌石，适宜于用在已有护面结构的情况下，如用于斜坡式干砌石、浆砌石护面及陡墙式干砌石、浆砌石护面上，该护面型式整体性好。

当旧海堤护面块石块径较小，难以抗御海浪冲击时，可采用砂浆对原护坡面灌缝并在其上砌筑混凝土、钢筋混凝土或浆砌石框格的方法使护坡块石连成一片，增强抵抗海浪的能力。该加固方法适用于低级别的海堤。浆砌石或混凝土框格可参照下列要求设计：

(1)灌缝砂浆标号不低于M10。

(2)框格垂直海堤轴线方向的间隔宜取10m～15m，框格截面宽宜取0.3m～0.6m，高宜取0.5m～0.8m。

(3)当坡面长度大于15m时，设置平行于护脚的横格。

(4)框格应与护脚和封顶连成一体。

老海堤通常为干砌石、浆砌石结构，加固时又将形成新的结构，强调新老结构的排水设施、结构缝衔接应避免加固对原结构造成排水不通畅和变形不协调的现象。

加固时，应判断原排水孔是否合适。

堤顶及背海侧的加固方法同新海堤的加固方法。

8.6 消浪措施

8.6.1 海堤临海侧的消浪措施能消减波能，减小波浪的爬高，减轻结构本身的负担，有利于工程的安全。

8.6.2 设置消浪平台可减少波浪飞溅，平台上的紊动波流能损失大部分的波浪能量，降低波浪对防浪墙的作用，对断面的稳定也有利。临海侧反弧形陡墙面可防止形成溅浪，降低波浪爬高，其底端应位于冲刷水位线以下，倾角宜小于35°。斜坡加糙有利波浪的破碎及减小波浪爬高，消浪齿采用块(条)石砌筑时，块(条)石的长边应大于护坡设计厚度加糙面高度，也可沿斜坡设置混凝土阶梯来加糙。预制混凝土异形块体护坡、护脚，在海港工程的防波堤上应用已比较成熟，但造价昂贵，应经充分的技术经济比较后选用。

8.6.3 潜堤是一种促使临海侧波浪破碎的主动消浪措施，造价高。堤前植物消浪措施可节省工程费用，美化环境。南、北海岸带适宜生存的植物种类不同，应根据不同的条件，选择合适的消浪植物品种。次生防浪林应慎重引进，以保证植物的生态安全。

具有景观功能的海堤前滩应慎用潜堤消浪。2004年12月26日印度尼西亚海域发生里氏9级地震并引发海啸，造成印度洋沿岸各国人民生命和财产的重大损失。著名的旅游胜地巴厘岛于就在此列，海啸过后，当地政府在海啸发生破坏严重的东部海滩前沿设置消浪潜堤，意在抵御海啸带来的巨浪，非常可惜的是，吸引游客的美丽海滩被淤泥淤塞，往复的海浪在潜堤前破碎，往日美丽洁净的海滩不复存在，爱在海滩前嬉戏的游客不愿再在滩前驻足，对景观和近岸生态的破坏可以说是毁灭性的。此例说明，应对发生频率较低的超标准自然灾害的防御体系，不应建立在对现状生态破坏的基础上。

8.7 岸滩防护

8.7.1 海岸的侵蚀一般是由波浪、海流等动力因素造成的，其中最基本的因素是波浪，天然海滩一般都在海浪及海流作用下不断发生变化，其变化性质有两类：第一类，从长时间来说，海岸是稳定平衡的，只是在短期（或季节性）大风浪作用下掀动岸滩，泥沙基本上垂直于海岸方向运动，造成岸滩短期的冲淤；第二类，海岸长时间的淤进或蚀退，往往是由于纵向（沿岸）输砂不平衡造成的，其变化持续几十年或上百年。海岸的侵蚀指的是第二类。从宏观上看，天然海滩由于不断得到陆地河流入海泥沙的补充，应该是不断淤长的，但有的海岸动力平衡遭到破坏，发生剧烈变化，引起海滩不断侵蚀。主要原因有：

（1）修建突出海岸的建筑物，改变了天然海滩上波浪和海流的形态，拦截了纵向来沙，破坏天然海滩的动力平衡，造成建筑物附近海滩的淤积。下游海滩供沙不足，造成建筑物下游一定距离的海滩的冲刷。

（2）在河流内直接取沙，造成河口附近岸滩泥沙供应不足，而产生海岸侵蚀。海滩的侵蚀深度可按以下方法确定：

①假定海滩的侵蚀与未修建海堤前的情况一样，如图16所

示。现有海滩剖面 DCEB，A 点为拟建海堤的地点，DC 为海滩肩部，E 点为长波的破碎点，可由波浪破碎的深度决定，B 点为海滩侵蚀的界限，一般可定在距水边线 10m 处。

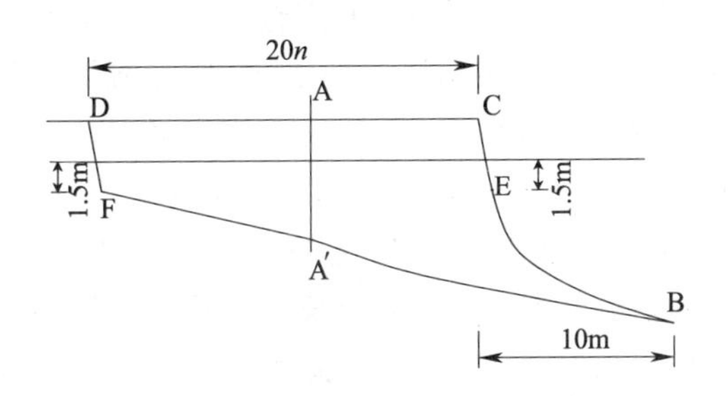

图 16　海滩的侵蚀深度的确定

②假定 B 点以外的海滩变形很小，如果已知近年该海滩每年平均侵蚀速度 n(m)，一般海堤的正常使用年限为 20 年，则 20 年后滩肩的前缘将从 C 点后退至 D 点，CD＝20n，20 年后海滩的剖面为 DFB，DF 平行于 CE(即假定滩面的坡度保持不变)。

③从 A 点画一垂线，交 DFB 于 A′，则 ACEBA′即为修建海堤后可能侵蚀掉的面积，A′即为可能的侵蚀深度。高程 A′即为新建海堤的底部高程或已建堤防的护底高程。

可采用混凝土板桩作为护底工程措施。板桩厚度及深度应经护底土压力强度要求计算确定。

海堤的滩岸与堤防的关系密不可分，“保堤必须固岸，固岸必须保滩”是一条普遍经验。在受水流、风浪、潮汐等侵蚀、冲刷情况下会造成破坏的岸滩，需进行防护，以控制和调整水流、稳定岸线，保护海堤的安全。

海堤所处的位置，一类是临海侧无滩或岸滩极窄，修建加固海堤时均需加强护脚，另一类是临海侧有滩或近海水产养殖基地。滩地受水流淘刷危及堤身的安全时，可依附滩岸修建护滩工程。

岸滩防护是海堤加固的重要组成部分，直接关系到加固后的堤身能否稳定，应采用工程措施与植物措施相结合的方法护滩。堤线位于经常不靠海或靠海时水浅、流速小的岸滩，要尽量采用投资省、实施容易、效果好的植物护滩措施。

堤岸防护的长度应根据堤线的走势，所在海域的风向、地形及历史上出现的险段分析，对堤轴线曲率半径过小、波能显著集中的凹岸前滩，且面向不利风向的堤段应根据其滩位高低的具体情况，进行工程措施和植物措施的护滩方案比较。滩位高的岸滩采用植物措施比较好，防护的长度无一定界限，越长越有利于堤岸的防护。滩位低且位于侵蚀性海岸的堤段，只能通过工程措施来防护，防护的长度直接影响相邻的堤段前岸滩的稳定，因此要慎之再慎。

8.7.2 混凝土铰链联锁板具有适应滩面局部不平整、整体性好等优点，在河口冲刷区护岸具一定的优势。由于河口一般位于感潮区，水位随潮位变化，水域一般含盐，交替出露的混凝土铰链联锁板的连接件为金属结构，锈蚀问题不容忽视，连接件锈蚀后，会使结构丧失整体性。

8.7.3 对稳定平衡的海岸，修筑堤防，防止海岸侵蚀坍塌，称为直接防护；因其不能解决岸滩的长期冲刷问题，也称为消极防护措施。长期淤进或蚀退的海岸，修建与岸成一定夹角的丁坝或与堤防平行但有一定距离的潜堤（离岸堤），促使泥沙在坝（堤）格护岸段落淤，以保护岸滩，称为间接防护；因其能在一定程度上解决海岸的长期侵蚀，也称为积极防护措施。

采用丁坝群或潜堤与丁坝群相结合的护滩段应仔细分析防护段的上、下边界，避免在该段解决岸滩侵蚀问题后引起下游段新的岸滩侵蚀问题。

丁坝、潜堤属于临时或半临时性建筑物，一旦新岸滩形成后，即失去原有的作用，设计时可采用较低的耐久性标准。

典型的布置及剖面见图 17～图 20。

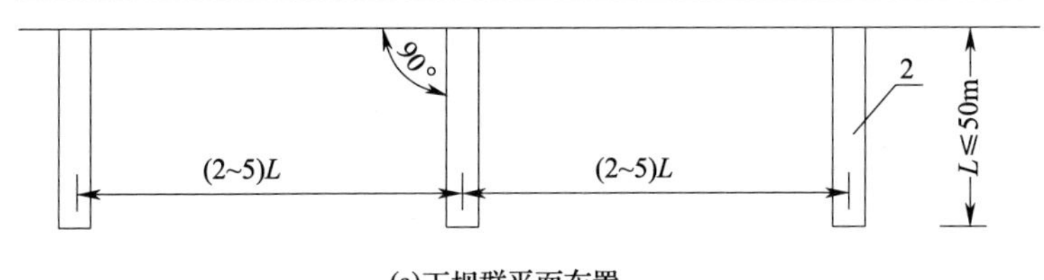

(a)丁坝群平面布置

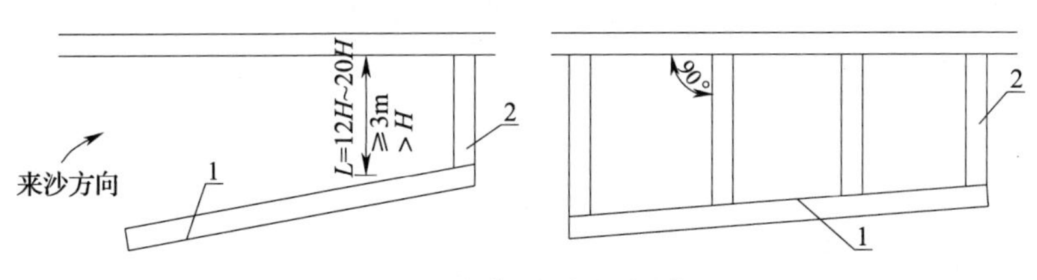

(b)丁坝群与潜堤结合的平面布置

图 17　丁坝、潜堤的平面布置

L＝长波破碎的位置；H—波高；1—潜堤；2—丁坝

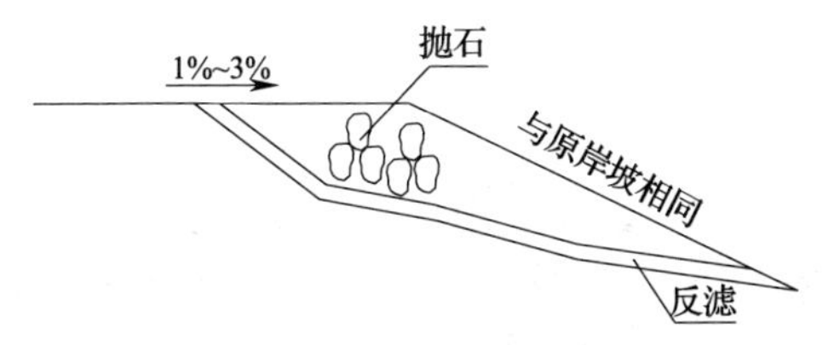

图 18　丁坝纵剖面图

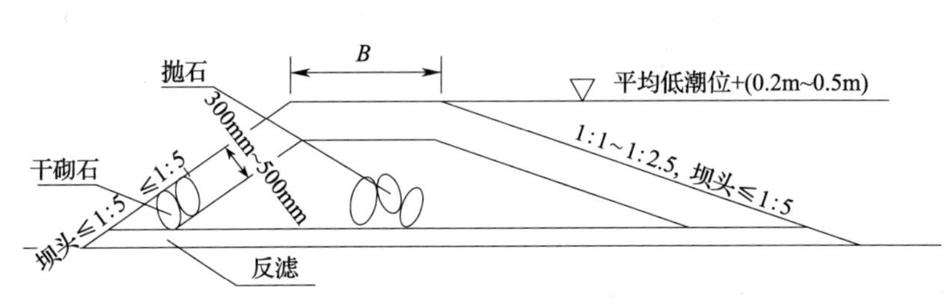

图 19　丁坝横剖面图

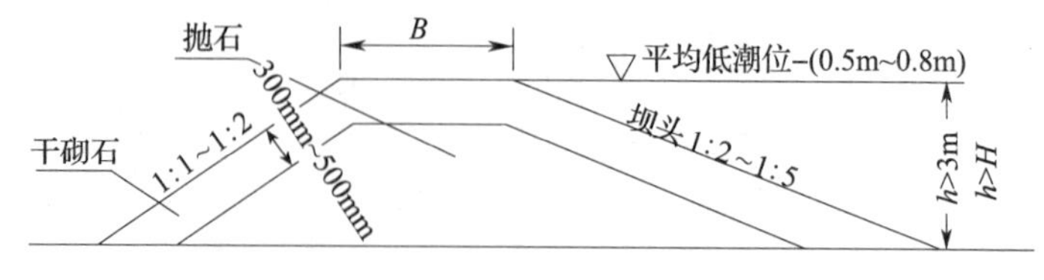

图 20　潜堤横剖面图

8.7.4　为防止坝头冲刷，本条规定设计时要计算冲刷，目的就是要求设计者认真考虑冲刷深度，并有效防护，以保证坝身的整体性。计算公式如下：

$$h_{B}=h_{p}\left[\left(\frac{V_{cp}}{V_{允}}\right)^{n}-1\right] \tag{6}$$

式中：h_{B}——局部冲刷深度(m)；

H_{p}——冲刷处水深(m)；

V_{cp}——近岸垂线平均流速(m/s)；

$V_{允}$——泥沙启动流速(m/s)；

n——与防护岸坡在平面上的形态有关，取 $n=1/4\sim1/6$。

对于感潮河段，其风浪小，流态与河流基本一致，护岸丁坝头及潜堤(离岸堤)前沿的冲刷推荐采用《堤防工程设计规范》GB 50286—2013 中附录 D.2 计算。沙质海岸护岸丁坝头，海流与波浪作用关系大，且与海岸沙粒的相对密度有关，推荐参考《防波堤设计与施工规范》JTJ 298—98 附录 D 计算。

海岸护岸丁坝头，海流与波浪作用关系大，且与海岸沙粒的相对密度有关，无相对成熟的公式，故建议采用模型试验论证。

8.7.5　可采用预制桩围栏，形成内抛块石、顶部钢筋混凝土梁锁口的透空式桩式丁坝。设计时，坝头部分的桩要长于坝身部分的桩，桩底进入冲刷线以下，并保证其承载力。土工织物软体排常用的结构有砂肋软体排和充泥管袋软体排。按照压载形式和材料划分，有散抛压载式软体排、系结压载软体排和沙被式软体排。应根据水深、流速条件具体分析、合理选用软体排的具体结构型式。

8.7.6 南方海岸带生长的红树林可御风消浪，护堤护岸，护滩促淤，消除污染，养鱼，美化海岸（滨），创造良好的近海环境。其防浪护岸机制之一为减缓水流机制。中国科学院南海海样研究所于1993年7月大潮期间对华南三处红树林试验区进行观测，数据显示，红树林对水流的滞缓效应使漫溢流速与排泄流速都很小，极少大于10cm/s，一般仅为相应潮沟流速的1/6～1/13，相应白滩流速的1/3～1/4；使得红树林区与海岸港湾之间物质和能量交换迟缓。因此种植红树林的消波、促淤效果是工程措施所不能替代的。选择树种时，应选用耐酸碱性及耐淹性好、材质柔韧、树冠发育、生长速度快或其他适用于当地生长且防浪效果良好的树种。根据顺水流方向海堤所处的位置所在的区位来选择合适的品种。对分布在靠近大海略受风浪冲击的湾口前缘浪击区，选择白骨壤、红海榄树种。湾口至河流之间的内湾区，选择白骨壤、桐花树、红海榄、角果木、海莲树种。内湾区上逆至潮水较淡的河岸淤积浅滩河流区，可选择秋茄树、桐花树、角果木、木榄、海莲、海漆、银叶树等树种。造林的株行距一般以（1.2～1.8）m×（1.2～1.8）m为宜。南方海岸选择适合生长气温22℃以上的树种造林。

北方海岸带引种的大米草、互花米草，其消浪、固堤的效果也比较好。

9 堤基处理

9.1 一般规定

9.1.4 我国沿海地区软土地基分布较广，如设计不当，易产生整体失稳和较大的沉降，因此在软土地区应进行堤基分析，验算其稳定性和沉降变形，当其不能满足设计要求时还应进行堤基处理设计。海堤及其堤基的处理和江堤没有本质区别，可按国家现行标准《堤防工程设计规范》GB 50286、《港口工程地基规范》JTJ 250等的规定执行。

9.2 软土堤基处理

9.2.1 软土堤基处理的方法有很多，本条所列方法为各地海堤常用的方法。软土堤基处理的关键是因地制宜，根据水文、地质、工期、造价、施工、环境影响等条件，从技术经济角度多方案分析比较后确定。

软土堤基处理可采用多种方法结合使用，如垫层法、土工织物铺垫法、放缓边坡或反压法和控制填筑速率填筑组合一起使用。当前新建海堤应用较多的排水井法，亦称排水固结法，也常常与上述方法结合使用。另外不同堤段之间也可采用不同的处理方法。

新、旧海堤的堤基处理方法常常会差异较大。新建海堤往往堤身高度大、地基软弱，要求施工速度快、造价省，当前应用较多的是排水井法(砂井、塑料排水板等)。另外在一定条件下，爆破置换法也逐渐得到推广应用，该方法施工速度快，工后沉降小。旧堤加固一般限制条件较多，地基经旧堤多年作用，强度相对较好，因此反压法运用较多。复合地基法一般用于特殊堤段或对沉降变形要求严格的堤段。

9.2.2 反压法在海堤工程中已普遍采用，特别是旧堤加固，当整体稳定安全系数不能满足要求而又相差不远时，采用反压法可很好地解决稳定问题。新建海堤，如施工条件限制不能采用其他地基处理时，也可采用反压法解决整体稳定问题，这时断面尺寸较大。

软土地基上的海堤，由于堤基土性质很差，承载力很低，反压平台的高度受到较大的限制，不宜过高，否则会使反压平台本身失稳，此时可采用多级反压平台。

9.2.5 爆炸置换法是采用炸药爆炸的方法一次或数次在极短的时间内将地基一定深度和范围内的软土置换成抛石体或石碴(砂石)的软基处理方法。20 世纪 80 年代中期开始，爆炸置换法在我国开始发展，1984 年在连云港西大堤工程中试用，并于 1992 年通过了交通部的验收。经过多年的发展，爆炸置换法施工技术已经发展得比较成熟，形成了一套完整的施工工艺，在已建的采用爆炸置换法的堤坝工程中，置换深度多处已突破 25m，最大的置换深度超过 35m。

爆炸置换法置换的软土层厚度宜控制在 5m～35m 范围内。目前爆炸置换法处理软基施工主要有“控制加载爆炸挤淤置换法”和“爆炸排淤填石法”两种施工工法。当软基置换厚度小于 12m 时，可采用爆炸排淤填石法或控制加载爆炸挤淤置换法；当软基置换厚度大于 12m 时，宜采用控制加载爆炸挤淤置换法。

9.2.6 控制填土速率填筑就是按规定的控制指标分期分级加载，利用堤身自重荷载预压，使地基发生排水固结，强度获得增加，以适应堤基整体稳定。其关键是控制填筑速率和加强监测，分级加载后要有足够的间歇期，使填土产生的超孔隙水压力消散，地基强度得到增长。控制填土速率填筑是软土堤基处理方法中一种最经济、最简便的方法，缺点是施工工期较长。

许多旧海堤由于条件限制是逐年修筑而成的，这也属于控制填土速率填筑的情况。旧堤加固是在原堤身基础上加高培厚，可充分利用旧堤预压后软土堤基强度的增长。如海堤加高培厚较小，经计算稳定沉降满足要求则不必另做其他地基处理。

10　稳定与沉降计算

10.1　渗流及渗透稳定计算

10.1.1　海堤渗流计算的主要目的是验算海堤的渗透稳定性。渗流计算结果也可为抗滑稳定计算提供浸润线位置及孔隙水压力分布等数据，但此时应保持两者的计算工况、两侧水位情况一致。

10.1.3、10.1.4　河口部分的海堤受洪水影响较大，远离河口的海堤主要受潮水影响，进行渗流计算时应根据海堤所在位置的水文情况确定渗流稳定计算的水位组合情况。

10.2　抗滑和抗倾稳定计算

10.2.2　海堤两侧的水位及堤身(基)的渗透压力对抗滑稳定计算结果有直接影响。因此，对于重要海堤应根据工程的实际情况确定计算工况和相应工况下的水位组合，并先进行稳定及非稳定渗流分析。采用上述分析计算方法更接近实际情况，但通常比较复杂。在一般情况下，可参考本规范表10.2.2所列出的计算工况及相应的临海侧和背海侧的水位组合进行计算。

正常运用情况是指海堤在正常和持久的条件下工作，非常运用情况是指海堤在非常或短暂的条件下工作。

非常运用情况Ⅰ的施工期工况，海堤整体稳定抗滑计算分下列三种：

(1)分级加载施工的海堤，各级加载条件下施工断面的抗滑稳定计算。

(2)堵口截留堤断面(未闭气)的抗滑稳定计算。

(3)完建期(堤身施工刚完毕时，地基土尚未完全固结)非龙口段及龙口段海堤断面的抗滑稳定计算。

10.2.3 瑞典圆弧法计算简便，目前已积累了丰富的经验，在深厚软土地基中适用于施工期总应力计算。因此工程设计中普遍选用该方法进行海堤的抗滑稳定计算。但该方法没有考虑土条间的相互作用力，当孔隙水压力较大、地基软弱及滑弧圆心角较大，采用有效应力法计算时误差偏大。简化毕肖普法等计及条间力的计算方法更能反映土条间的客观情况，其稳定系数计算值通常比瑞典圆弧法的值要大。在《碾压式土石坝设计规范》1993 年修改和补充规定中指出："简化毕肖普法比瑞典圆弧法坝坡稳定最小安全系数可提高 5%～10%"，在 2001 年修订中规定采用瑞典圆弧法计算坝坡抗滑稳定安全系数时，Ⅰ级土坝的安全系数为 1.30，其他级别土坝的安全系数应比采用简化毕肖普法计算时的安全系数减小 8%。本规范编制过程中，对我国沿海已建的 10 条海堤工程进行了稳定分析，简化毕肖普法比瑞典圆弧法的最小整体稳定系数平均提高 8.82%，表 10.2.3 中简化毕肖普法的安全系数与现行行业标准《碾压式土石坝设计规范》SL 274 相同。目前，我国的计算机应用已基本普及，为推广先进的计算方法，本规范在瑞典圆弧法的基础上，又推荐了简化毕肖普法。简化毕肖普法适用于运行期有效应力法计算稳定系数。

采用其他非圆弧滑动方法时，应论证其安全系数控制标准。

由于地震为小概率事件，对地震工况的安全系数要求不宜过高，因此本规范对非常运用条件Ⅱ（地震工况）的安全系数作出了明确要求。

对于软土地基上级别较低的海堤或堤身高度较低（在极限高度左右）的海堤，通过地基承载力验算也可初判其稳定性。计算式如下：

$$P \leqslant P_{允许} = \frac{5.52C_u}{K} \tag{7}$$

式中：P——堤身荷载（γh）(kPa)；

$P_{允许}$——地基允许承载力(kPa)；

C_u——地基土不排水抗剪强度(kPa)；

K——安全系数，取用 $K=1.1\sim1.2$。

10.2.5 土的抗剪强度指标应取经数理统计后求出的小值平均值。对于工程级别较低的海堤且同一土层的抗剪强度试验数量较少时，一般可取用算术平均值或算术平均值乘以 0.8～0.9 折减系数。根据工程经验，抛石体的内摩擦角 φ 可取 38°～40°。另外，三轴试验比直剪试验在排水方面控制得严格，其强度指标相对更准确，1 级～3 级海堤工程建议进行三轴试验。

10.3 沉 降 计 算

10.3.1～10.3.3 由于软土地区海堤的沉降量较大，历时较长，海堤在完工后还会产生较大的沉降。因此在软土堤基设计时应计算沉降量，并根据实践经验和固结计算结果，预留沉降超高。

一般旧堤完工后至今都有较长的时间，旧堤堤身荷载引起的沉降已基本完成，因此旧堤加固一般只计算新增荷载产生的沉降。但若旧堤完工时间较短，其固结沉降尚未完成，则沉降计算时还应考虑旧堤的剩余沉降。剩余沉降可通过固结计算确定或根据沉降观测结果推算。

10.3.4 分层总和法是沉降计算常用的方法，该方法简明实用，一般情况下计算结果能满足要求。旧堤平均附加固结应力根据对应旧堤土层平均附加应力与平均固结度确定。孔隙比由室内固结试验 $e-p$ 曲线查得。

堤身荷载接近地基极限承载力时，侧向变形较大，沉降计算可能有较大误差，应进行专题研究。

10.3.6 为了合理进行堤身各部位预留加高施工，应确定海堤各结构部位的工后沉降量。海堤工后沉降量为最终沉降量与施工过程已发生沉降量的差值。软土地基工后沉降量应根据固结度计算、原位观测和类似工程经验及堤上建(构)筑物等综合分析确定。

11 其他建(构)筑物与海堤的交叉和连接

11.1 一般规定

11.1.1 建(构)筑物穿过堤身及与堤身交叉都将会增加海堤的不安全因素,应尽量减少其数量,并合理布置,以减少不安全因素。

11.1.2 结构型式选择既要考虑兴建与海堤交叉、连接的各类建(构)筑物自身的运用要求,又要保证海堤安全。建(构)筑物的防潮(洪)标准不应低于所处海堤的防潮(洪)标准。

11.1.3 与海堤交叉、连接的各类建(构)筑物布置,不应降低海堤断面的安全。

11.1.4 在设计与海堤交叉、连接的各类建(构)筑物时,应考虑由于地形、水流等条件的改变而引起的冲、淤变化对海堤产生的影响。

11.1.5 压力管道、热力管道及输送易燃、易爆流体的各类管道近年来频繁地与海堤交叉连接,本条所提的安全防护措施主要指管道通过时不致对海堤结构安全及运行管理造成威胁。

11.2 海堤与穿堤、临堤建(构)筑物的连接

11.2.1 穿堤建(构)筑物与海堤的连接部位是薄弱环节,衔接、过渡措施的要求相对较高。闸、泵站、涵洞、管道等穿堤建筑物与同部位海堤的基础处理和结构型式有所不同(如采用桩基础),由于沉降量的不同,导致不同沉降差,结构基底托空。特别是穿堤建(构)筑物在有水位差工况运行时,托空处本身就是一个渗漏通道,直接影响海堤的安全,必须引起重视。

11.2.2 由于港口、码头设计采用行业规范,从海堤所保护的区域安全全面考虑,其布置应以满足海堤的防潮(洪)安全标准为原则。

11.2.3 对交通道口底部作出高程要求，是为了避免交通道口成为溃堤的隐患。在风暴潮到来之前，应实施交通道口的临时封堵措施。

11.2.4 设置截流环、刺墙可以延长渗径和降低渗流坡降，但应确保其余周边填料紧密结合。在渗流出口设反滤排水，可以有效地防止出渗点带走堤身土料。

11.2.5 穿堤建(构)筑物破堤施工时，在其未正常启用前，要保持封闭状态，不允许出现由于外海涨潮而引起海水倒灌。

11.3 海堤与跨堤建(构)筑物的交叉

11.3.1 采用跨堤式布置的建(构)筑物，为满足海堤在防潮(洪)抢险、管理维修等方面的需要，跨堤部分水平结构轮廓最底部至堤顶间净空高度应有一定的要求，本条是参考《公路工程技术标准》JTG B01—2003 中第 2.0.7 条的三、四级公路的要求作出规定的。

11.3.2 跨堤建筑物和构筑物由于结构布置的需要，支墩布置在背海侧堤身时，要采取截渗、防渗措施，不允许存在由于接触渗漏产生的渗透坡降过大而导致的渗透破坏隐患。

11.3.3 连接港口、码头附属建筑物主要是指布置于临海侧海域的防波堤、栈桥，其与港口、码头枢纽的连接交通采用跨堤式布置，可以避免海堤由于不同使用工况的叠加，而设计时又未充分考虑所造成的破坏。

11.3.4 布置于临海侧岸滩的跨堤建(构)筑物支墩影响了堤脚和岸滩的流态，特别是支墩上、下游侧，涨、退潮时分别是前、后缘，遇到强风暴潮时作用更强烈，采取有效的防冲刷措施后，可以减小支墩周围的冲刷，保证堤脚和岸滩稳定。

11.3.5 跨堤铁路、公路桥桥面雨水排水系统一般采取垂直排放，由于跨度的限制，海堤背海测结构布置范围内多少存在有桥梁的支墩，即为桥面垂直排水的出口，如不引接至海堤结构布置范围外，将造成堤面的集中冲刷。

12 安全监测

12.0.1 海堤工程安全监测是监视、控制海堤工程施工期、运行期安全，核算沉降量，检验与完善设计的重要手段。一旦发现不正常现象，可据此及时分析原因，采取防护措施，防止事故发生，保证工程安全运行，并可通过原型观测积累观测资料，检验设计的正确性和合理性，为科研积累资料，提高海堤工程设计管理水平。运行期一般2个月～3个月观测1次，遇特殊条件应适当加密观测次数。

12.0.2 监测项目及监测设施应根据海堤工程的级别、水文气象条件、地形地质条件、堤型、穿堤建筑物特点及工程运用要求进行设置。

监测设施包括安装埋设的各种设备和专门仪器。选用的设备和仪器的质量、性能和精度均要满足要求。安装埋设的部件应精心施工，在设计周期内能投入正常使用，保证安全，收到实效。

12.0.3 本条提出了安全监测项目及监测设施设计的一些原则性要求。海堤工程具有与其他挡水建筑物不同的特点和复杂性，如地质条件复杂、堤线长、潮(洪)水位变化迅速、台汛期容易出现险情等，其监测设计应在全面收集资料的基础上，确定监测项目，选择有代表性的监测断面，做到少而精，经济合理。

监测设施的安装埋设是极其细致的工作，设计需要考虑其施工条件，并提出保护措施，尽量减少安装上的困难，保证精度达到要求，方便检测，保护监测设施的完好。

监测设施沿堤线布设，工作环境是露天或在水中，汛期发生海潮或大洪水时，又是最需要观测的时候，所以监测条件特别重要；如至各观测点应有交通条件，汛期各险工险段需要有照明设施，监测水流形态与护岸工程应有交通工具等，还要有各种安全保护措施，以防发生人身伤亡和设备损坏事故，这都是监测设计不可忽视的重要内容。

12.0.4、12.0.5 监测项目分一般性监测项目和专门性监测项目两种。根据海堤工程堤线长、堤身填土和堤基较为复杂的特点和监测工程安全的需要，对1级～3级海堤工程提出一般性监测项目。在特殊堤段可有重点、有针对性地安排专门性监测项目，应根据设计、科研与监测工程安全的需要，结合实际情况确定。专门性监测项目侧重于科研、设计需要或特殊需要。

根据沿海地区海堤建设经验，一般性监测断面，控制间距应不超过2km～5km；为了有效控制施工期稳定，合理确定预留沉降加高值，沿海堤轴线每隔200m～400m应设置3个～5个地表沉降测点和1个～2个位移边桩。

12.0.6 海堤尤其是软土地基海堤，施工期的监测很重要，应引起重视，并应考虑与永久监测设施相结合。根据沿海地区海堤建设经验，施工期根据加荷速率控制，加载期间及加载后一定时间内1天观测1次，间歇期3天～4天观测1次，如有滑移、开裂或破坏迹象，可适当加密测次。

13 施工设计

13.1 一般规定

13.1.1 施工质量、安全和进度直接关系到海堤工程能否发挥其应有的作用，为此，应认真进行施工设计。施工设计应按工程级别、规模和结构特点并结合施工具体条件和水文气象等资料进行。

13.1.3～13.1.8 海堤工程施工设计中的施工总布置、施工进度计划、内外交通、建材来源、施工度汛、施工导流、龙口及堵口、主要施工方案等应根据海堤工程的特点，遵循一定的原则。如编制施工进度计划时，要考虑到海堤堤基多为淤泥等软土地基，有些海堤的筑堤材料含水率较高等情况，施工工期安排一定要科学合理，切不可不顾实际情况片面强调施工进度。在进行海堤工程料场的规划设计时，除满足建筑材料性能的要求外还应满足环境保护、耕地保护和水土保持要求。海堤工程施工时，有些施工机械及工具并不适用于深厚软土上的工程施工，因此，施工机具的选择和调配也要考虑到这些特点。再如，海堤工程水下施工应掌握潮流运动规律，尽可能采用抢潮露滩作业，但施工时要精心组织，合理安排，制订相应的质量保证和安全施工措施。

13.1.9 海堤工程施工尽可能在台(洪)汛期前完成，尤其是主体工程要力求做到这点。对确需跨台(洪)汛期施工的海堤工程，应合理安排，使其在汛前达到一定的防御风暴潮能力，并制订科学合理的度汛措施。

13.2 天然建筑材料

13.2.1、13.2.2 海堤工程筑堤材料所用的土、砂砾料、石料、水泥、钢筋及土工合成材料等，应符合国家标准和设计的有关规定，但实际工程中，很多地区很难就近找到符合前述要求的筑堤材料。为节省工程投资，很多地区就地取材，采用海涂泥、塘泥或淤泥土等土料掺海砂、夹草或采取加快排水固结等措施来填筑海堤；也有采用海砂拌制素混凝土，已有很多成功的实例。施工质量一般凭经验控制，难以把握。实际工程中不应一概禁止使用这些材料，但应有技术论证，同时应积极总结成功的经验，以便制订专门的施工工艺和明确相应的限制条件。

13.2.3 根据规范及工程经验，为稳妥起见，在详查阶段，料场土料的可开采储量应大于填筑需要量的1.5倍。

13.2.4 混凝土和水泥砂浆的拌合用水应符合现行行业标准《水工混凝土施工规范》DL/T 5144 的要求。凡是可以饮用的水，无论自来水或洁净的天然水，都可以用来拌制混凝土。水的 pH 值不得低于 4，硫酸盐含量按 SO_4^{2-} 离子计算不得超过 1%。含有油类、糖或其他污浊物质的水，会影响水泥的正常凝结与硬化，甚至会造成质量事故，均不能使用。海水对钢筋有促进锈蚀作用，不能用来拌制配筋结构的混凝土，但可以用来拌制大体积的素混凝土。

13.2.5 闭气土料一般采用海涂泥、塘泥或淤泥土等土料。为确保海堤堤基安全，就近取土时，取土点应离开海堤堤脚一定距离。就近取土时，主要控制参数是取土坑距堤坡脚的距离，但尚需注意，取土坑之间若连通形成串沟，在水流的作用下串沟会演变和发展，由此会影响坡脚段的有效防护长度。坑口之间的距离原则上越大越好，但不同的河床地质情况下坑口之间要求的最小距离是不同的，主要是满足取土坑本身坑边坡的稳定。由于未对相关的参数进行系统的统计分析，因此暂不提相邻坑口之间的距离要求，实际工程中应因地制宜地进行相关设计。

13.3 施工度汛

13.3.1 风暴潮一般持续时间短、强度大，对于跨台(洪)汛期施工的海堤工程，施工期的防潮度汛应做好堤身和围堰护面及龙口的防护措施。为节省工程投资，在有条件的情况下，应尽可能考虑临时防护设施和永久方案相结合，如采用预制混凝土构件护面的海堤，其度汛措施可结合永久性防护工程进行。

13.3.2～13.3.4 条文给出的度汛防潮(洪)标准是参考现行行业标准《堤防工程施工规范》SL 260 的相应内容，但考虑到海堤的填筑相比江堤来说要困难，海堤的度汛不能单纯靠高程指标，而更应从结构强度上考虑。因此，堤身或围堰顶部高程，按照度汛防潮(洪)标准的潮(水)位加安全超高确定，而不再加风浪爬高。由于堵口为海堤施工中的一个过程，标准不宜太高，其设计潮位重现期可结合水文特点、施工工期及施工时段，根据工程级别、失事后果等因素选择施工时段某一潮位重现期，本规范根据沿海省份的经验，确定在 20 年～5 年范围内选定。

13.3.5 旧海堤加固改造工程在我国海堤建设中占有较大的比重，应关注和保证旧海堤破口建设过程中的度汛安全。在已有海堤上破口施工，可采取下列措施：

(1)在已有海堤上破口施工应尽量安排在非汛期。

(2)适当调整工程布置，以便能先完建新堤或穿堤建筑物，再适时挖开已有海堤，完成新、旧海堤的衔接。

(3)采用低水围堰围护破口处的基坑，在一个非汛期内完建破口内的建筑，恢复已有海堤的度汛防潮(洪)标准。

(4)采用与已有海堤相同标准的围堰围护，破口处的新建筑物可以全年施工。

13.3.6 有二线堤的海堤工程，其保护区已有二线堤保护，其外的新堤施工期度汛标准可以适当降低。考虑到二线堤实际情况的不同，度汛标准需经论证后才确定是否可以降低及降低的程度。

13.3.8 由于施工围堰是临时设施，并考虑到风暴潮及潮流的运动规律，围堰设计应选用较为经济的堰体形式。整个施工期内，围堰的稳定应满足要求。

13.4 主体工程施工设计

13.4.1、13.4.2 海堤基面清理是保证堤基与堤身结合面满足抗渗、抗滑稳定的关键施工措施。由于海堤堤基多为深厚的软土，有时筑堤材料采用海泥，堤基、堤身沉降量较大，为此，常需放缓边坡、加大堤身断面，清基边界应考虑这些因素。基坑开挖时，不要扰动坑底土层，还要做好基坑排水，减少造成基坑边坡不稳定的因素和减小维护基坑边坡稳定的费用。

13.4.3 海堤工程地基处理可根据地基情况采用垫层法、土工织物铺垫法、放缓边坡或反压法、排水固结法、抛石挤淤法、爆炸置换法、水泥土搅拌桩法、振冲碎石桩法等，也可采用多种方法相结合，这些地基处理的施工工艺、施工材料应符合相关规范要求。

13.4.5 海堤堤身填筑时，水下与水上应分别对待，传统的土方加载分层多采用 0.2m～0.5m，近年来由于施工技术和施工设备的快速发展，土方施工加载层厚有了大幅提高，平均潮位以下的土方加载分层可达 0.8m～2.0m，平均潮位以上的土方加载分层可达 0.3m～0.8m。

13.4.6 根据国内一些工程的实际经验及现场试验观测结果，在淤泥或淤泥质土等软土地基中打设有竖向排水通道时，地基的沉降速率初期较大，达到 25mm/d ～30mm/d，沉降速率大的时候可达 40mm/d ～50mm/d。沉降速率在 25mm/d ～30mm/d 时，一般对建筑物的稳定没有影响，在 40mm/d ～50mm/d 时，建筑物可能会出现一些异常反应。天津港务局及天津建筑科学研究设计院根据在塘沽新港的堆载试验研究结果，建议堆载施工的控制指标：中心部分的地表竖向沉降速率不大于 30mm/d，堆载坡脚水平位移速率不大于 10mm/d。当观测值达到或超过控制标准时，应暂停填土，间歇一定时间，甚至需采取卸载、加反压平台等措施，施工间歇时间视地基强度的增强情况确定。这个控制标准较高，有时难以满足，因此，实际工作中，在满足海堤抗滑稳定的前提下，结合现场监测成果，在充分分析论证的基础上制订相应的控制标准。

13.4.7 调查发现，护面质量是直接关系到海堤能否抵御相应设计甚至超标准风暴潮的关键，因此确保护面质量有十分重要的意义。为了保证护面质量，刚性护面结构施工应在堤身填筑完成后，经过充分的沉降变形达到基本稳定后方可实施，否则堤身沉降后会引起护面脱空，由此引起破坏。根据浙江省的经验，当堤身沉降量小于 8mm/月时，可认为沉降变形已基本稳定。

13.5 堵口与闭气

13.5.1 海堤龙口位置对堵口施工的难易及成败会产生很大的影响，其选择应综合地形、地质、堵口材料运输和排水设施（如水闸、排水涵管等）位置等因素确定。

13.5.2、13.5.3 为保证龙口段的稳定，应控制龙口最大流速，考虑到海堤地基土性和海堤工程半机械化施工、人力施工较为普遍的实际，龙口最大流速宜控制在 3m/s（粉细砂地基）、4.0m/s～4.5m/s（淤泥质土地基）以内，如果施工条件允许，采用适当的措施也可适当提高控制流速。

转化口门线是水力要素最大值的等值线图（图 21）。转化口门线表示堵口过程中口门尺寸（口门宽度、底槛高程）与各水力要素最大值的关系。

本规范推荐的龙口水力计算方法是目前普遍采用的水量平衡法和采用转化口门线方法[参见《华东水利学院学报》（1979 年第 4 期）或《中国围海工程》（中国水利水电出版社，2000 年 11 月出版）]，计算原理简单，精度能满足堵口施工的要求。对于地形、地质及水力条件复杂的 1 级、2 级海堤工程，可采用模型试验与数值计算相结合的方法确定龙口水力要素及堵口顺序。

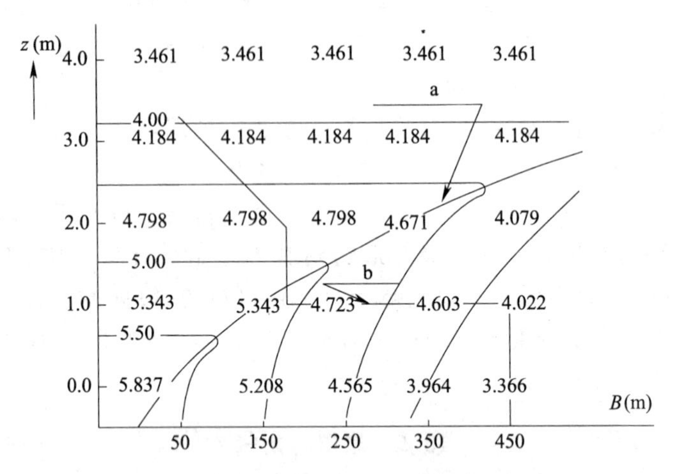

图 21 某堵口工程流速最大值转化口门线

a—转化口门线；b—堵口过程线

13.5.4、13.5.5 堵口应选在潮位低、潮差小、风浪小、天气暖和、内河流量小的时段进行；不宜在台风、大潮、多雨、严寒或酷暑时段内堵口。堵口位置选择主要考虑堵口位置的施工条件，是否易于龙口合龙等。堵口时间的选择不限定在一年中的某个季节，但应考虑到施工条件好，易于堵口合龙及堵口合龙后有足够的时间加高培厚堤身，达到设计预定断面，以满足防潮(洪)要求，以 11 月到次年 7 月这一段时间内比较适宜。具体时间选择时还应考虑以下因素：①非龙口堤段是否达到安全度汛的挡潮标准；②龙口段水下部分截流堤断面、反压层、护底是否达到设计要求；③排水设施及其上下游引渠工程是否已完工，堵口材料是否准备就绪。

13.5.7 截流堤下部断面可结合压载和护底统筹考虑，上部断面应满足堵口期挡潮和施工交通等要求，其顶高程应超过施工期设计潮位 0.5m，截流堤顶宽宜取 3m～7m，并满足截流施工要求。非渗流出逸范围边坡可用 1∶1.3～1∶1.5，渗流出逸范围内边坡宜在 1∶1.5～1∶2.0 之间。下部断面宜采用平堵法施工，上部断面可用平、立堵结合或立堵法施工。

13.5.9 龙口的保护既可以为选择最佳堵口时机创造条件，也可以为龙口合拢提供有利的施工条件，对于特别重要的1级、2级海堤，龙口保护措施及范围可通过模型试验研究确定。龙口护底铺设应遵循“先低后高”、“先近后远”和“先普遍铺再逐步加厚”的原则。护底构造先铺0.3m～0.5m厚石渣垫层，必要时可在垫层下铺设一层土工布，再抛块石。块石尺寸根据龙口最大流速确定。对于1级、2级海堤工程，宜通过模型试验确定龙口保护措施和范围。

13.5.10 闭气土体在水下施工，要求稳定性好；闭气材料应选用有适当的防渗性和抗流失性能的土料。海泥是一种良好的闭气材料，特别是海涂中强度较高、固结较好、黏性强的块状海泥。有时为了提高海泥的抗剪强度，加速海泥的固结，可以采用海泥加砂混合抛投或分层抛投，有利于排水，效果较好。砂及风化砂土也是可用的闭气材料。内闭气方式受风浪、潮(洪)影响小，且水位差较外闭气方式易于控制，闭气土流失较少，因此，宜优先采用。在闭气土体施工过程中，为了有利于闭气，常采用水闸控制内水位，使内水位最高，以减小内渗压力，实际效果良好。

13.6 加固与扩建工程施工设计

13.6.1～13.6.4 新、旧堤结合部位是堤防加固与扩建工程中最重要的部位，现有海堤堤面的各种杂物(如树丛、草皮、废管道等)和疏松土层如不清除，会给堤身留下隐患，所以，清除旧堤的杂物十分重要。旧堤加高培厚时，将堤坡挖成台阶状，再分层填筑，有利于确保新、旧堤结合面的施工质量。旧堤加高培厚时，由于堤身荷载增大，为避免加载过快引起海堤失稳，施工时也应监测堤基和堤身的沉降变形。

14 工程管理设计

14.1 一 般 规 定

14.1.1 本章海堤工程管理设计主要是工程运行期管理设计的内容,不包括工程建设期的管理设计内容。

14.1.6 对重要的二线海堤应予以保留,在一线海堤没有经过挡水考验,二线海堤的管理应按一线海堤同样的标准进行管理。

14.2 管理机构设置

14.2.1、14.2.2 海堤工程应实行统一管理并成立相应管理机构。一般都结合行政区划分级设置管理机构。海堤应根据工程等级、规模、功能和管理任务,本着精简高效的原则,合理设置管理机构、确定岗位设置,并按照水利部和财政部联合颁发的《水利工程管理单位定岗标准》核定管理人员编制。

14.3 工程管理范围和保护范围

14.3.1～14.3.6 确定海堤工程和建(构)筑物的管理范围和保护范围的有关规定,是在保证工程安全和正常运行的前提下,本着尽量少占耕地面积的原则,参考浙江和广东两省现行有关海堤管理的规定,结合当前国家对保护耕地少占耕地的有关政策,经过综合分析后提出的。

(1)《浙江省海塘工程技术规定》中对海堤工程的管理范围和保护范围作出如下规定:

①海塘的管理范围:1 级～3 级海塘的管理范围为塘身临水侧坡脚起向外延伸 70m,背海侧坡脚起向外延伸 30m;4 级、5 级海塘的管理范围为塘身临水侧坡脚起向外延伸 60m,背海侧坡脚起向

外延伸 20m；

②海塘的保护范围为背海侧管理范围向外延伸 20m；

③大型水闸的管理范围为水闸主体工程向上下游各延伸 400m，左右侧边墩翼墙起各向外延伸 100m；中型水闸的管理范围为水闸主体工程向上下游各延伸 200m，左右侧边墩翼墙起各向外延伸 70m；小型水闸的管理范围为水闸主体工程向上下游各延伸 100m，左右侧边墩翼墙起各向外延伸 30m；

④沿海塘涵闸的保护范围为管理范围向外延伸 20m。

(2)《广东省海堤工程设计导则（试行）》DB44/T 182—2004 中对海堤工程管理范围和保护范围作出如下规定：

①海堤的管理范围：临海侧为堤身及坡脚起向外延伸 50m～200m；背海侧为坡脚起向外延伸 30m～50m；背海侧顺堤向设有护堤河的，以护堤河为界；

②重点险工段，根据工程安全和管理运用需要，可适当扩大管理范围；

③城市海堤的管理范围宽度，在保证工程安全和管理运用方便的前提下，可根据城区土地利用情况进行适当调整；

④穿堤建筑物管理范围为主体工程上下游各延伸 100m～400m，左右侧边墩翼墙向外各延伸 30m～100m；

⑤海堤和穿堤建筑物的保护范围为管理范围边界线向外延伸 50m～100m。

(3)《水闸工程管理设计规范》SL 170－96 中的有关规定见表 6。

表 6　水闸工程建筑物覆盖范围以外的管理范围

建筑物等级	1	2	3	4	5
水闸上下宽度(m)	500～1000	300～500	100～300	50～100	50～100
水闸两侧宽度(m)	100～200	50～100	30～50	30～50	30～50

(4)对于本规范表 14.3.4 中的建（构）筑物的上下游宽度，是指建（构）筑物工程覆盖范围以外的河道上游或下游长度。

14.3.8 保护核电站、剧毒化工、港口、油田等特殊工程项目的专用海堤，应在保证海堤工程安全不受威胁的前提下，可根据需要按照各行业的相关规定，确定工程的管理范围和保护范围。

14.4 交通和通信设施

14.4.1、14.4.2 防汛道路的路面宽度、路面结构、错车道或下堤坡道、路面排水等项目的技术要求，可参照现行行业标准《公路工程技术标准》JTG B01 而拟定。

附录A　潮(水)位频率分析计算方法

A.0.1、A.0.2　年最低潮(水)位值经常出现负数，如用皮尔逊-Ⅲ型曲线适线，因 $C_S<0$，需用负偏累积频率曲线对经验点进行适线，而表A.0.1中的值均属正偏情况，不能用于负偏，故需作修正。对于负数序列的最低潮(水)位频率计算，当采用皮尔逊-Ⅲ型曲线适线时，可将该负数序列加上绝对值后变成正数序列，再用最高潮(水)位频率计算方法求得加上绝对值后的正数序列的不同累积频率设计值，将该值加上负号即为不同累积频率最低潮(水)位设计值。

考虑历史上出现的特高潮(水)位对频率分析结果的影响甚大，特高潮(水)位的考证期、序位的不确定度比实测潮(水)位资料大，因而对特高潮(水)位值、考证期及其序位应予以分析论证，在适线调整、参数计算时应慎重对待，以便提高频率分析的精度。

A.0.3　经验频率计算采用的是常用的期望值公式。

A.0.4　按照统计学的原理，重现期与经验频率互为倒数关系。

附录C　波浪要素计算

C.0.1　当式(C.0.1-1)中 $d \geqslant L/2$ 时,$\mathrm{th}(2\pi d/L) \approx 1.0$,此时为深水波,相应的波长即为深水波波长 L_0。

C.0.3　设计主风向是指最不利的风向。当风区内水深变化大时,风区水深可采用区域平均水深。

附录E 波浪爬高计算

E.0.1、E.0.2 这两条主要是根据《海港水文规范》JTJ 213—98的有关成果确定的。爬高成果主要依据河海大学的有关研究试验，经综合分析得出。

对于不规则波，主要利用河海大学莆田原体观测站的资料得出风速系数，该系数与南京水利科学研究院室内风浪爬高试验的结果相当符合。

关于不规则波爬高的统计分布，根据实测资料分析，采用韦伯尔分布。室内不规则波爬高试验也表明爬高符合韦伯尔分布。从简化出发，条文中采用了分布参数 $b=2.5$ 的计算结果。

E.0.3 本条主要是在原苏联规范中波浪爬高公式的基础上，参考河海大学的研究成果而制订的。

E.0.4 复合式斜坡堤的波浪爬高计算，过去国内常采用培什金法、向金法等。本条建议的方法是基于室内规则波试验得出的，并有一些现场资料及不规则波试验资料验证，计算比较方便，且已在一些沿海省区制订的海堤规程中采用。条文中注明的适用条件是根据试验参数变化范围拟定的。

本条是根据现行国家标准《堤防工程设计规范》GB 50286的有关成果制订的。

E.0.5 本条是在广东省水利水电科学研究院开展的不规则波物理模型试验成果的基础上制订的。

E.0.6 根据现场观测和室内试验成果，斜向波作用的爬高一般较正向波作用的爬高小，因此需对正向波的计算结果加以修正。表E.0.6的修正系数是夏依坦根据现场资料给出的。近年来国外一些不规则波试验结果表明，有时小角度来波的越浪量大于正向来波的越浪量，因而对 $\beta \leqslant 15°$，取修正系数 $K_\beta = 1$，即不进行斜向修正。

E.0.7 本条是根据美国 Saville 在 1958 年提出的将复式断面换算为假想的单坡情况的方法的基础上，且浙江省水利河口研究院继续做了部分试验结果的情况下而制订的。

E.0.9、E.0.10 这两条是基于南京水利科学研究院和河海大学的研究成果和部分现场观测资料的基础上得到的，是在规则波条件下得到的近似计算方法，有一定的局限性。

E.0.11 本条适用于堤前种植有防浪林的堤前波要素的计算。防浪林消波系数的计算公式是根据南京水利科学研究院和河海大学室内规则波试验而制订的，可供一般海堤设计时参考；对重要海堤前设有防浪林的消波参数可结合模型试验确定。

E.0.12 本条是基于河海大学的规则波试验成果而制订的。系数 K_R 的值是在平面加糙率 K_P（凸起加糙面积与坡面总面积之比）为 25%，凸起高度与条石边长相等的情况下得到的试验值。

附录F　越浪量计算

F.0.1　本条中斜坡堤顶越浪量的计算方法是南京水利科学研究院通过模型试验提出的。试验采用的波谱主要为JONSWAP谱。该方法的计算结果与大连理工大学计算方法的结果接近。

F.0.2　本条是基于广东省水利水电科学研究院开展的不规则波物理模型试验成果的基础上制订的。

附录G　波浪作用力计算

G.1　直立式护面

G.1.1　本条适用于在堤前半波长或远处破碎的波浪对海堤作用力的计算，即远破波波浪力的计算。本条采用大连理工大学的远破波试验公式，因为通过与国内外各种有代表性的计算方法进行了比较，表明此法考虑的因素比较全面，能较正确地反映波陡和底坡对波力的影响，与试验结果比较符合。

墙前为波谷时的远破波作用力计算图式，系参照日本港口设施技术标准和国内一些试验成果给出的。

关于波浪越顶对远破波波浪力的影响，尚无可供实用的研究成果，故在条文中未予规定。若先按不越浪时计算波压力，然后减去越顶部分的压力，一般偏于安全。

G.1.2　本条适用于堤前水深较大，波浪正向行近堤身并在堤前发生全反射时的波浪力的计算，即堤前为立波的波浪力计算。

G.2　斜坡式护面

G.2.2　单坡上的波压力计算方法是根据原苏联国家建设委员会在1986年颁布的《波浪、冰凌和船舶对水工建筑物的荷载与作用》中计算规则波波压力的方法，其由试验计算求得，并通过原型实测资料验证。可用于计算不规则波对单坡堤混凝土护面上的波压力。此公式不适用于栅栏板护面上波压力计算。

G.2.3　对斜坡顶上防浪墙波浪力的计算方法，是根据近年来工程试验的结果，并考虑到可靠性分析等要求，最终结合河海大学的研究成果而制订的。

附录H　用作反滤的土工织物设计计算

本节是根据现行行业标准《水利水电工程土工合成材料应用技术规范》SL/T 225 有关条文内容制订的。

H.0.2　用作反滤的土工织物一般是非织造型土工织物，土工织物重量不宜小于 300g/m²，抗拉强度符合相应规格的企业质量控制标准。对于织造型土工织物保土性准则可以采用以下规定：

(1)黏粒含量大于10%的黏性土，在覆盖保护层块大(0.4m×0.6m)缝隙小(如预制件)的条件下，可采用 $O_{90} \leqslant 10d_{90}$。

(2)黏粒含量小于10%的砂性土，在覆盖保护层块大(0.4m×0.6m)缝隙小(如预制件)的条件下，可采用 $O_{90} \leqslant (2\sim5)d_{90}$；浪高小于 0.6m 时，取大值，否则取小值。

本条中的 O_{90} 表示织造土工织物的等效孔径。

附录J　护坡护脚计算

J.0.1　砌石护坡面层设计一般按厚度控制。制订本条时对国家现行标准《海港水文规范》JTS 145—2 和《堤防工程设计规范》GB 50286所采用的公式进行比较,《海港水文规范》JTS 145—2 在 $m<2$时计算值一般偏大,只适用于 $m=1.5\sim3$、$d/H=1.5\sim4$ 和 $L/H=10\sim25$的情况;而《堤防工程设计规范》GB 50286 采用的培什金方法计算简便,应用范围广,故采用之。

公式中 m 为斜坡坡率,当公式用于复式断面时,取断面的平均坡率。

J.0.3　本条参考国家现行标准《堤防工程设计规范》GB 50286 和《防波堤设计与施工规范》JTJ 298 相关内容制订。

J.0.4　本条计算混凝土板厚度的公式采用《碾压式土石坝设计规范》SL 274—2001 附录 A.2.3 公式。

1　该公式一般适用于大尺寸的护面板,对小尺寸的板应计算板自身的稳定。

2.　混凝土护面板强度计算在现行国家标准《堤防工程设计规范》GB 50286 中并无介绍,本条计算方法参照《水工设计手册》第四卷土石坝所述内容,偏安全考虑,只计板上的波浪压力和板自重,不计板下的上托力和静水压力。为方便计算,将荷载简化为阶梯型的均布荷载,按弹性地基梁计算。

J.0.5、J.0.6　这两条内容根据《防波堤设计与施工规范》JTJ 298—98中第 4.2 节的内容制订。

(1)栅栏板结构图中,栅条断面为梯形,施工时,立模困难,表面平整度差,不美观,应用时有将梯形断面改为矩形断面的应用实例。上海勘测设计研究院近年成功应用多项设计,反映修改栅条断面后，消浪效果没有明显差别。

(2)推荐的预制混凝土异型块体外形较简单，个别工程需要外形复杂的四脚椎体、扭工字块、扭王字块时，可以直接应用该规范。

J.0.7 本条根据《防波堤设计与施工规范》JTJ 298—98 中第 5.2.16 条内容制订。对于堤前波浪为立波的最大波浪底流速公式未列出，是因为一般海堤堤前出现立波的情况并不多见。

附录 K　堤坡稳定计算

K.0.1、K.0.2　这两条是根据《堤防工程设计规范》GB 50286 中附录 D 的内容制订的。

附录L　堤面排水设计计算

L.0.1　堤面排水系统分为堤与起点、终点岸坡交接的周边排水，平行于堤轴线设于特定高程处的纵向排水及垂直于堤轴线且连接不同高程纵向排水的竖向排水。排水沟的常用断面型式通常有梯形断面和矩形断面，一般由浆砌石或预制混凝土块砌成。竖向排水沟的纵向坡度为堤坡坡度。

L.0.2　基本公式采用《公路排水设计规范》JTG/T D33—2012 第9.1.1条的内容。水文计算要解决的问题有两类，一为确定堤顶的设计径流量，二为确定堤坡的设计径流量。

L.0.3　排水沟内水流流态假定为明渠均匀流，纵向排水沟应属缓坡，竖向排水沟及周边排水沟应属陡坡。决定排水沟平均流速的三大因素为纵坡、糙率、断面型式。对于选定砌筑材料的排水沟，纵坡一般顺应堤坡，因此，排泄能力主要由断面几何性质决定。最常采用的断面型式为矩形、梯形和U形。

L.0.4　由于堤面的排水沟一般为急流流态，要求一定的超高，以防止水流溢出沟内冲蚀堤表土体。

附录 M　抗滑稳定计算

M. 0. 1　海堤基础处理方式不同，对整体稳定分析方法的选取有较大影响。当基础处理采用爆炸置换法时，由于原状地基土大量被抛石所替代，土条之间作用力加强，采用简化毕肖普法更能准确反映海堤整体稳定情况。

M. 0. 2、M. 0. 3　抗滑稳定计算分有效应力法和总应力法两种。控制土的抗剪强度的是有效应力而不是总应力。但用有效应力法计算稳定，需计算土体中的孔隙水压力，计算复杂、难度大，因此工程上常用的还是总应力法，即在抗剪强度试验中模拟土体的孔隙水压力状态，并取得总应力抗剪强度指标，使用该强度指标进行稳定计算时已考虑了孔隙水压力的影响。实际运用中注意强度指标的选用要和分析方法相对应。

对于分期施工，施工历时较长，软土地基有排水设施，地基受到堤身荷重产生部分固结时，可采用现行行业标准《滩涂治理工程技术规范》SL 389 提供的有效固结应力法进行计算（图 22），计算公式如下：

$$F=\left\{\sum_{A}^{B}\left[C_{ui}L_i+W_{\mathrm{I}i}\cos\alpha_i\tan\phi_{ui}+U_z\sigma_{zi}L_i\tan\phi_{cu}\right]+k_1\sum_{B}^{C}\left(C_{\mathrm{II}}L_i+k_2W_{\mathrm{II}i}\cos\alpha_i\tan\phi_{\mathrm{II}}\right)\right\}\Big/\sum_{A}^{B}(W_{\mathrm{I}i}+W_{\mathrm{II}i})\sin\alpha_i+\sum_{B}^{C}(W_{\mathrm{II}i}\sin\alpha_i) \tag{8}$$

式中：L_i——第 i 土条的弧长（m）；

$W_{\mathrm{I}i}$、$W_{\mathrm{II}i}$——第 i 土条在地基部分及堤身部分的重量（kN/m）；

α_i——第 i 土条弧段中点切线与水平线的夹角（°）；

$б_{zi}$—— 堤身荷载在第 i 土条弧段中点处的附加应力（kPa）；

U_z——土条底面所在地基土的固结度；

C_{ui}、ϕ_{ui}——地基土的不排水剪强度[kPa、(°)]；

ϕ_{cu}——固结不排水剪求出的地基土内摩擦角(°)；

C_{II}、ϕ_{II}——堤身抗剪强度指标[kPa、(°)]，可由固结不排水剪求出；

k_1——堤身抗滑力矩折减系数；

k_2——堤身强度指标折减系数。

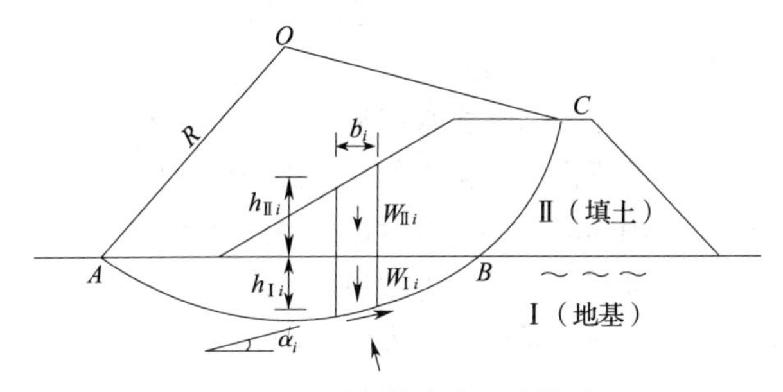

图 22　有效固结应力法计算图

在进行海堤圆弧滑动稳定分析时，为简化计算，常采用容重替代法来反映浮力和渗透力对抗滑稳定的影响：临海坡或背海坡较低水位以下的土体取浮容重；浸润线以上的土体取天然容重；浸润线与临海侧水位之间的土体，在计算滑动力矩时采用饱和容重，但在计算抗滑力矩时用浮容重。该方法计算简便，一般情况下可满足工程设计的要求。

M.0.4　地基土完全固结情况认为是正常运行情况。对于软基，海堤完工时往往地基土尚未完成固结，因此，从海堤完工至地基土完成固结这段时间按非常运用情况考虑。

施工期土体强度的增长计算方法有多种，如下方法可供参考。

施工期抗剪强度 C_t、φ_t 或十字板强度 C_{ut} 可由以下各式求得：

直剪试验：

$$C_t = C_q + U(C_{cq} - C_q) \tag{9}$$

$$\tan\varphi_t = \tan\varphi_q + U(\tan\varphi_{cq} - \tan\varphi_q) \tag{10}$$

三轴试验：

$$C_t = C_{uu} + U(C_{cu} - C_{uu}) \tag{11}$$

$$\tan\varphi_t = \tan\varphi_{uu} + U(\tan\varphi_{cu} - \tan\varphi_{uu}) \tag{12}$$

十字板强度试验：

$$C_{ut} = \eta(C_{uo} + U\sigma_z \tan\varphi_{cu}) \tag{13}$$

式中：C_t——时间 t 时的凝聚力(kPa)；

φ——时间 t 时的内摩擦角(°)；

C_{ut}——时间 t 时的十字板强度(kPa)；

U——地基土的平均固结度；

C_{uu}——三轴不固结不排水剪指标凝聚力(kPa)；

φ_{uu}——三轴不固结不排水剪指标内摩擦角(°)；

C_{cu}——三轴固结不排水剪指标凝聚力(kPa)；

φ_{cu}——三轴固结不排水剪指标内摩擦角(°)；

C_q——直剪快剪指标凝聚力(kPa)；

φ_q——直剪快剪指标内摩擦角(°)；

C_{cq}——直剪固结快剪指标凝聚力(kPa)；

φ_{cq}——直剪固结快剪指标内摩擦角(°)；

C_{u0}——天然十字板强度指标(kPa)；

η——考虑剪切蠕动及其他因素对强度的折减系数，可取0.75～0.9，剪应力大时取小值，反之取大值；

σ_z——地基垂直附加应力(kPa)。

由于堤身荷载大小不同，加载时间不同，地基各点的竖向应力不同，加之地层条件变化，引起固结度的不同，地基土强度增长也不同，故应按堤身荷载大小及土层条件等大体分成若干个区，分区选用 C_t、φ_t 或十字板强度 C_{ut}。

为确保海堤的安全，计算时也可不考虑凝聚力的增长，而只考虑内摩擦角的增长。

附录N 软基处理及计算

N.2 加筋土工织物铺垫

N.2.1、N.2.2 土工织物铺垫就是在堤身地基表面铺设排水垫层,在垫层内夹铺一层或多层加筋土工织物,或在地基表面先铺一层土工织物,在其上再铺设排水垫层,形成土工织物-垫层系。其作用有:

(1) 隔离作用,减少土石料大量挤入表层软土中。

(2) 形成良好的表层排水面,有利于孔隙水压力的消散。

(3) 保持堤身底部连续完整,约束浅层软土的侧向变形,均化应力分布。因此,土工织物铺垫可以起到提高地基承载力和稳定性、减小沉降差的作用。

N.3 水泥土搅拌桩法

N.3.1～N.3.7 一般规范中仅给出搅拌桩单桩及复合地基的承载力计算公式,而没有给出搅拌桩复合体的强度参数,这给海堤的整体稳定计算造成一定的困难。广东省海堤工程设计导则给出了搅拌桩复合体的强度参数计算公式如下,可供参考。

(1)搅拌桩复合地基的等效强度指标可按式(14)、式(15)计算确定:

$$c=c_1m+c_2(1-m) \tag{14}$$

$$\varphi=\arctan\left(\frac{\tan\varphi_1}{1+K_2/\beta K_1}+\frac{\tan\varphi_2}{1+\beta K_1/K_2}\right) \tag{15}$$

式中:m——面积置换率;

c_1——搅拌桩桩身黏聚力(kPa),可按式(16)计算;

φ_1——搅拌桩桩身内摩擦角,取 $\varphi_1=20°\sim24°$,桩身强度高

时取高值，否则取低值；

c_2——软土层黏聚力；

φ_2——软土层内摩擦角；

K_1——搅拌桩的刚度(kN/m)，可按式(17)计算；

K_2——桩周软土部分的刚度(kN/m)，可按式(18)计算；

β——桩的沉降 S_1 和桩周软土部分沉降 S_2 之比，即 $\beta=S_1/S_2$(对填土，一般 $S_1<S_2$，可取 $\beta=0.5$；对刚性基础，则 $S_1=S_2$，$\beta=1$)。

(2)搅拌桩桩身黏聚力可按下式计算确定：

$$c_1=\frac{\eta f_{cu}}{2\tan(45^\circ+\frac{\varphi_1}{2})} \tag{16}$$

式中：f_{cu}——与搅拌桩桩身水泥土配比相同的室内加固土试块(边长为 70.7mm 的立方体，也可采用边长 50mm 的立方体)在标准养护条件下 28 天龄期的立方体抗压强度平均值(kPa)；

η——桩身强度折减系数，干法可取 0.20～0.30，湿法可取 0.25～0.33。

(3) 搅拌桩及桩周软土刚度可按式(17)～式(21)计算确定：

$$K_1=\frac{k_1k_2k_3}{k_1k_2+k_2k_3+k_3k_1} \tag{17}$$

$$K_2=\frac{A_2E_s}{l} \tag{18}$$

$$k_1=\frac{A_1E'}{d(1-u^2)\omega} \tag{19}$$

$$k_2=\frac{A_1E_p}{l} \tag{20}$$

$$k_3=\frac{A_1E''}{d(1-u^2)\omega} \tag{21}$$

式中：k_1——搅拌桩桩顶土层的刚度(kN/m)；

k_2——搅拌桩桩身的压缩刚度(kN/m)；

k_3——搅拌桩桩底土层的刚度(kN/m)；

A_1——搅拌桩截面积(m^2)；

A_2——桩周土截面积(m^2)；

d——搅拌桩直径(m)；

u——泊松比，可取 $u=0.3$；

ω——形状系数，$\omega=0.79$；

E'——桩顶土层的变形模量(kPa)；

E''——桩底土层的变形模量(kPa)；

E_p——搅拌桩的压缩模量，可取 $E_p=(100\sim120)f_{cu}$，对桩较短或桩身强度较低者可取低值，反之可取高值；

E_s——桩间土的压缩模量(kPa)；

l——搅拌桩桩长(m)。

N.4 地基固结度计算

N.4.2 排水竖井未打穿软土层时，广东省海堤工程有关规范中提出，排水竖井处理区也是一个固结体，而不是一个完整的排水体。固结度计算时应把竖井处理体等效为一定的排水距离。排水距离 ΔH 可按下列公式计算：

$$\Delta H=\sqrt{\frac{K_2}{K_1}}H_1 \tag{22}$$

$$K_1=K_v+\frac{32H_1{}^2}{\pi^2F_nd_e{}^2}K_h \tag{23}$$

式中：K_1——竖井处理后复合体的等效竖向渗透系数；

K_2——竖井下软土的竖向渗透系数；

H_1——竖井处理范围内软土层厚度(cm)。

竖井下未打穿部分软土的固结计算厚度为：

$$H=H_2+\Delta H \tag{24}$$

式中：H_2——竖井下软土层厚度(cm)。

求出 H 值后，代入式(N.4.1-2)中求得 T_v，然后用式(N.4.1-1)或式(N.4.1-3)即可求出竖井下软土的竖向平均固结度 $\overline{U}_z$。

附录P 龙口水力计算

龙口水力计算采用的水量平衡法是一维稳定流公式，计算原理简单，但计算工作量较大，可借助计算机简化计算。根据国内围海工程经验，采用一维稳定流公式能满足堵口工程的计算需要[参见《华东水利学院学报》(1979 年第 4 期)或《中国围海工程》(中国水利水电出版社，2000 年 11 月出版)]。由于一维计算不能反映整个流场状态和局部水力现象，建议对 1 级、2 级海堤工程采用二维或三维数值模拟方法进行龙口水力计算。

附录Q　龙口的转化口门线

求出堵口过程中口门尺寸(口门宽度、底坎高程)与最大流速的关系,然后根据实际施工条件,选择一个合适的可控制的最大流速,这样就可以确定一个相应口门的尺寸并由此选择堵口程序,这种方法就称为转化口门线法,它实质上是一条控制线法[参见《华东水利学院学报》(1979 年第 4 期)或《中国围海工程》(中国水利水电出版社,2000 年 11 月出版)]。

统一书号：1580242·565

定　　价：49.00元